TIME
PACKAGE
時光包裹

那些
回不去的
年少时光
-下-
新版
全二册

A Book
Dedicated
to Our Youth

桐华
作品

湖南文艺出版社
HUNAN LITERATURE AND ART PUBLISHING HOUSE
博集天卷
CS-BOOKY

那些
回不去的
年少时光

When
I
was
15
years
old

一向笨手笨脚的我第一次学折幸运星，

好像没有别的女孩子折得好看，不过还

是希望他会喜欢，因为每一颗都代表我

想对他说的话。

那些
回不去的
年少时光

When
I
was
16
years
old

是不是因为我们长大了，有些话

再也没有办法轻易说出口，于是

每个女孩都有了一个漂亮的日记

本，把藏在心里的话都告诉它，

再用一把锁轻轻锁上。

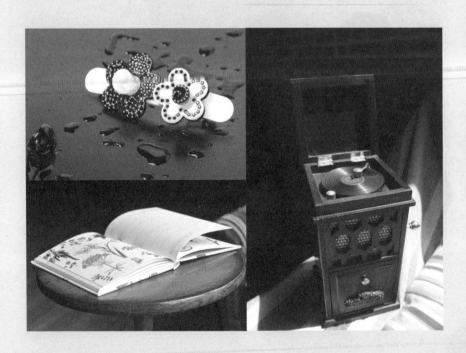

那些
回不去的
年少时光

When
I
was

18

years
old

到外地上大学的第一年，喜欢

写很多信给分开的高中同学，

然后再收到他们从不同地方寄

来的信，后来我们都有了新朋

友，那些信，也越来越少。

那些
回不去的
年少时光

When
I
was
20
years
old

每一个美丽的女人都有一双美丽的高跟鞋，我
想我终于长大，有了自己的高跟鞋，如此的美
丽，却每走一步都伴随着从未有过的疼痛，是
不是长大都会如此？

年少的我们总是缺乏耐心，
不明白生命里最不舍的那一页，
总是藏得最深。
非要经年之后，
蓦然回首时才会懂得错过的是什么。
那一刻，
唯有盈眶的热泪，
祭奠着早已一去不再复返的青春。

那些
回不去的
年少时光

下

A Book Dedicated to Our Youth

目录 contents

被沉默埋葬的过去

罗琦琦看了下表，已经七点。

初中部都是走读生，不用上晚自习，学生已经全部走空。

她站了起来，穿过林荫道，走到乒乓球台旁。水泥砌成的乒乓球台应该被妥善维护过，看不出陈旧的痕迹，至少在罗琦琦的记忆中，和她罚站时，一模一样。

她笑了笑，沿着乒乓球台一侧，进了教学楼，是个拐弯口，左侧应该是教室，右侧应该是老师的办公室。

向右拐后，第一眼就看到英语组的牌子，罗琦琦站在窗户边，弯下身子往里看，不知道聚宝盆是否还在教书。里面拉着窗帘，黑漆漆的，什么都看不清楚，她放弃了窥视，直接走过办公室，到了教室。

教室倒是看得一清二楚，里面全都变了。

她记得以前教室里挂着蓝色的布窗帘，现在换成了百叶窗；以前没有电扇，现在却有两个大大的吊扇；讲台一侧，多了一台大电视，大概是什么多媒体教学的工具；课桌也全部换了，她记得以前的课桌，桌肚的前面是敞开的，书包从前面塞进去，现在的课桌却是桌面可以打开。大概学生人数少了，每个桌子都分开摆放，没有紧挨在一起的桌子。

罗琦琦笑叹口气，没有同桌，可会丧失很多乐趣的。

她转身从（1）班门前的大门走出去，以前这里是一个有小池塘和小亭子的中国式小园林，现在却全没了，池塘被填掉，小亭子也被扒掉，改成了一个圆盘形的花坛。

一首诗就那么自然而然地涌上了心头：

洛阳城东桃李花，飞来飞去落谁家？

洛阳女儿惜颜色，行逢落花长叹息。

今年落花颜色改，明年花开复谁在？

已见松柏摧为薪，更闻桑田变成海。

古人无复洛城东，今人还对落花风。

年年岁岁花相似，岁岁年年人不同。

其实，不要说岁岁年年人不同，就连年年岁岁的花都早已经不同了。她四处看着，已经分辨不出，当年她曾站在哪里和林岚、李莘、倪卿聊天。不过，因为楼门的位置没变，所以，她还能大概判断出她和晓菲曾在何处重逢。

闭上眼睛，好似就能看到一个戴着眼镜、梳着马尾巴的女孩，和一个长发披肩的漂亮女孩面对面走着，擦肩而过时，她们的视线也交错而过，步子慢了下来，迟疑着回头，刹那间，脸上绽放出最灿烂的笑容。

她们那么快乐、那么兴奋，完全不知道，等待她们的命运是什么。

罗琦琦猛地睁开眼睛，甩脱了过去的回忆。从另一个楼门，再次走进教学楼，直接上到三楼。

楼道里有说话声和笑声传来，她有些意外，顺着声音走过去，（4）班的后门开着，透过玻璃窗，她看到里面有三四个学生，正在做板报。

凝视着他们年轻的容颜，她心头有一阵阵的温柔在涌动。

一个学生发现了她，频频回头看她，引得别的学生也回头看，罗琦琦索性走了进去，轻声问："我看一会儿你们出的板报，可以吗？"

"你是老师？"

"不是。"

几个学生很是莫名其妙，彼此看了一眼，一个男生大大咧咧地说："那你看吧！"

她站在后门旁的墙壁边，半靠着墙壁，看着他们。

她的目光中有太多眷恋，太多温柔，几个学生大概觉得她太奇怪，都一边工作，一边时不时地打量她一眼。

罗琦琦凝视了他们好一会儿，才去看他们做的板报。可是，她站的地方太靠近后黑板，角度又太偏，并不能清楚地看到后黑板上的板报，只能清楚地看到站在黑板前出板报的人。

她愣了愣，试着把桌子往前推，依旧看不清楚，当年的教室更挤，不可能再往前了。她往中间轻轻走了几步，发现越靠近中间，才越是看板报的最佳位置。

罗琦琦又轻轻走回刚才站立的地方，背慢慢地贴靠到墙壁上，从这个角度去看板报，唯一能看清楚的就是在黑板前忙碌的男生和女生，她凝视着他们，眼泪慢慢地渗到眼眶里，原来……原来是这样的。

她不敢再看，匆匆离去："谢谢你们了。把图画的水粉颜色换深一点看看效果，现在是傍晚，老师给板报评分时都是白天，太阳光最明亮的时候。"

男生和女生忙盯着自己的板报看，戴眼镜的瘦高个男生拍了下桌子："有道理啊，我们光顾着现在好看了，谢谢你……"等他们侧头，那个气质特别的女子已经不见。

他们彼此诧异地看了一眼，很快就把这个小插曲丢到了脑后，又开始嘻嘻哈哈，边说边笑地出着板报。

罗琦琦在（7）班的门口，默默站了一会儿后，从（8）班旁的楼梯下楼。

出校门时，门卫热情地打招呼："这么晚才走啊？"

罗琦琦笑着说："前两天有点事，没来得及改卷子，明天就要发试卷，所以赶紧改出来。"

说着话，她走出了校门。

招手拦了一辆计程车，司机问："去哪里？"

她想了想说："师傅，我想吃羊肉串，可是对这附近不熟，您知道哪里有烤羊肉串？不是饭店，就那种小摊子。"

司机笑着答应了一声，带着她去找羊肉串摊。

罗琦琦点了一瓶啤酒，三十串羊肉串，嘱咐摊主其中十五串要多加辣椒，多加再多加！

沾满辣椒面的羊肉串刚一入口，她就被辣得猛咳嗽，可她却一口羊肉串，一口啤酒地吃着，眼泪慢慢地涌出眼眶。

摊主好笑地给她拿纸巾，琦琦一边擦眼泪一边说："太辣了，把眼泪都辣了出来！"

吃完羊肉串，她就回了宾馆休息。

晚上并没有睡好，思绪仍然萦绕在过去，那些年轻的欢笑和哭泣在耳边不停地响着，让她即便在梦里都在不停地叹息。

第二天早上十点起来，洗漱过后，用过早饭，她上了计程车。

司机问："去哪里？"

她说："市第一中学。"

二十多分钟后，她站在了一中高中部的教学楼下。

第1章

全新简单生活

其实我好羡慕大熊那个笨小孩

因为他有你

多啦A梦，多啦A梦

请带我回到90年代，谢谢！

1
高一的开始

曾经，我最爱的影星是布拉德·皮特，不关乎他的演技，
只因他那英俊的面孔、完美的身材、不羁的气质，
在一段段光影中蛊惑了我。
如今，我最爱的影星是凯特·温斯莱特，不关乎她的演技，
只因在为美疯狂的演艺圈，她坦然地说自己小肚子有赘肉，
坦然地说她的乳房因为哺乳过孩子会下垂，
她从容自信地爱着不完美的自己。
如何从容自信地爱不完美的自己，
是一门比如何爱别人更深奥的学问。

高一新生的分班名单下来，一共九个班，每班五十个人左右。

关荷和张骏分到了（4）班，我分到了（5）班，和沈远哲、童云珠同班。

我们班的班长自然是沈远哲，文艺委员自然是童云珠；（4）班的学习委员是关荷，班长竟然是……张骏。

我听到这个消息的时候，很是愣了一下，再一想又觉得合理。张骏的留校察看处分在中考前就取消了，他的中考成绩不错，又有过做班长的经验，选他当班长挺正常。

一中对高中和初中的重视程度完全不一样，高中部光教学楼就有三栋，每栋四层，每层有三个教室，每个年级一栋楼，因为高一只有九个班，所以四层完全空着。

（4）班和（5）班都在二楼，意味着我和张骏的班级不但处于一个楼道，而且只隔了一堵墙。我说不清楚我对距离他这么近有什么感觉。一方面有不受理智控制的暗喜，一方面却又想远远地躲开。

一中的高中生有点复杂，因为是省重点，教学质量声名在外，所以除了我们这些正常考上的学生外，还有一部分特招生。

这部分特招生是一个很特殊的存在。有人是家里非常有钱，完全用钱砸进了一中；有人是因为非常有权，直接一个电话，校长就不得不接收进来；还有一部分是因为有特殊技能，比如，舞蹈、歌唱、体育，他们能为一中在全省争得荣誉，被一中破格录取，所以，重点高中的学生并不都是学习成绩好的学生。

（4）班是全年级师资配备最强大的班级，几个靠权进来的"高干"都在（4）班，最引人注目的是副省长的独生子，因为姓贾，大家直接赠送外号贾公子。他算是不学无术，却不算是纨绔子弟。听说他父亲很严厉，所以他十分规矩，从不惹是生非，对老师也很恭敬，就是学习成绩怎么搞都搞不好。

我们（5）班则是年级中的差班，有点爹不亲娘不爱的样子。根据同学们的小道消息，老师都不好，数学老师是全高中出了名的邋遢鬼；英语老师是刚分配来的女大学生，讲课还会脸红；物理老师是一个胖胖的男人，逻辑很混乱，讲题能把自己给讲晕；班主任竟然是政治老师，一个说话慢悠悠的白面书生。

幸亏班长很拿得出手，沈远哲可是一中初中部有史以来最有威望的学生会主席。按道理来说，这个班长应该做得顺风顺水，可结果并非如此。

一中高中部有一个很传统的派系斗争，就是所谓的老一中生和新一中生矛盾。老一中生就是如同我、沈远哲、童云珠、张骏、关荷这样的，初中就是一中的学生，新一中生则是从别的初中考进来的学生。

一中的初中部不招收住校生，所以，老一中生的家都在一中附近，算是市里人，对市区熟悉；又因为我们已经在一中三年，对学校老师都熟悉，尤其沈远哲这样的，校领导和老师都认识他们，自然而然凡事会多找他们，而我们也因为彼此认识，甚至本就曾是一个班的，所以很容易走近。这一切落在新一中生的眼睛里，就变成了老一中生结党，有自己的小圈子，老师也偏心老一中生，他们很难融入。尤其是住校生，大概因为家不在市内，远离了

父母，彼此又朝夕相处，他们十分团结，很排斥我们这些老一中生，总是处处刁难。莫名其妙地一届届积累下来，新、老一中生的矛盾竟然变成了高中部的一个传统矛盾。

沈远哲就陷入了这个矛盾中，新一中生很不服他，彼此抱着团为难他，他们的人数又绝对性地压倒我们，沈远哲的班长做得颇为艰难。

我们班还有几个靠钱砸进来的学生，钱有多多，人就有多慵懒。尤其一个叫马力的男生，简直坏到了下流。开学第一天，他就把小镜子贴在自己的鞋尖上，举手问英语老师问题，等年轻的英语老师走到他身边给他细心地讲问题时，他把脚探到老师的裙子下，看人家的内裤。看完了，告诉全班男生，吓得第二天坐他周围的女生都不敢穿裙子，而穿裙子的女生都避他三尺远。

上自习课时，他装作有事要问前面的女生，故意用手去推女生的后背，然后像发现新大陆一样，摸着女生的胸罩带子，故作惊讶地问："这是什么？你为什么身上绑一根带子？好奇怪哦！"还故意对周围的男生问，"真的好奇怪，她怎么身上绑着带子？"

女生羞得眼泪直在眼眶里转，跑去找班主任换座位，班主任问原因，她不好意思说，只是哭，老师换了，结果又是换了一个女生，又被马力弄得涨红着脸哭。

沈远哲很头痛，他总不能跑去告诉英语老师，你已经走光了；也不可能告诉班主任，马力摸女生的后背。

高中生已是半大人，早已经过了崇拜老师的年纪，不仅不崇拜，反倒以蔑视老师、挑战权威为荣，同学纠纷中，向老师告状是大忌。沈远哲如果如此做，也许会收到暂时的效果，却肯定会失去同学们的信任，甚至被所有男生瞧不起。

宁可无作为，也不可选择这个下下策。沈远哲只能先按兵不动，安排一个男生坐到了马力前面去，可马力自然有层出不穷的下流花招，反正三天两头，班里就有女生红着脸掉眼泪。

我欠沈远哲一个恩惠，再加上实在有些看不惯马力，所以决定多事一把，主动要求和马力前面的男生换座位，坐到了马力前面。

全班女生都惊异地看我，对我的行为完全不能理解。

上晚自习的时候，马力先用脚来探我的脚，我不动声色，用脚把早放在桌子底下的圆规拨拉了出来，脚跟踩着一头，令有针的一头翘着，马力蹭着蹭着，闷着声音哼了一声，迅速把脚收了回去。我笑了笑，继续看物理书。

过了一会儿，他的手又开始推我，一边推我，一边在我背上摸着，我合上正在看的物理课本，把书拿在手里，笑眯眯地回头，他嬉皮笑脸地看着我，刚想张口说话，我一本书就扇在他的脸上。

啪的一声脆响，打碎了自习课的宁静，全班都抬头盯向我们，马力也彻底被我打愣住。

我却不肯善罢甘休，仍旧劈头盖脸地扇打过去，边打边质问："你在干什么？你在干什么……"

马力开始反应过来了，拳头一挥想动手，沈远哲赶紧站了起来，我说："你们谁都不用帮我，有理行遍天下！他若敢动手，我们今天就到校长面前去把话讲清楚，我倒想替所有的家长问问校长，他是觉得钱重要，还是一中的声誉重要，看看家长们肯不肯让这个人渣和自己的孩子在一起？"

不让沈远哲帮我，还有另一层考虑，我是女生，即使和马力打起来，新一中的男生也不好意思出手，可如果沈远哲掺和进来，就很有可能演变成新一中生和老一中生的群架，到时候，明明占理的是我们，因为打群架，反倒有理也变得没理了。

马力握着拳头不动，我盯着他说："别以为女生是真怕你，大家只是不好意思像你一样下流，不过，我脸皮是出了名的厚，你既然能做，我就什么都敢说，要不要现在就去见校长？"我逼到他眼前，"打不打？不打我可回去看书了！"

马力恨得眼睛都发红了，却根本不敢动手。我拿着物理课本在手里拍了拍："如果你以后还敢欺负女生，我见一次打一次，别怪我没提醒你。"

说完，转身坐下，翻开课本继续看。

马力也回了自己的座位，头贴着课桌，几乎看不到脸，不知道是在看书，还是在发呆。

全班鸦雀无声，一整节晚自习，都处于低气压中。

下晚自习后，我开始收拾书包，男生女生经过我课桌时，都会貌似不经意地瞥我一眼。自从开学，我一直不引人注意地坐在班级的某个角落，大部分同学估计还没记住我的名字，可今天晚上，我把自己扔到了众人的视线底下。

刚走出教室，沈远哲从后面追上来："罗琦琦。"

我回头："什么事？"

"没什么，就是想和你打个招呼，虽然早就听说过你，可开学后，我们还没说过话，都不算真正认识。"

我不禁微笑，谁说我们没有说过话？

刚走到（4）班门口，就看到张骏和关荷正有说有笑地向外走。

这是已经在心里上演过千百遍，却永远没有准备充分的画面，我的心猛地痛了一下，加快了步伐。

关荷却在身后叫："罗琦琦，琦琦……"

想装没听见，可沈远哲已经停了脚步，回头看了一眼，笑着说："关荷在叫你。"

我装作刚知道，笑容灿烂地回头，张骏笑着和沈远哲打招呼，对我却视而不见，我自然也完全无视他。

关荷亲切地问："怎么样？喜欢新班级吗？"

我笑得都快滴出蜜来："很喜欢，你呢？"

四个人边走边说，远离了教学楼，刚走到林荫道上，身后有人追上来，是一个住校的新一中生，虽是男生，却长得有些女孩子气，所以外号"秀秀"，沈远哲笑问他："有事吗？"

秀秀看着我说："你小心一点，下了晚自习最好不要一个人回家，马力扬言说他刚才只是不想在学校里面动手，他会在外面修理你。"

沈远哲有几分意外，我却笑了，看来人都有善恶准则，我们班新老一中生的壁垒已经不是那么分明了。

秀秀着急地说："我是说真的，我走了，你自己小心一点。"说完，转身抄近路回宿舍了。

关荷惊讶地问："琦琦，怎么了？有麻烦吗？"

我吊儿郎当、无所谓地说："自习课上和一个男生打了一架，没什么大不了。"

关荷的眼睛瞪得老大，满是惊讶，我不敢去看张骏的表情，心里有一种麻木的悲伤。我一直羡慕关荷的高雅风姿，甚至暗暗模仿她的一举一动，一言一行，可如今真正明白，我永不可能变成她。

到了校门口，沈远哲说："我送你回家。"

我温和却直接地拒绝："不用。"

关荷温柔地劝我："让沈远哲陪你走一程吧，不怕一万，就怕万一。"

我实在不想再和她黏糊，主要是不想再见张骏，立即改口："好的。"

等我和沈远哲远离了他们，走到路口时，我和沈远哲说："我突然想起今天晚上还有些事情要做，想一个人走。"

我的态度很坚决，沈远哲没有办法，只能叮嘱我尽快回家，尽量拣人多的路走。如果有事，就大声叫，千万别怕他们。我笑着答应了，如果我是怕事的人，压根儿就不会招惹马力。

两人在路口挥手道别。我提着书包，大步跨入了夜色中。

从一中回家有两条路，一条虽然远一些，但很热闹，周围有林立的店铺，还会经过夜市，以前我都是骑自行车从那条路回家，如今我开始选择另外一条比较近的路，也放弃了骑自行车。

这条路全是小路，一边是居民住宅楼，一边是绿化林，十分冷清，现在又已经十点多，路上似乎只有我。

我一边走，一边仰头望着天空的星星，一边脑海里反复推导着今天的一道物理题，答案已经知道，只是想更清晰地理解整个思路过程，并把所有的相关知识点再在脑海里总结温习一遍，这就是我想一个人做的事情。

二十多分钟的回家路，足够我把一道题目反复地研究透彻。虽然沈远哲是很多女生暗恋的白马王子，能被他送回家很荣幸，但是，自从我决定上高中的那天起，我的唯一目标就是高考。

快到家门口时，却忽然觉得身后有人，猛地回头，什么都没有。我摇摇头，马力即使要叫人，也需要时间啊。

回家后，先吃了个苹果，又强迫自己吃了两个最讨厌吃的核桃，谁叫它难吃却对记忆力有帮助呢？身体是革命的资本，没有营养充足的大脑，根本不用谈学习。

洗完脸后，一边泡脚，一边拿着英语书背诵单词，只十分钟左右的时间，不长，但是只要坚持，即使每天只两个单词，一年下来也有六百多个单词了。

洗完脚后，上床好好睡觉。

马力的事情根本不值得思考。其实，我巴不得他能请几个真流氓出来，把事情闹大，传到小波耳朵里去，我就不信他真对我不闻不问了，可惜，出来混的人有出来混的规矩，为了这么点破事，哪个有头有脸的流氓好意思出手呀？马力花再多钱，顶多就是请几个不成器的小混混来警告一下我，敢不敢扇我耳光都是问题。

第二天，马力一直看着我笑，我也看着他笑。

晚上回家时，我总觉得好像有人在跟着我，全身戒备地等着应付马力请来的小流氓，却直到回到家，都没有什么发生，我暗笑自己疑心生暗鬼。

早晨，马力见到我时，下死眼盯了我几眼，似乎在观察我有没有被"警告"过，发现我笑容如常时，他笑得有些勉强。

每天晚上回家时，我都觉得身后有人，可不管是突然回头去看，还是偷偷用余光扫视，都没有人。但是那种微妙的感觉却挥之不去，我心里竟然有了隐隐的期待。

终于，我忍不住了，走的时候，也不回头，只是装着什么都已经知道的样子，特自信特从容地说："小波，你出来吧，我已经看到你了。"

我相信我能骗过任何人，可是，并没有人。回答我的只有清风吹树林。

数次之后，我开始明白的确是我多心了，哪里有那么多小说电影里的场景呢？明白之后，我有些伤感，小波真的已经远离了我的生活。

很快，一周过去了，一直都没有人来找我麻烦，马力再不提要教训我的事情，开始在我们班做良民。当然也闹腾，不过不再耍流氓，后来我们竟然混成了关系很好的铁哥们儿，真是让人感叹此一时、彼一时，或者说不打不相识。

2
回避冲突

> 不是所有的记忆都美好，不是所有的人都值得记忆，
> 岁月的河流太漫长，大部分的人与事都会被无情地冲走，
> 但是，与青春有关的一切，总会沉淀到河底，
> 成为不可磨灭的美好回忆。
> 令我们念念不忘的，也许并不是那些事和人，
> 而是我们逝去的梦想和激情。

一中的每届高一都会有为期三周的军训，往常都是一开学就进行，我们这届恰好赶上当地驻军部队有一项特殊训练任务，所以推迟了两个星期，等他们自己的训练任务完成后，才来给我们军训。

学校对这三周的安排是，每天早上上课，下午接受军训，每个班一名教官，按照班级顺序，在大操场上各自划分一块地方进行训练。

九月的太阳很毒辣，我们却在大太阳底下又是走又是跑又是站，人人都盼着休息时间能到树荫底下坐一会儿。

操场上没几块阴凉宝地，幸运的是靠近我们班的地方恰好有一块。按照就近原则，自然归我们班使用，其他班即使羡慕也只能看着。没想到，第二天休息时，教官刚宣布解散，（4）班的宋鹏就领着一群男生冲到我们的阴

凉宝地，霸占了我们的地盘。宋鹏是臭名远播的小混混，他大哥是本市颇有点名气的宋杰。我们班的男生很不甘心，可都听说过宋鹏的恶名，何况地盘上又没有写着我们班的名字，只能到别的地方休息。

训练十分辛苦，我被晒得差点中暑，一解散就冲去喝食堂熬给我们的绿豆水。因为狼多水少，两只水桶前人头攒动。

张骏从人群中艰难挤出，手里拿着两只塑料杯子，我知道我不该去探究答案，某些时候不知道比知道幸福，但是，我无法控制自己的视线，所以，我看见了亭亭玉立站在一边的关荷，微笑着从张骏手里接过杯子。

我立即转开了视线，握着自己的玻璃瓶冲进人群。

经过汗流浃背的冲锋陷阵，不但自己接到了一瓶绿豆水，还帮晚到的沈远哲抢了一杯。

沈远哲看到前面的张骏和关荷，叫住了张骏，关荷笑着和我打招呼，我只能一边喝着绿豆水，一边兴高采烈地和关荷说话，似乎不如此，就无法表达自己的不在意。

等回到我们班的休息地时，发现风水宝地已经被（4）班的男生占了，我们班的新一中生故意对沈远哲叫嚷："沈大班长，你可要为我们出头做主啊！"

宋鹏却领着（4）班的新一中生对张骏说："班长，要靠你为我们撑腰了。"

几个同学和沈远哲说着目前的情形，张骏也在旁边听着。

我们班的男生和（4）班的男生仍在一旁怪声怪气地叫嚷，沈远哲皱起了眉头，张骏却笑起来，喝着绿豆水，和关荷说着话，好似完全与己无关。沈远哲想做学生会主席，肯定不愿意出任何事情，张骏没有欲求，不着急立功，又知道沈远哲一定会想办法，自然就乐得清闲。

我实在很累，只知道休息时间有限，没精神听他们嘀咕，直接走过去，挤进一堆男生中，找了个最阴凉，也就是最中间的地方，一屁股坐了下去。

坐下去的时候，还嘴里嘟囔着："让一下了，让一下了。"硬是逼得两个男生往旁边挪了挪，给我让了块地方。

不管是我们班的男生，还是（4）班的男生都不叫嚷了，全沉默地看着横道杀出的我。

一群男生中间挤着一个我，他们神色怪异，我喝着绿豆水，表情很无辜，你们继续聊呀，我只是坐这里嘛！难道你们能坐，我不能坐？

起先正在说话的宋鹏清了清嗓子，想无视我，可看看我，发现有点困难。他面色严肃，以一种锐利的眼神盯着我，估计他以为是个人就听说过他的恶名，何况他是男生，我是女生，我肯定受不了，会主动撤退。

在他的影响下，以我为圆心，所有男生都向我发射射线，凝视着我，在我过去十几年的生命中，全部男生的凝视加起来都不如这一会儿得到的多。

我双手捧着绿豆水，乖乖地坐着，笑眯眯地回视着宋鹏的凝视，脸上一丝红晕都没有。

我会害羞？当年我站乒乓球台，接受全校学生瞻仰的时候，他还不知道在哪里偷看小女生呢。

宋鹏的性格估计也比较倔强偏激，所以，当我未如他预料的一样红着脸闪避开他的视线，他就和我杠上了，我们俩都盯着对方看。

如果这个时候，用动画镜头捕捉，一定能看到，我们的目光像电光冲击一样，噼里啪啦地冒着火星。

其实，火星都是他的，我可一点没动怒，平静着呢！

我和宋鹏"深情"对视很久后，宋鹏终于对我脸皮的厚度有了清醒的认识，倒也收放自如，忽然之间就没事人一样，拍拍屁股站起来，带着挑衅笑着说："今天已经休息够了，明天再来。"

他一走，别的男生也都走了，只有张骏、关荷、沈远哲站在一旁，我这才意识到刚才的一幕丝毫不落地被张骏看到了，视线悄悄从他脸上一瞥而过，只看到他满眼笑意，却猜不透究竟在笑什么。

我们班的同学陆续回来乘凉，童云珠走到张骏身边，打了个招呼，又对我笑着说："你可真够冲的！这才开学两周，你就先单挑马力，再单挑宋

鹏，难度系数越来越高。"

一个我还没记住名字的女同学善意地提醒我："宋鹏上初中时，就叫一帮混混把体育老师揍了一顿，连我们的教导主任都不敢管他的事情。"

男生们却一致支持我："就他会打架啊？就他在外面有哥们啊？罗琦琦，你别怕。"

面对外敌，男生们竟然忽略了新老之争，空前团结，摩拳擦掌地，随时准备开打。

沈远哲却不想打群架，把张骏叫到一边，低声商量着。

第二天军训前，教导主任把所有班级召集到一起，发布指令说，根据沈远哲和张骏的建议，为了方便食堂师傅供应绿豆水和同学们充分休息，以后的自由休息时间将分三组错开休息。我们班恰好和（4）班错开休息，自然不用再抢地盘。

一个很简单的方法，却把所有问题都解决了。我想，那些新一中生，即使口头上不服气这个解决方法，心里却不得不承认这是最好的方法。

军训内容分为站军姿、踢正步、打军体拳。

军姿和跑步都还好，但是踢正步，却把我彻底难住。我平常走路挺正常，可教官一吼"正步走"，我就开始同手同脚，刚开始混在全班的队伍里，还看不出来，等四个人一组开始练习时，就被教官逮了出来，不管他怎么纠正，我就是同手同脚。

教官只能给我开小灶，所谓小灶，就是被单独拎出来练习。

我们的练习时间，正好是（4）班的休息时间，而他们的休息地就在我们班前面，所以，（4）班的所有同学都可以看到我昂首挺胸、同手同脚地踢正步，其中包括张骏和关荷，以及宋鹏。

宋鹏自从和我结下梁子，就对我比较关注，此时，碰到这样好的报复机会，自然不会错过，把我踢正步当搞笑片看，一边看，一边点评鼓掌，引得（4）班的男生跟着他一块儿哈哈笑。

我以超厚的脸皮，秉持一贯的原则，越是丢人难受，咱越要笑得没心没肺，宋鹏笑，我陪着他一块儿笑，搞得宋鹏后来完全没了脾气。

　　轮到我们班休息时，我的另一位"仇人"马力跑到大家面前，学我同手同脚地踢正步，本意是讥嘲我，可因为我完全不介意，笑得比别人还欢，所以全班同学和教官都放开胸怀，笑得前仰后合。

　　没想到马力学多了，自己走的时候，竟然也变成了同手同脚，他越着急越错，一时间还纠正不过来，教官的重点训练对象变成了两个。

　　宋鹏第一次看到我和马力肩并着肩、昂首挺胸、同手同脚地踢正步时，刚喝进口的一口饮料全笑喷了出来。张骏也是没忍住笑了一下，却很快就移开视线，和同学一边玩去了，压根儿不再关心我们这边的事情。我脸上的表情那个灿烂呀，心里的滋味那个复杂啊！一面是的确不希望他看我这丢人出丑的样子，很高兴他没盯着看，一面却又觉得连我这个样子他都不关心，可见真的视我如陌路，于是很是难过。

　　因为整天在太阳底下晒着，我又比别人要多吃一顿小灶，脸被晒得开始掉皮。那时候，我压根儿不知道什么防晒霜之类的东西，不仅不懂基本的防晒知识，还因为性格大大咧咧，有些男孩子化，常常被曝晒后，直接用凉水冲个脸，又跑回大太阳底下继续晒。

　　有一天，我去上课时，发现课桌里有一瓶全新的防晒霜，标签上印着日文和繁体中文，我研究完后，明白这东西是专门防止被晒伤的。

　　正常情况下，女孩子收到这类东西，第一念头就是有男生暗恋自己，我的第一念头却是有人放错了课桌，将东西放在桌子上，暗示那个人来失物招领。等了一天，都没有人来向我讨回东西，我惊疑不定地开始意识到，这东西可能是送给我的。

　　说不惊喜，那肯定是假的！

　　不管他是谁，我都肯定不会喜欢他，但我有一种虚荣心的满足感。不管我心理多么早熟，我仍然只是一个少女，渴望着男生的欣赏和喜欢。

　　我一面暗自开心着，一面决定把东西还给对方。可是，是谁呢？

　　两天后，我又在课桌里发现了一封"情书"。先夸赞了一番我的特别，

然后约我周末晚上去跳舞，卡片四周还用各种颜色的笔，写满了英文：I like you，这些都不惊悚，惊悚的是落款人竟然是宋鹏。

这是我第一次收到男生的情书，但是，我没有丝毫愉悦的感觉，这也许压根儿就是一次计划好的、有预谋的"报复"，一旦我答应了，幺蛾子就会出现。我可不是没见过这样的事情。

这两天虚荣的沾沾自喜全部变成了尴尬和愤怒，我一手拿着情书，一手拿出藏在书包里的防晒霜，走进了（4）班的教室。

马上就要上课，同学们全在自己的座位上，看到我走进去，都奇怪地看着我。

我大步走到宋鹏桌子前，"啪啪"两声，把防晒霜和情书拍到他面前："警告你，别再来烦我！"

在（4）班所有同学的注目礼下，我走出了（4）班教室。临出门前，我瞥到张骏除了目瞪口呆，嘴边好像还挂着一丝苦笑。

宋鹏对我的"回复"作出了积极的反应，听说我刚离开，他就立即把桌子上的东西全部扔进了垃圾桶，坚决不承认送过我东西。

可没两天，他的倔劲又上来了，拍着桌子，对他们班的男生说："靠！我就不信拿不住罗琦琦了。"

消息传到我耳朵里，我冷笑，等着看你如何来拿我。

大概因为宋鹏对我的"关爱"，在外面混的童云珠也留意到了我，不但主动和我聊天，还把她的防晒霜借给我用，我自己也开始注意了，仗着青春无敌，军训完没多久，脸上的晒伤就全好了，一点疤痕没留。

军训中，不管走路跑步，还是站军姿、打军体拳，都很枯燥，也许唯一有点乐趣的就是唱歌。

刚开始，教官带着我们唱，等我们自己会唱时，教官就让各班的班长带着大家唱，他们则利用这个时间去开个小会。军训马上就要结束了，估计是在商量最后的军训检阅。

每个班级原地静坐时，班长开始领着我们唱军歌，（1）班唱完，点名要（5）班唱。

我们班七嘴八舌地商量唱哪首歌，（1）班又叫了起来："要你唱，你就唱，扭扭捏捏不像样！像什么？像绵羊！"（1）班的班长朝大家做手势，大家一起叫，"咩——"

我们班的男生都笑，对着（1）班嚷："让我唱，我就唱，我的面子往哪放？让我唱，偏不唱！你能把我怎么样？"

（1）班叫："冬瓜皮，西瓜皮，（5）班的人要赖皮！"

其他班的人也跟着起哄："一二三四五，我们等得好辛苦；一二三四五六，我们等得好难受；一二三四五六七，我们等得好着急；一二三四七八九，你们到底有没有？"

我们班男生摆谱摆够了，才开始鼓足了力气吼，唯恐歌声不够大：

　　　　日落西山红霞飞

　　　　战士打靶把营归把营归

　　　　胸前红花映彩霞

　　　　愉快的歌声满天飞

　　　　咪嗦啦咪嗦

　　　　啦嗦咪哆来

这一刻，没有什么新一中生、老　中生，有的只是一个整体——高一（5）班。

我们班唱完歌后，对着"仇人"（4）班吼："（4）班的，来一个！（4）班的，来一个！"

（4）班却没有回应，我这才发现，刚才我们唱歌的时候，宋鹏好像又闹了点事情，已经和张骏杠上了。（4）班的男生分成了鲜明的两派，一派支持宋鹏，一派拥护张骏。

估计这个时候，沈远哲很庆幸我们班最烂的人也就是马力这个假流氓，逗逗女生可以，为非作歹却不行，不像宋鹏那种真混混，对女生比较客气，对男生却是可以用刀子干架。

宋鹏根本不在乎会被学校处分，一拳就放倒了一个男生，场面乱了起来，张骏硬是把他的朋友都拦了下来，可已经惊动了教官。

（4）班的教官匆匆跑来，冲着张骏吼："怎么回事？"正好教导主任过来巡查，站在了一边看着。

宋鹏抱着双手，不屑地看着张骏，张骏身边的几个男生刚要说话，张骏大声说："报告教官，我们刚才在讨论军体拳的打法，比画时，不小心碰到同学。"

宋鹏愣了一愣，没想到张骏竟然在维护他，却没领情，冷哼了一声。

张骏又大声说："报告教官，我和宋鹏想对打一次军体拳，请教官纠正错误。"

教官还没说话，（4）班的男生已经喧哗起来，拼命地叫好鼓掌，我们班的男生凑热闹，也跟着狂鼓掌。其他班的同学压根儿没搞清楚怎么回事，可听到我们在鼓掌，就也跟着鼓，反正鼓掌不会有错。不一会儿，操场上已经一片雷鸣般的掌声。

毕竟我们不是真正的军人，（4）班的教官也不好直接训斥我们，求助地看向负责管所有教官的（1）班教官，（1）班教官把张骏和宋鹏叫到前面，叮嘱了几点注意事项后，同意了张骏的要求。

同学们都安静了，看着张骏和宋鹏单独对打起来。

嘴上解决不了的事情，就依靠拳头，这是张骏和宋鹏都认可的解决方式，也只有这样才能让宋鹏低头。对真正的混混而言，任何道理策略都是懦弱的表现，只有力量才是最真实的，只不过，张骏现在开始懂得把它合法化、合理化了。

刚开始两人还装模作样地依着军体拳的架子比画，后来宋鹏打急了，就露了本性，怎么狠怎么来，张骏却依旧不急不慌，用军体拳化解着宋鹏的进攻。

（1）班的教官看到宋鹏的样子，快步走到他们身边，好像是要分开他们，可看到张骏的样子又停住了脚步，只是一直站在他们身边，紧紧地盯着。

我们学军体拳完全是把它当成广播体操在学，张骏却显然是不同的，他在学习的时候，肯定花了心思和下了苦功的，也许对教官而言，我们这四百多号人，只有张骏才算是学生。

借着一个过身时，宋鹏想踢张骏，张骏避开，并借机一个侧身反扑，把宋鹏摁到了地上，宋鹏拼命挣扎，张骏却没有硬按住他，让他在全年级同学面前颜面扫地，反而立即退开，让宋鹏站了起来。宋鹏越发恼火，大喊了一嗓子，要扑上去再打。

教官抓住了他的双手，"如果这是在战场上，你的命已经丢了。"

宋鹏的面色一阵红，一阵白，全身的力气慢慢地懈了。教官松开了手，大概也是从热血冲动、惹是生非的少年郎过来的，所以他什么都没说，只是安静地走到了一边。

宋鹏的脸色很难看，不过倒是没丢他哥的脸，输了就是输了，冲张骏扔了句"以后你是老大"，就走回了班级，老老实实地坐了下来。

小学三年级时，我就知道张骏能打架，可这是第一次亲眼看到他打架，不知道该如何评价，只能说他没有白在外面混，宋鹏毕竟一半仗着哥哥宋杰的面子，一半仗着有钱，输给张骏理所当然。

这一次不成王、则成寇的当面对抗，让张骏在（4）班的男生中树立了绝对的权威，从此之后，不管是新一中生，还是老一中生，都很服他。沈远哲采用的方法，不像张骏那样承担大的风险，却也没有这么立竿见影的效果，要到高一第一学期快结束时，他才慢慢让所有男生都认可了。

他们两人虽然采用的方式截然不同，可最后都达到了自己的目的。

这三周可以说又漫长又短暂，又痛苦又快乐。

当欢笑和痛苦一起分享，荣誉和失败一起承受，不管再坚的冰似乎都能被融化。我们班新老一中生的壁垒被打破，虽然还谈不上团结，但至少不再敌视。

唯一美中不足的是直到军训结束，我同手同脚的毛病仍然没有纠正过来，教官也没有办法。检阅表演的时候，只能把我藏在全班的正中间。我们班和优胜奖无缘，但是得了精神文明奖，教官被评选为最佳教官。

全班男生都很开心，结束的时候，把教官高高抬起来，绕着操场走了一圈，边走边高唱军歌，似乎自己真的是凯旋的军人。平时，他们都不屑于这些老掉牙的歌，可此时，似乎唯有激越嘹亮的军歌，才能释放他们心中的激

情和力量。

操场边的不少女生眼眶都红了，教官说话的声音也有些哽咽，训练的时候，大家恨教官恨得牙痒痒，可告别的时候，一切都化作了美好的回忆和不舍。

3
再次成为名人

不积跬步，无以至千里；不积小流，无以成江海。
所有人都想要"至千里、成江海"，
可是，当跬步、小流分散到一年三百六十五日，变成了日日的枯燥重复，
而千里、江海却怎么看都看不到时，没有希望，没有光亮，
所有的雄心壮志都变得很可笑。
只能凭着一股毅力，日日坚持，是不是坚持就一定会成功呢？
不见得，但是不坚持，却肯定不会成功。

军训结束后，我们就算真正成为了一中的高中生。按照惯例，我们要颁发统一的校服。

不知道现在的高中生是否会比我们当年幸运一些，校服能好看一点，配得上花季雨季的靓丽，反正我们当年的校服真是丑得不堪回首。

我一直没想通一件事情，为什么日本的中学生校服可以那么好看？为什么我们中国学生的校服总是土得令人伤心？

因为前两届学生集体反映校服很难看，到我们这届的时候，学校采纳了同学们的意见，改换校服的样式。为了展现一中的素质教育，校领导决定由学生自己设计校服，经过老师的评选，高三一个女生的设计方案最后被学校采纳。

看过设计图的同学都说很漂亮，和漫画、日剧里面的那些校服一样漂

亮，班级里几乎所有的女生，外加很多男生都抱着热烈的期盼，毕竟校服这东西，是要经常穿的，好看与否对大家的形象太重要了，我们这个年龄正是内心自信不足、最留意外表的年纪。

在大家的热烈期盼中，学校的校服终于发了下来，在领到两套校服的时候，我相信我们年级的班花、校花、班草、校草们都肯定眼含滚滚热泪。

怎么形容这套校服呢？

就好像某人去"山寨"了某个著名品牌高级定制的服装，可是颜色搭配错了，又舍不得用好料子，全用最糙的布料，做工也粗糙，出来的东西不伦不类到了顶点，还不如普通的运动服。

反正真的是太丑了，丑得不管美女还是俊男，穿上后气质全变成了土质，绝对丑得"千山鸟飞绝，万径人踪灭"！

发校服的那一日，整个高一的气压都很低，童云珠气得当场把校服扔到脚底下踩了两脚。

估计学校也意识到这套由某个校领导亲戚的手工作坊生产的校服实在拿不出手，没要求大家天天穿，除了各种集体活动，平时只要求每周一升国旗的时候必须穿。

可是，即使每周只穿一天，同学们都无法忍受，很快大家就有了作战计划。周一那天穿一套衣服，校服用塑料袋带上，等到升国旗时，换上校服，升完国旗，立即去卫生间换回来。不管男女，几乎所有人都依此方案讲行，唯一的例外估计就是我了，我不但周一穿，周二、周三……都会穿。

我每天穿着校服在学校里晃来晃去的原因和同学们不穿校服的原因完全一致：太丑了！

这么丑的校服，怎么穿都不心疼，连抹布都省了，桌子脏了，直接袖子擦一擦就行了；在校园里走累了，想看书了，随时随地可以坐；课桌上有毛刺，也不怕，不用像别的女生还要戴袖套，唯恐桌子把她们的漂亮衣服弄坏了，简直又方便、又环保、又经济、又节约……

当然，归根结底是我太懒了，懒得带两套衣服换来换去，懒得花精力和时间在自己的外表上，不过，我的同学可不知道我这从懒惰引发出来的一系列行为，他们只是看到我整天都穿着那丑得刺眼、土得掉渣的校服，旁若无

人、天经地义地招摇过市。

因为这卓越的校服，令我太过鸡立鹤群，我很快就在高一年级声名鹊起，无人不知，无人不晓，人人都知道（5）班有个叫罗琦琦的校服控。

真是悲哀啊！我在高中部的成名，竟然不是因为我的成绩，也不是因为我的性格，只是因为一套丑校服，比较而言，我还是更怀念罚站乒乓球台的成名方式，至少算得上有性格。

不知道是不是因为我用校服的自我恶心、自我丑化太过成功，反正叫嚣着要拿下我的宋鹏再没有了任何举动。

在楼道里碰到他时，他光看着我笑，笑得我对他也没了脾气。

其实，我虽然不算故意，私心里却好像总有些盼望着和宋鹏真闹出点什么事情来，所以，我才会那么冲，那么不给他面子地把情书和防晒霜都拍回给他。他哥宋杰在本市算个人物，如果宋鹏真想收拾我，能让宋杰说句话，那我是真会倒大霉的。

到那时，也只有小波能帮我了，他难道真会见死不救？

可是，我自己都知道，这是做梦！如果宋杰是这么幼稚的人，他也不会二十多岁时就成为邓小平号召下最先富起来的那一批人。

而且，我也不想让小波看不起我，所以我只能一面阴暗地想着，一面又克制着自己的冲动。

在对高一生活的逐渐适应中，不知不觉中就到了期中考试。

进入高中后，学校每次大考都会公布年级排名，把榜单张贴出来，以示我们的竞争对手不仅仅是本班，还有整个学校、整个市、整个省。

总成绩公布的那一天，我有些紧张，因为这半学期，我很认真地学习，很认真地复习，很认真地考试，现在到了揭晓结果的时候。

在榜单的排名上，我，班级排名第四，年级排名四十多。关荷，班级第二，年级第十二。张骏，班级第八，年级七十多名。

我爸和我妈都非常欣慰，笑得合不拢嘴，班主任也特意向他们表扬了我，可我自己非常受打击，年级四十多名不是我想要的成绩！

如果这是我没有学习，临阵磨枪的结果，我会很高兴，可从开学的第一天起，在大部分同学还沉浸在刚上高一的新鲜兴奋中时，我就在认真看书，努力学习了。

认真努力后却是这样的成绩，我很失落，而我已经尽了力，难道我只能做一个年级四十多名的学生？

我在学校的树林里徘徊思索，可是，我找不到答案。

当我回到教室时，看到我们班的第二名杨军坐在第一名林依然旁边，正在仔细看林依然的卷子。

林依然就坐我前面，因为我们班整体水平偏差，她虽是班级第一名，却连年级前十名都没进，只是年级第十三。

我很想凑过去看，可又不好意思，毕竟不知道她会不会介意。杨军看到我，立即说："罗琦琦，你可不可以把物理卷子给我看一下？我刚问过物理老师，物理老师说你的物理是年级单科第一，借我参阅一下吧，最好也给我看一下别的卷子，可以吗？拜托，拜托！"杨军是个粗眉大眼的男生，长得很端正，尤其是眼睛，炯炯有神。

我把自己的卷子找出来，递给杨军，杨军和林依然凑在一起看我的物理卷子，我笑问："能给我看一下你们的卷子吗？"

杨军随手把一堆卷子递给我，有他的卷子，也有林依然的卷子。

我迅速翻阅过他们的卷子，开始明白问题出在哪里了，首先是英语，林依然是几乎满分的成绩，我才考了七十多分，其次是语文，再次是化学，然后就是历史、政治这些科目，差距虽然不大，可两分、三分地累计起来，我自然就被甩远了。我以为自己记忆力好，但这是一中的高中，是全市，甚至全省最好的学生会聚的地方，显然林依然有不输于我的记忆力。

杨军研究了我的卷子一会儿，突然叫起来，对林依然说："你发现没有？罗琦琦如果只算三门理科成绩，是我们班的第二，比你只少几分，你危险了！"

我心里有些恼火，这个杨军怎么这么说话？林依然笑着说："是啊，她的理科可真好。"

杨军抓着脑袋说："不行，我要换座位，我要和你们坐一块儿。我初中

可是被老师赞誉为理科强人，如今竟然比你们两个女生低，我不服气。"

我心里的几丝恼火消散了，这人原来是个心无城府的人，我以小人之心度君子之腹了。

林依然抿着嘴角笑，很文静秀气，丝毫不引人注目，所以我一直不知道我前面竟然坐了个成绩那么好的女生。

杨军是行动派的人，说了要换座位就换座位，他对我的同桌马蹄展开死缠烂打的功夫，天天求马蹄，马蹄被求烦了，终于答应了换座位。杨军欢天喜地地搬到我旁边，开始对我和林依然近距离监控，准备随时超过我们。

我对此事保持沉默，他坐不坐我旁边，我并不在乎，我需要思考的是如何解决我面临的问题，而问题中的问题就是我的英语。

因为聚宝盆，我的英文已经成了我的死脉，我该如何赶上这些各个学校汇集而来的精英？

看完林依然和杨军的卷子，我清醒地意识到，只要我的英文学不好，我永远不可能成为班级第一。

期中考试结束后，高中部有一个大会，高一到高三的学生都必须参加，会议的演讲者们是各个年级的前十名，每个人会介绍自己的学习经验和心得。

往常，我很讨厌这种冗长无聊的会议，可是这次我热切盼望。但当我一个个听下去时，我开始失望，每个人的内容换汤不换药，不外乎课前预习，课上认真听讲，课后复习，认真完成作业，老师布置的作业都是老师选择出来的精华题目，所以一定要认真对待……

我开始怀疑究竟是每个人的学习方法都一样，还是他们有所保留？

最后一个上台的是高三年级的第一名陈劲，学校明明要求每个人三到五分钟，他却只讲了一分多钟，内容也是认真听讲、认真做作业什么的，我摇着头叹了口气，学校的初衷是好的，但是学生们自己有自己的考虑。

散会后，大家陆续走出讲堂，陈劲一个人走着。凭借他的竞赛成绩，他已经可以直接保送北大，可他居然放弃了，选择参加高考，谁都不知道他怎么想的，他在大家眼中已经天才得有些怪物了。

我想找他聊聊我的困境，可又不好意思，当年要酷要得太厉害，和他迎面而过，都不打招呼的，如今自尝恶果了。一转念，又想，切！大不了就是热脸对冷脸嘛，有什么好怕的？

"陈劲。"

他回头，看是我，有点惊讶。

我走到他面前，发现矮了他整整一个头，不知不觉中，他竟然已经全长开了，变得这么高。

我期期艾艾地说："我想请教你一件事情，可以吗？"

他倒是脾气很好，没有一丝傲慢，笑着说："请讲。"

我放下心来："我的英文和语文不好，有什么办法提高吗？"

"你的语文不好？"他很意外。

"嗯。"

"你回去参看别人的卷子，把自己的卷子分析一下，看看失分比重最大的地方在哪里，要解决问题，先要诊断问题。"

"我分析过了，主要是作文不好。"

他笑了："进入高中后，老师改作文的标准完全依据高考的标准。高考作文和明清时代的八股文有些类似，很善于扼杀创造性和幻想力，你要想拿高分，就去认真看看得高分的人如何八股的，不管有多好的想法，都别轻易跳出框子，你觉得你写得好，评卷的老师不会认可。"

我忙点头："还有呢？"

"其实，你的语文应该比别人更好才对。语文归根结底是一门语言，靠的是积累。我听过你的辩论赛，你的阅览量非常大，记忆力又好，在积累方面，估计你们年级没有谁能超过你。"

这些夸赞的话出自天才之口，我被夸得不好意思起来："可是，我成绩不好。"

"你现在要找的路只是如何把你积累的知识和高考试卷接口，这个我可帮不了你，每个人的思维方式、知识架构都不同，所以才有'师傅领进门，修行在个人'的说法。"

我虽然压根儿不知道路在哪里，却有茅塞顿开的感觉："谢谢，那英文

呢？"

他低着头笑："早知道有今日，当初站乒乓球台的时候，就该看看英文书，英文不是靠一点小聪明就能解决的科目。"

我有些羞赧："是，我也知道自己基础太差，而我要追赶的人却是全市最优秀的学生，我每天在学习，人家也在每天努力学习；我每天进步，人家也在进步，所以我才更需要发现最适合自己的学习方法，因为距离高考，已经过去半个学期了，我没有时间和精力去浪费。"

陈劲看我如此认真，很是意外，盯了我一眼，低头想着。

已经快到高三的教学楼，他站在了六角亭旁："我和你的情况不同，我很小的时候，我爸就在教我唱英文儿歌，我上小学的时候，英文词汇量已经一千多了，而你是初一才接触英文，又没好好学过，我一直认可的语言在于积累的学习方法完全不适用于你，你必须自己去发现适合自己的学习方法。不过，我想你首先应该把你的词汇量赶上来，就如同学习语文要先认字一样，这个和人聪明不聪明、笨不笨没一点关系，完全要靠苦功。"

"好的，多谢你。"

"不用，贵在坚持，希望一年后，你还能有今日的决心。"他停了停，很有深意地说，"高中部的这三栋教学楼里，每天都有很多人在下决心要好好学习，也每天都有人做不到。下决心是一件很容易的事情，坚持却是一件很难的事情。"

我笑了笑："我决定了的事情，就一定会坚持。"

放学回家的路上，我没有思考物理题，而是在反复思考陈劲的话。

回家后，我把初中的英文课本都找了出来，决定每天抄写十个单词到纸片上，来回放学的路上要花费将近一小时，正好充分利用。

然后，又做了一个重要的决定：每天早上早起半小时，背诵英文课文，但是和陈劲告诉小波的方法略有不同，我不打算追求什么虚无缥缈的语感，而是以流利的背诵为目的。

以后的关键不是在于一天花费了多少小时学英文，而是在于一年三百六十五天，我是否每天能早起半小时，背诵英文；是否能每天坚持记忆十个英文单词。

从今天开始，坚持到高考前，如果我的英文成绩还不好，那么我认命！

在分析完自己的弱势，优先规划了英文学习时间后，我又根据自己的情况，以及各科老师的状况，制定了各门学科的学习方法，充分利用学校里的时间。

比如，我觉得物理老师讲课很混乱，我就不听他讲，自己看书做作业，基本物理课下课的时候，我的物理作业已经全部完成，还有余力总结一下思路。化学也基本如此，虽然老师讲得不错，但是我不觉得我需要听她讲。数学老师虽然是学校出了名的邋遢鬼，经常上课时，不是两个裤子口袋翻在外面，就是扣子完全扣错，头发更是好像从来没梳理过，同学们都对他很绝望，觉得自己怎么遇到这么差的老师，可我觉得他讲课讲得非常好，是我迄今为止遇见的老师中，逻辑思维最严密、发散思维最敏捷的老师。他的课我则有选择地时听时不听。

三门理科，我从不记笔记，虽然化学老师要求了多次上课必须做笔记，我也尝试过几次，可发现笔的速度太慢，记笔记是在压抑思维，拖慢了我思考的速度，而且全神贯注地思考时，根本会忘记记录。

但是，我对待英文课的策略却完全不一样，我是从上课铃一敲响，就如吃了兴奋剂，两只耳朵竖着，两只眼睛冒光地盯着老师。因为基础差，很多东西听不懂，没关系，先死记下来，课后再研究，笔记一笔一画地记，连老师说的口水话，我都一字不漏地写下来，因为我的英文能力不足以去判断老师讲的哪些东西有用，哪些东西没用，那么笨人的方法就是不管三七二十一全部记下来。

我还时常研究林依然和杨军的笔记，学习他们各种记录的方法，分析哪点好，哪点不好，哪种更适合我的思维方式。博采众家之长后，我的英文笔记，简直可以拿去做展览。

在英文课上，我的头脑基本完全锁定老师，因为太过专注，下课铃敲响的时候，我经常有疲惫感，所以课间十分钟一定要到户外休息，这样才能让大脑为下一堂课高效率运转做准备。

语文则把林依然锁定为目标，她的每一篇作文我都会看，又买了一本高考作文范文大全，把它当小说看，闲着没事就翻一篇，琢磨一下作者的思路。

历史、政治什么的，我觉得就是靠死记硬背，所以从来不听课，经常偷偷地背每天新学的英文单词，或者巩固数学物理，如果这些都干完了，我就看闲书。

地理课是例外，周老太是老一代的大学生，教了一辈子地理，虽然古板严厉，知识却很渊博，旁征博引，我很喜欢听她的课，感觉是一种眼界的拓宽，可以了解我们生活的地球和宇宙，听课本身就是一种放松。

我尽量高效率地利用学校里的时间，充分利用上学、放学这些点滴时间。时间经过这样分配之后，除了每天早上要早起半小时背诵英文，其实每天都很闲。

我从不熬夜，也从不放弃玩乐的时间，因为我坚信好的学习是建立在好的休息基础之上，不能充分休息的人，也不能有效率地学习。

可落在外人眼里，我很不学无术的样子，自习课在读闲书，数学课上看《机器猫》，物理课上用钢笔画美少女战士。其实，这些都是我已经合理规划后的剩余时间。

杨军和我的情形有些相似，虽然因为各自的思维不同，强弱不同，兴趣偏好不同，各有侧重，但我们俩都是上课不爱听讲的人，这就意味着我们的"空闲"时间很多。

和杨军在一起后，我才知道原来我是那么调皮捣蛋的学生，我们俩每天课堂上都有无数小动作，每天都要互相整对方，每天都要绞尽脑汁让对方出丑。

某天，语文老师走进教室，沈远哲喊起立，同学给老师鞠躬后坐下，只听扑通一声，我就没人影了。原来是杨军趁着我们起立，把我的凳子抽走了，我就一屁股坐到了地上。

某天，我正以数学老师的声音为伴奏，把《机器猫》夹在数学课本里看，一个人偷着乐，凳子只两只脚着地，惬意地一摇一摇，杨军猛地一脚踹到我的凳子上，我就又坐地上去了，机器猫飞了起来，在空中打了几个转，砸到我头上，全班哄笑。

正在板书的数学老师回头，扶一扶他的深度近视眼镜，茫然地看看教室，困惑地问："罗琦琦呢？"大家又笑，只看一只手从桌子底下有气无力地探出，并传出很虚弱、咬牙切齿的声音："这里。"

某日，下课铃刚敲响，杨军兴冲冲地往外冲，我跟在他身后欣赏着自己的杰作。在凳子上坐了整整一节课后，杨军的屁股已经全被粉笔灰染成了红色，背上飘着字条，上书几个大字：猴儿的屁股。同学们早已经习惯我们的恶作剧，都不提醒他。他因为体育好，还在班级最前面领做广播体操。结果就是，从（4）班到（6）班都在笑，他不停地回头，却不知道同学们在笑什么。不过，我也得意不了多久，说不定第二天，我背上就写着"路过我，就请打我一下"，经过我身边的同学都会"善良"地满足我的请求，在我背上来一下，我却纳闷，怎么今天大家打招呼的方式全变成拍我背了？

因为我们俩成绩好，老师们都很包容我们的恶作剧，何况我们也不是不长眼色的人，哪个老师能开玩笑，哪个老师不能开，我们分得很清楚。

在慢慢逝去的日子中，我逐渐融入了高中生活，有了新的好朋友——杨军、林依然。他们成绩优异、单纯热情、朝气蓬勃，是最平常、最正常的好学生，他们和我初中时的朋友截然不同。

我知道这个班级里，依然有林岚、李莘、倪卿，重复着女孩子间并不新鲜的故事，可不知道是因为我改变了，还是因为我和杨军的气场，吸引到的朋友不管成绩好坏，性格却都活泼好动、单纯开朗，或者说没心没肺、傻玩傻乐。

我们一群人整天在一起，看漫画书，吃零食，吹牛神聊，斗嘴打闹，互相折腾，互相取乐。

因为成绩好，老师喜欢我；因为性格大大咧咧，有一帮玩得来的哥们儿，我的高中生活简直晴空万里，烈阳高照，一丝阴霾都没有。

初中时代的人与事，好像距离我越来越遥远，包括那个沉默寡言、冷漠倔强的罗琦琦。

我高中的同学从不承认我沉默内向，他们一提起我，就会摇着头，边笑，边夸张地说："啊！罗琦琦，那家伙太能闹腾了，特别喜欢恶作剧，能把你整得一会儿哭、一会儿笑，老师拿她一点办法都没有。"

也绝对不认为我冷漠倔强，在他们眼中，罗琦琦活泼好动，调皮捣蛋，飞扬不羁，喜欢玩，也玩得起，和所有男生都是哥们儿。女生们如果喜欢哪个男生，都喜欢找她传个字条带个话。

我想人都是喜欢生活在光明下的，没有人喜欢背负着十字架跋涉，我也不例外。我慢慢地喜欢上现在的生活，享受来自老师、同学、父母亲戚的赞美和喜欢，每天大声笑，大声闹，认真努力地付出，同时享受付出带来的荣耀。

我开始慢慢地将小波和晓菲藏到了心底最深处。

也许，这才是人类的天性，不管多大的伤痛，我们都能愈合，不管多痛苦的失去，我们都能习惯。

可以叫它——坚强，也可以叫它——遗忘。

就要期末考试，杨军却萎靡不振。

我开玩笑地问他："你不打算打倒我了？"

他叹气又叹气，足足叹了一早上的气，最后传给我一张小字条，上面写着："我想我喜欢上了一个人。"

我忍着笑，咳嗽了两声，他忧郁地看住我，小声问："你觉得我长得帅吗？"

我很白痴地看着他，大哥，你说这个问题，我该怎么回答？

"有人说我长得还不错，尤其是我的眼睛，初中的时候，好几个女生都说过很好看。"

这倒是，杨军的眼睛的确很好看，睫毛又长又密，眼睛又黑又亮。我忍着笑意，在纸条上写："你究竟喜欢上谁了？"

杨军不好意思着，磨叽了半晌都没有告诉我。老师家长们常常觉得我们太过于轻易言"爱"，却不知道，很多时候，我们就是连"喜欢"都非常难于出口。

我笑着说："你千万不要告诉我是我哦！"

他被我一激，立即鄙夷地说："你？我脑子又没进水！"

周围的同学听到他的说话声，都抬头看了我们一眼，杨军没有像以往一样，捣蛋得毫不在乎，反倒一下就压低了声音。

好一会儿后，等同学们都没有看我们时，杨军严肃地说："你要答应替我保密，谁都不能告诉，我可连我铁哥们儿都没告诉。"

"我答应。"

他又传给我一张小字条："第四排，第二个座位。"

左起第二个？还是右起第二个？亏他还是所谓的理科强人呢！逻辑一点不严密，但等我抬头张望时，我知道了现实世界常常不需要逻辑。

左起第二个坐着美丽的童云珠，右起第二个坐着胖胖的赵苗苗。

并不需要再询问，常识已经告诉我是谁了。童云珠正低着头写作业，除去容貌更出众一些，她看上去和这个班级里的其他女孩并无不同。

杨军又给我扔字条："你觉得我该怎么追她？"

"你真要听我的建议？"

"真的。"

"忠言逆耳呢？"

"你以为我和你一样是猪头？"

"我的建议就是不要追，她和你不是一个世界的人。"

杨军很不屑："那她是什么世界的人？冥王星的还是海王星的？我已经打听过了，她以前有一个绯闻男友，听说进监狱了，可和她有什么关系？她又没做坏事。"

"我就知道自己是白说。"

"我决定了要去追她。"

我挥挥手，像挥苍蝇："好走，不送！"

童云珠不是数学难题，不是聪慧勤力就可以攻克的，我已经可以看到杨军的粉身碎骨，不过没有人可以阻止他，青春的狗血不洒一洒，荷尔蒙分泌的亢奋不会过去。

只庆幸爱情这场瘟疫来的时间还算好，如今才高一，他即使染病了，仍有足够的时间在高考前痊愈。

期末考试，我跃居全班第二，林依然第一，杨军第三。

我的语文成绩有所进步，可英语成绩仍旧惨不忍睹，期中考试至少还考了79分，这次却只考了71分，不进反退。

成绩公布时，已经放了寒假，校园里很空荡，我手中捏着英语试卷，迎着刺骨的寒风，不停地走路。

这一次的打击比期中考试更为惨烈，我甚至有看不到一点希望的感觉。

可以这么说，我在英语上花费的时间和精力是别的课的三倍，我的笔记是全班最认真的。上课时我的耳朵里只有老师的声音，专注到杨军在我耳旁说话，我完全听不到。我连周末都会坚持背诵半小时英文，每一篇英文课文我都倒背如流。我不相信我们班有比我更认真的学生！

我从没有一天懈怠过，可成绩竟然不进反退！

如果说天道酬勤，那么我的天道在哪里？难道老天就看不到我丝毫的努力吗？

我没指望一下能拿九十多分，可至少应该进步。

为什么会这样？整整半年的努力，就是这样的结果吗？努力之后，却没有收获应得的报酬，这让人绝望，让人质疑自己有必要那么努力吗？反正学和不学没什么差别。

我没有办法给自己答案，当我在寒风里走了两个多小时后，当我全身都几乎冻僵了之后，我决定忘记这件事情，忘记这种无力的挫折感，忘记这种似乎永远看不到希望的绝望感觉。

我仍然要每天记忆十个单词，仍然要每天背诵半小时英文，下个学期仍然认真听讲，认真做作业，仍然连老师的口水话都背下来。

我和自己赌，书山有路勤为径！既然我不能找到原因，不能发现更好的学习方法，我就只能和自己赌古人的智慧。

我把英语卷子撕碎在风中，把自己半年来的挫折和沮丧压到内心最深处。

第2章

A BOOK DEDICATED TO

OUR YOUTH

那些鲜艳色彩

蓉儿，你还是那么伶俐美丽吗?

靖哥哥，你还是那么傻头傻脑吗?

长大的我们，能否回到过去那样的单纯和美好?

1
简单生活

每个人性格的成因都可以追溯到他出生、成长的家庭。
这世上，只有不良的家庭，没有不良的孩子。

从高一的第一天开始，我的生活就变得很简单，我每天都重复着学校到家里，家里到学校的两点生活。

寒假中，我每天睡一个大懒觉，起来后，泡一杯清茶，读半小时到一小时的英文，然后再吃早饭、看书、看电视，反正不出门，活动空间不是客厅，就是卧室。

妹妹练电子琴的时候不喜欢关卧室门，以前我不在家待着，影响不了我，如今却很影响我，我也不和她吵，从另一个角度来解决这个问题。据说孙中山在年轻时代为了训练自己的集中力，专门找闹市读书，那么我就把这个当成一种训练好了，只要自己够专注，耳朵所听到的会自动被大脑屏蔽。日子长了，即使开着摇滚乐，都不会影响到我做几何证明题，注意力被训练得非常集中。

初中时，我几乎天天早出晚归，如今的生活和初中判若两人，我妈妈不但没觉得欣慰，反而有点担心，找我谈话，劝我多出去玩玩。我爸爸也说孩子就是应该多和同学朋友一起玩。

我觉得很逗，他们大概是唯一劝孩子多出去玩的父母。我告诉他们，不用管我，我知道自己在做什么。

妈妈和爸爸只能保持一个比较远的距离给予我适当的关心，不是不寂寞的，幸亏他们还有一个小女儿，有着一切正常孩子都有的毛病。学电子琴会偷懒；想看电视不想做作业；羡慕同学穿的漂亮衣服；嫌弃自己的鞋子不好看；要零花钱的时候会讨价还价；帮妈妈买酱油的时候，会把剩余的钱贪污掉；妈妈替她定了闹钟，她会自己偷偷摁掉；每天起床都要三请四催，不到最后一分钟绝对不起，搞得每天出门上学都和打仗一样……爸爸和妈妈在她身上体会着做父母的喜悦和挫折。

而我，则是一个完全不同的案例。

有一次，表姨妈到我家住，睡我的屋子，我去和妹妹暂住。

恰是冬天，正好停电，又停了暖气，家里又黑又冷，所有人都缩在被窝里。我却没有因为停电就给自己借口，让自己不早起三十分钟，所以依旧早起，点着蜡烛开始背诵英文。

表姨妈大概因为择床，很早就醒了，听到说话声，打开了客厅的门，看到我披着我爸的棉大衣，站在阳台上，呵着冷气，凑在蜡烛底下读英文。

当时的一幕，大概深深地震到了表姨妈，以至于多年之后，她仍念念不忘，总是说，从来没有见过那么懂事、那么乖的孩子。

其实，在我看来，我只是坚持了自己给自己定下的游戏规则，停电停暖气这种事情太渺小，不足以让我打破自己设定的规则，可表姨妈不会这么想，她把这件事情在亲戚中广为宣传，一传十、十传百，我成了亲戚长辈眼中的"好孩子"。

妹妹有时候很嫉妒我，讨厌我赢得了那么多的赞誉，我看着她像苹果一样的脸，几分迷茫，在我的记忆中，应该是我嫉妒她的，大人们应该都不喜欢我的，怎么好似一瞬间就一切都变了样子？

时光，真是一个残酷又奇妙的东西！

大年初三，我有雷打不动的习惯：给高老师拜年。

高老师结婚了，丈夫是技校的副校长，一个戴着黑框眼镜的男子，很热情地欢迎我，倒好饮料后，主动回避到书房，将客厅留给我和高老师。

高老师细细端详我："琦琦，你变了。"

我笑："其实心里头没有变，只是看世界的眼睛变了。"

"张骏也变了。"

我理智上告诉自己保持沉默，嘴巴却不受控制："他一直以为自己少年老成，比别人聪明，其实净做傻事。"

高老师叹了口气："这些年我一直担心他，生怕他走到歪路上去，现在总算松了口气，他也挺不容易的。"

"他有什么不容易的？家里唯一的儿子，家境富裕，爸妈娇宠，相貌出众，天资聪颖，要什么有什么，真正条件艰苦的人都好好的，偏偏他交了一帮狐朋狗友，净干一些偷鸡摸狗的事情。"虽然我说的也是实情，可我似乎偏偏要和自己的心反着来，语气极尽嘲讽。

高老师起身帮我添了一杯果汁，忽然笑起来："当年带你们的时候，我中专刚毕业，才十七岁，每上完一堂课，手心全是汗，你和张骏都人小鬼大，我一直不敢拿你们两个当小孩子，一直把你们当朋友一样尊重。"

我笑着没有说话，心里却默默说："你是我一辈子的恩师。"

高老师说："张骏的三姐夫和我爱人是大学的同班同学，现在是实验中学的副校长。张骏出事的时候，他姐夫还和我爱人通过电话，我爱人是你们老校长的学生。"

难怪张骏犯了那么大的事情都没有被开除，留校察看处分也很快就取消了，明显只是走个过场。小波如果有家人，结果肯定完全不同，也许他已经……

只能说，人和人的命运截然不同。

高老师看到我的神色，似乎猜到我在想什么，便说："等你再长大些，你就会明白，上天是很公平的，人得到一些，注定就会失去一些，有时候失去是为了得到，有时候得到意味着失去，这世界上没有人什么都有，所以，永远不要羡慕他人所有，而是要学会珍惜自己所有。"

"那张骏得到的是什么，失去的又是什么？"

"他有比别人更好的物质条件，可他没有完整的家庭。"

我不解地看着高老师："我听说张骏有四个姐姐，他是父母辛苦盼来的儿子，父母在物质上对他予取予求，非常娇宠他。"

"这只是表象。张骏的爸爸是个非常能干的男人，就是有点愚孝，张骏的奶奶有很传统的香火观念，认为儿媳如果不能生儿子，就是给他们张家断子绝孙，所以当张骏的妈妈一胎又一胎地生女儿时，她一直不停地鼓动儿子离婚，甚至在张骏妈妈生完四女儿坐月子的时候，就押着张骏爸爸去相亲。

到最后，第五胎终于是个儿子，可张骏爸妈的婚姻也走到了尽头。”

“他们离婚了？”

“没有，不过和离婚差不多。张骏的大姐因为年纪比较大，目睹了母亲遭受的一切，所以很早就参加了工作，工作后做的第一件事情就是改了姓氏，从母姓，又把妈妈接到身边，鼓励妈妈离婚，可一方面她爸不愿意，一方面她妈也不愿意，所以就对外说，妈妈身体不好，需要女儿照顾，接到女儿身边住，其实是夫妻变相分开了。你肯定不能理解，但是他们那个年代的人就那样，已经没有办法一起过日子，可就是不肯离婚。”

“那张骏从小就没有妈妈了？”

“差不多吧，他出生后一直跟着奶奶生活，奶奶去世后，才接回爸爸身边。可他爸爸办了停薪留职，自己在外面接工程做，我听他三姐夫讲，一年中能有一个月在这边就不错了。”

有我自己的例子，他的事情并不难理解。张骏的奶奶应该很宠他，可老人一去世，他就一下子变得娘不亲、爹不近、姐姐厌。因为心理落差太大，他小时候才那么叛逆，抽烟喝酒打架偷东西，全部沾染上。

高老师叹了口气：“他三姐昨天到我家，和我提到张骏，还说现在大了，想起小时候的事情很过意不去。张骏小时候跟着奶奶住，被奶奶灌输了很多他妈妈的负面思想，对妈妈不太尊敬，她就很讨厌张骏，老是和四妹偷偷打他掐他，搞得小张骏一见几个姐姐就和受惊的小猫一样，被逼得很快就学会了打架，八岁的时候，就能把四姐打得哇哇哭。”

我忽然就想起了，我被赵老师推打到黑板前的一幕，他当年也是被逼到角落里后，才开始奋起反抗的吧！

我说：“张骏跟着奶奶长大，自然要帮着奶奶了，他又不知道妈妈和奶奶之间的恩怨，他姐姐怎么能怪他呢？”

高老师点头：“是啊！小孩子哪里懂得大人之间的是非恩怨呢？”

“那现在……张骏和他姐姐的关系缓和了吗？”

“大家都长大了，很多事情都能彼此理解了，要不然张骏出事时，不会爸爸妈妈四个姐姐都赶了回来，我想张骏也应该明白家人都很关心他，肯定会忘记过去的不愉快。”

高老师一定在一个很幸福的家庭长大，所以她不明白，不管现在多美好，童年的那些缺失早已与成长交融，变成性格中的一部分，会永远刻在记忆中。我们只是学会了如何去忽视掩埋，永不会真正遗忘。

高老师说："你现在对张骏的印象有没有改观一点？张骏真不是外面说的那么坏。明年一起来给我拜年吧！我记得你们小时候还挺要好的，经常一起回家。"

"我从来没有认为张骏是坏人。"

高老师诡异地说："没有？张骏可和我抱怨说，是你先不理他，嫌弃他，不和他一起玩。"

我愣了一下："他什么时候说的这话？"

高老师说漏了嘴，和个小孩子一样，尴尬地笑："我一直让他叫你一块儿来给我拜年，他总是不吭声，我就教训他男孩子应该大度一点、主动一点，他被我说急了，告诉我不是他不理你，是你不理他。是不是真的？"

我死鸭子嘴硬，坚决不承认："哪里啊？他不理睬我才是真的。"

再不敢说张骏，和高老师聊起了我的学习，果然，对这个话题，她更加关心。

她说："照你这个成绩，名牌大学应该没什么问题。"

"我的目标首先是班级第一，然后是年级第一。"

高老师吃了一惊："不要给自己太大压力。"

"没有压力，就没有动力。"

高老师说："尽力就好了，不要太逼迫自己，这个世界第一只有一个。"

我们又聊了一会儿后，我起身告辞。

走在路上，想着自己刚才的豪言壮语，我真能做到吗？连关荷都只是在年级第十一到十五之间晃悠。

看到小卖铺前面停着一辆摩托车，和张骏的摩托车很像，我不禁慢了脚步，明知道他昨天已经来给高老师拜过年，这不可能是他的车，可还是忍不住停在了摩托车前面。

现在，站在时光这头，看时光那头，一切因缘都变得分明。

那个时候，他和我很相似，我们都因为成长环境的突变，很孤单，只不过，我还没学会掩饰，而他小小年纪已经学会了掩饰，也许因为理解，他给予了我一点点温暖和照顾，却不知道令我此生都不能忘。就如同，高老师并不是对我最热情、最好的老师，随着我的成绩变好，随着我性格变得随和，有越来越多的老师对我宠爱呵护，远胜当年的高老师对我，可是，不管他们对我多好，我都压根儿不会在乎他们，我唯一记住的只有高老师。

定定地凝视着摩托车，想着张骏，也想起了小波，那骑着摩托车，飙驰在风中的日子遥远得好似在一万光年之外。我们都已收起了叛逆的棱角，开始在人生轨道中努力。

站了很久后，我转身离去，看到路口有卖羊肉串的，去买了十串，嘱咐他多放辣椒。

吃着辣得嘴颤的羊肉串，迎着寒风微笑。

2
第一件大事

当我们的眼睛不再黑白分明如婴儿时，
我们眼前的世界也开始不再黑白分明。
真诚的冷漠，虚伪的善良，褒与贬模糊，黑与白交杂，
同学之间的关系开始复杂，不再是简单的你和我好，你不和我好。
我们的一只脚犹在林黛玉式的好恶随心中，
一只脚却已踏入了薛宝钗式的圆滑世故中。
我们已经意识到人与人之间的相处也是一门学问，
但，我们还未明白这其实是一门远比考上大学更艰难、更深远的学问。

寒假过完，新的一学期开始。

这个学期有两件大事，第一是学生会主席的人选，第二是文艺会演。

我们班有童云珠，文艺会演本来应该没有任何问题，可童云珠刚做了急性阑尾炎的手术，不能参加今年的文艺会演，沈远哲只能自己张罗。

沈远哲头痛得不行，晚自习召开临时班会，向大家征询意见，可我们班除了童云珠，真没有文艺人才了，一帮男生七嘴八舌，全是馊主意，逗得大家前仰后合，班会开成了笑林堂。

我对沈远哲有异样的感情，总是有一种欠了他什么的感觉，看不得他为难，明明自己也是文艺白痴，却绞尽脑汁地想办法。

我举手："我有个想法。"

沈远哲示意大家安静，听我说话。

"我们班男生多，可以出一个男生大合唱，合唱虽然有些土，但毕竟是一个正式的节目。"

无为而治的班主任终于出声了："我可以请学校合唱团的老师给我们上几堂课。"

沈远哲说："演出服也可以直接问他们借。"

男生们七嘴八舌议论了一会儿，敲定了这个简单可行的方案。

"第二个节目呢？谁还有想法？"

我又举手，沈远哲有些吃惊，笑着做了个请的手势。

"我初中的时候有个朋友很会跳舞，我发现舞台表演在某些时候对服装和道具的借助很大，尤其是我们这种演员业余，评委业余的。前几天我正好在电视上听到一首歌，叫《说唱脸谱》，我特别喜欢，觉得特朝气蓬勃，当时就很动心，所以去图书馆借了本关于京剧脸谱的书看。"

我把这两天正在看的画册给大家看了一眼，接着说："一中似乎从没有人表演过和京剧有关的内容。流行歌不能上，现代舞需要把握尺度，一个不小心就会被教导主任刷掉，所以大家老是翻来覆去地表演民族歌舞，我们正好抓着这个新鲜。"

沈远哲说："想法很好，但是实施的困难很大，京剧的行头都很贵重，肯定借不到。"

我说："这个我也想过了。能不能用班费买一些白色大布，把《说唱脸谱》中的脸谱都画出来，然后配合歌，用队列变换，或者其他方式表现出来，这个我们可以集思广益，反正目的就是展现出京剧中的脸谱文化。"

"这工作量非常大，找谁画呢？"

我笑着说："我学过画画，可以画一点，还有王茜也会画画，如果她能有时间帮忙，就最好了。"我上绘画班的时候曾经见过她，老师说过她很有天分。我把书递给同学，让他们传给王茜。

班里静了一会儿，全都激动起来，都觉得这个点子很新鲜，也可行，而且主题非常健康积极，简直属于教导主任一看见就喜欢的调调。

马力大声说："我会翻跟头，打脸谱的时候，我可以从脸谱前翻过去，像电视上那样。我小时候练过武术的，后来怕吃苦放弃了，可翻几个跟头还是没问题的。"

我看着他笑，他瞪了我一眼，冲我挥了下拳头，一副"当时没打你，可不是怕了你"的样子。

班主任很高兴："那就这样办，我去学校主管影像资料的老师那里问一问，如果有京剧的录像，可以借来给你们借鉴一下。"

王茜已经粗略翻过几个脸谱，笑着说："这些脸谱绘制起来不难，最重要的是要保证颜色在灯光下出彩，我保证顺利完成任务。"

我说："《说唱脸谱》中有一段是用年轻人的口吻说唱，这一段，我们可以由几个同学打扮得摩登一些，用一种比较痞，比较生活的方式表演出来。"

男生们笑："这还用表演吗？请马力和吴昊这两位有钱少爷直接上去就行了。"

全班都哄堂大笑。

我笑着说："还需要一个人扮演老爷爷，看看能不能借到老式的长衫和白胡子，这样和年轻人的摩登有突出对比，舞台效果就出来了。"

同学们都仔细想着，赵苗苗羞涩地慢慢举起手，细声细气地说："我外婆和妈妈都是裁缝，家里有很老式的服装。"

沈远哲笑说："谢谢你，帮我们解决了个大难题。"

赵苗苗大概是第一次看到全班同学都冲着她笑，她低下了头，声音小小地说："我家可以拿到比外面商店便宜的白布。"

班主任和沈远哲异口同声地说："太好了！"

服装解决了，白胡子呢？

马蹄笑着说："我家有个白色的老拂尘，我看挺像胡子的，实在不行，就把那个剪一剪，想办法挂在脸上。"

大家都笑，沈远哲说："那就先这样。这两个节目需要我们班所有的人出力，有点子的贡献点子，有才华的贡献才华，大家有空都琢磨琢磨，可以随时告诉我和罗琦琦。我们也不当它是要去比赛夺奖，全当大家一起玩一场，自己玩过瘾了就行。"

男生都热烈鼓掌、集体叫好，班主任笑着不吭声，并不反对的样子，我开始觉得这个白面书生其实也是一个很有意思的老师。

班会结束后，我提着书包出了教室，沈远哲追上我："真谢谢你了，经过你一说，感觉文艺演出也不一定就非要舞跳得好、歌唱得好。现在这个样子，全班都能参与，其实更有意义。"

我有几分伤感，我对舞台服装灯光的了解来自林岚，对创意和形式的理解来自宋晨，当时，虽身在其中，却全没在意，如今，才发现他们都在我生命中留下了痕迹。

到了校门口，我和他说再见，他却问："你走哪条路回家？"

我指了指我要走的路，他说："我家也可以走那条路，我们正好顺路，可以一起走一段。"

其实，我更想一个人走，因为我已经习惯晚上边走路，边思考数学或者物理题，但对沈远哲的友好，我不想拒绝，笑着说："好啊！"

他推着自行车和我边走边聊，两个人聊起初中的事情，我给他讲述和宋晨斗嘴、和李杉下象棋、和关荷一起出板报……

谈话中，惊觉原来我和他们曾经有过很多、很多的快乐。

快到我家时，才发现只是我一个人在啰唆，我们俩竟然如同初一的那次不真实的相逢，话全由我一个人说了，我不好意思："我到家了，再见。"

回到家里，有淡淡的惆怅和伤感。自从考进不同的中学，大家就不怎么来往了，关荷和我虽然同校，可也就是偶尔碰到，笑着点个头，说几句无关痛痒的话。

因为文艺会演，我和沈远哲相处的机会非常频繁，两个人总在一块儿忙碌，忙碌完后，他就顺道陪我回家。

沈远哲是一个非常好的听众，他似乎能理解我所讲述的一切，我常常在漫天星光下、安静的夜色中给他讲述那些我生命中已经过去的人与事，我告诉他陈松清的无奈离去，告诉他林岚的聪慧多才，告诉他我初一时的肤浅和刻薄，还有聚宝盆、曾红……

但晓菲和小波，我绝口不提，他们是我不能触碰的伤痛和秘密。

随着时间的推移，我们俩的关系越来越好，渐渐地，我也把他视为了好朋友。

有时候我很担心我说得太多，和他在一起时，似乎永远都是我在说话，他总是在倾听，可看到他的目光和微笑，我的担心很快就消失了。

高一的第二学期真是一段非常快乐的日子，我们全班同学齐心协力地准备文艺会演。能出力的出力，能出点子的出点子，能出物品的出物品，即使什么都不能出的，也可以帮我和王黄托调色盘，帮我们用吹风机烘干颜料。

全班人整天都很开心，嘻嘻哈哈的，连因为追求童云珠频频受挫的杨军也挺高兴。

在全班团结一致的笑闹努力中，到了文艺会演的时候。

高中部的教导主任很年轻，可因为年轻，所以越发担心出错，要求竟然比初中部的教导主任还严格。

在他的严格把关下，在主题健康积极向上的指引下，各个班级的歌舞都在框子里面转悠，风格和初中的时候差别不大，只不过因为高中有艺术特招生，舞蹈和歌曲的水平更高一些而已。

关荷如她所说，专心向学，不再参加文艺会演。

（4）班的节目一个是两个艺术特长生的双人舞，一个是六个男生的现代舞。看张骏以前的表现，跳舞蛮有一套，而且他作为班长，肯定要为文艺会演出力，可他竟然没参加班级的演出。

我意外之余很不舒服，觉得他似乎和关荷同进同退的样子。

不过，很快就顾不上不舒服了，我不上台表演，可我需要在底下统筹安排，幸亏当年在林岚手下打了两年下手，又跟着宋晨跑过龙套，一切环节都很熟悉。

我和沈远哲台前台后地跑，一会儿担心旗子打不开，一会儿担心吊到礼堂顶上的卷轴出问题。

到我们班节目快开始时，我和沈远哲才能闲下来，紧张地站到台侧看。

身后有人小声叫："琦琦。"

我回头，发现走道一侧恰好就是（4）班，关荷笑着和我挥挥手，压着声音问："你参加文艺会演了？"

关荷身旁坐着的是张骏，想到他们两个竟然可以亲密地在黑暗中同坐三四个小时，只觉得她的笑容如剑，刺得我喉咙都痛，一句话都说不出来，脸上却是笑容灿烂，摇了摇头。

沈远哲笑着说："罗琦琦是我们的总导演。"

关荷说："那待会儿我鼓掌的时候一定会更用力。"

正说着，主持人报了曲目，我们班的节目开始，再顾不上说话，开始专心看表演。

我们的节目抽签比较靠后，不是一个有利的位置，因为大家看了一晚上表演，已经身体疲惫、审美疲劳了。不过我们班的人都很放松，压根儿没想着拿奖，所以状态很好。

我们把歌重新编排过，不是直接放歌，而是先放一段京剧的锣鼓过门，夹杂着花旦和老生的唱腔。

当锣鼓敲得震天响，二胡拉得满堂生彩时，全礼堂昏昏欲睡的同学和老师都被敲醒了。

我笑着想，不愧是中国的国粹，真应该定为提神醒脑的必备产品。

黑暗中，歌声响起，"那一天爷爷领我去把京戏看，看见那舞台上面好多大花脸，红白黄绿蓝，咧嘴又瞪眼，一边唱一边喊，哇呀呀呀呀，好像炸雷唧唧喳喳就响在耳边……"

伴着歌声，舞台的背景变成了一个很古典的戏台。这是利用的投影，班主任麻烦学校的老师特意弄的。

"蓝脸的窦尔敦盗御马，红脸的关公战长沙，黄脸的典韦，白脸的曹操，黑脸的张飞叫喳喳……"

歌声中，舞台上依次垂下了五幅巨大的卷轴画，而卷轴画上就是歌声中的脸谱，蓝、红、黄、白、黑，在灯光映照下，颜色分明，极其夺目。

在卷轴画降落的过程中，吴昊和一个男生、两个女生穿着很时髦的服装走到了台上，边走边配合着说唱表演："说实话京剧脸谱本来确实挺好看，可唱的说的全是方言怎么听也不懂，慢慢腾腾咿咿呀呀哼上老半天，乐队伴奏一听光是锣鼓家伙，咙个哩个三大件，这怎么能够跟上时代赶上潮流，吸引当代小青年？"

吴昊有钱公子哥的派头摆得很足，头上的棒球帽子歪戴着，鼻梁上的太阳镜低垮着，视线从太阳镜上方斜着看人。

"紫色的天王托宝塔，绿色的魔鬼斗夜叉，金色的猴王银色的妖怪，灰色的精灵笑哈哈，哈哇哇……"歌声中，我们班四个身高力壮的男生穿着绘制有脸谱的白色T恤，挥舞着大旗跑上舞台，大旗上依次绘制着紫色天王、绿色魔鬼、金色猴王、银色妖怪。四个男生分别站在五幅垂下的卷轴画间。

"我爷爷生气说我纯粹是瞎捣乱，多美的精彩艺术中华瑰宝，就连外国人也拍手叫好，一个劲地来称赞，生旦净末唱念做打手眼身法功夫真是不简单，你不懂戏曲胡说八道，气得爷爷胡子直往脸上翻？……"

穿着老式长衫，拄着拐杖，抚着胡子的同学走上台，边走边点着一个个精美的脸谱，四个男生配合地挥舞着大旗，在舞动的大旗中，马力穿着武打装从台子左侧一口气连翻到右侧，台下轰然响起叫好声、鼓掌声。

我和沈远哲都舒了口气，笑看着彼此，对拍了一下掌。这是今儿晚上最有技术难度的活，马力成功完成了。

"老爷爷你别生气，允许我分辩，就算是山珍海味老吃也会烦，艺术与时代不能离太远，要创新要发展，哇呀呀呀，让那老的少的男的女的大家都爱看，民族遗产一代一代往下传。"吴昊在老爷爷前面鞠躬道歉，两个女生

一边一个搀扶着老爷爷。

"一幅幅鲜明的鸳鸯瓦，一群群生动的活菩萨，一笔笔勾描一点点夸大，一张张脸谱美佳佳……"歌声中，吴昊他们四个人走到四个举旗的人旁边，拽着旗子角，边走边将旗子摊开，四个举旗的人转过了身子，他们背上绘制的脸谱赫然显露。

歌声结束，嘹亮的京胡拉起，灯光渐渐暗了，光影变幻中，大大小小的脸谱光彩变换，像活了一般，而老爷爷拄着拐杖，背朝着观众，深情地凝望着这个民族的文化精粹。

在他前面，是四个年轻人，有的仰头，有的侧头，有的在笑，有的困惑，却都望着脸谱，在他们手上是已经被传承的民族文化。

表演比我想象得成功，我自己都被这些大大小小精美的脸谱震撼了，礼堂里响起了热烈的掌声。

听到评委的给分，我们班哗啦一下全站了起来，用力地鼓掌，我和沈远哲也特激动，我没忍住，泼皮气不自觉地流露出来，手放在嘴边，想打个口哨，沈远哲看到，忙抓住我的胳膊，阻止了我。我扶着他的胳膊，边笑边朝他吐舌头，教导主任就坐在不远处，可不能因为我这一个口哨毁了全班人的辛勤劳动。

关荷边用力鼓掌，边笑着恭喜我们："真的太棒了，这是谁的创意？"

我没有回答，沈远哲说："所有场景都是罗琦琦设计的，那些脸谱也是她绘制的。"

关荷惊叹："琦琦，当年你可是太藏拙了！"

我笑着，好似压根儿看不到张骏，眼角的余光却一直在看他，他对关荷有说有笑，可视线偶尔扫我一眼时，却冷漠如冰，鼓掌都鼓得有气无力，随意敷衍了几下。

我的心里有浓重的失望，我在他心里真是连普通同学都不如，他连一点点礼貌的赞赏都吝啬于给予。

（4）班的双人舞夺得了二等奖，我们班的《说唱脸谱》盲拳打死老师傅，以最高分获得了一等奖。教导主任颁奖时，特意表扬了我们，鼓励所有的学生都应该发扬创造性精神，高一（5）班的表演告诉大家，主题健康积极向上并不代表枯燥无聊没趣。

我们班乐疯了，每个人都在欢笑，因为每个人都有功劳。

等笑够了，同学们散了后，沈远哲叫住王茜和我："这次全是你们俩的功劳，你们赶着回家吗？如果不赶的话，我请你们去夜市吃点东西，表示一下感谢。"

王茜笑着说："那我不客气了，我想吃麻辣烫、烤肉串。"

三个人在夜市上边吃边聊，我和王茜互相恭维，我说她是最大功臣，她说我是最大功臣，沈远哲笑着给我们倒饮料："都是功臣，谢谢两位这次鼎力相助。"

吃完东西，三个人离开时，经过一个夜市摊位，沈远哲忽地停住，和坐着吃东西的张骏打招呼。估计也是班长的"酬谢宴"，张骏对面坐着那两个跳双人舞的女生。

我拖着王茜想走，却有人叫我："琦琦。"

我这才发现张骏的旁边坐着关荷，此时，正探了个脑袋出来，笑着叫我过去："琦琦，一块儿过来吃点东西。"

我笑着说："不用了，我们刚和沈远哲吃过。"

回家后，虽然劳累了一天，可向来作息规律的我了无睡意。盯着窗户外面，迟迟不能入睡。

张骏已经一年多没交女朋友了，关荷是否会是他的第四位女朋友？

我对他的女朋友已经麻木，他再换，似乎都已经不能让我有触动，可关荷是唯一的例外，因为我有一种莫名的感觉，张骏并没有为前三位女朋友真正伤心过，他的心自始至终都在关荷身上。

她是他的第一次心动呢！

虽然当年关荷拒绝了他，可他现在已经不是那个瘦高的刺猬头少年，而是挺拔英俊的翩翩少年，也不再和社会上的流氓地痞来往，变成了一个品学兼优的好学生。

四年过去，他变化巨大。

四年过去，她又回到他身边。

可我呢？自始至终，我是个连镜头都没有的小配角，只能躲在阴暗的角落里悲伤和嫉妒。

自从开学，沈远哲除了要帮助班里准备文艺会演，还一直在准备学生会主席的竞选。

我觉得他没什么问题，开玩笑地说，光全年级喜欢他的女生帮他助助威，他也能上台呀；正经地说，高一这一年，他在学生会的工作成绩有目共睹，再加上初中时候的经验，当选应该是理所当然的事情。

一直以来，沈远哲在同学中的口碑都相当高，可不知道从何时起，高一年级慢慢流传出一种说法：沈远哲其实非常伪善。

作为高中学生，我们已经算是半个大人，我们也有着不少现实的考虑。比如，在真正明白为什么共产主义会解放全人类之前，就已经有极个别的人递交入党申请书，因为知道少年党员会带来很多好处。如果将来打算进入党政机关、国企工作，那简直比是不是名牌大学毕业更重要。

沈远哲就是我们年级最早并且唯一递交入党申请书的人。从这点来看，他是一个很现实、很精明的人，在同龄人还混吃混喝，把高考视作人生唯一压力时，沈远哲已经在每月向党组织递交思想汇报，为以后的事业规划和铺路了。

沈远哲身上有一股很奇异的力量，他能让校长、教导主任、班主任都把他当大人对待，给予他信任，能让所有同学都把他当知心大哥，向他倾诉秘密。可在流言的影响下，他的过于长袖善舞、滴水不漏，反倒引起了很多同学的质疑，对照他递交入党申请书的行为，关于他伪善的言论越传越广，整个高一的人都知道了，而且相信的人不少。

那段时间，连我都有些困惑。

沈远哲表面上看着温暖又亲切，可实际上，真正的他和表面上完全不一样。

我和他算是走得很近了，认为自己和他已经是好朋友，可静下心来想一想，就会发现，我和他之间的交流竟然一直是单向的。

我告诉了他无数我的事情，连自己的肤浅卑鄙都告诉了他，可他从没谈论过自己，他似乎总是在微笑倾听，适当的时候说几句，让我在不知不觉中越说越多，而我说得越多，便越觉得和他亲密，引他为知己。其实，我对他的了解，竟然不比刚认识的时候多一丝半毫。

越来越多的人说他城府最深，心计最深，最会装。

我困惑地想，真的吗？

我是一个连共青团都还没加入的人，而他已经递交了入党申请书，月月写思想汇报。我一见老师就有心理阴影，连正常的交流都困难，而他和教导主任、班主任可以称兄道弟。

沈远哲是一个和我完全不一样的人，我完全不了解他。

可是，很快我就想通了，他是什么样子的人重要吗？我只需记住初一的那个下午，在我伤心哭泣时，班里没有一个同学理我，是他带着温暖走进来，用善良替我驱散了寒冷。

即使他是虚假，但是假到这个程度，连对陌生人都可以温暖关怀，那么这种虚假其实比任何的真实都可贵。

真诚的事不关己、高高挂起；虚伪的专注聆听、排忧解难，两者相比我宁愿要后者。

在关于沈远哲不利流言传播的同时，学生会推选了两个人参加主席竞选，一个是沈远哲，另一个是郑安国。

郑安国是（4）班的体育委员，在学生会的体育部工作，篮球打得非常好。因为打篮球，他和高中部的男生都混得比较熟。他又是住校生，一中的住校生向来比较团结，所以他还获得了几乎所有住校生的全力支持。现任的学生会主席是新一中生，自然也偏向郑安国。

经过激烈的角逐，郑安国在学生会主席的帮助下获得了胜利，成为了新任的学生会主席。

郑安国很大度地邀请竞争对手当体育部部长，展现了完美的风度，但沈远哲谢绝了，微笑着退出了学生会。

这对沈远哲来说应该是一次很大的失败，因为他既然申请了入党，学生会主席的职务对他而言就很重要，远远超出了在同学中出风头的意义。

可是，表面上看不出沈远哲是什么心情，他和以前一模一样，笑容温暖阳光，专心地准备文艺会演。

其实，我很想安慰一下他，可我不知道能说什么，也不知道他心里究竟怎么想，如果他像我一样，直接趴在桌子上哭，反倒好办。可他一直在微笑，云淡风轻得好似什么都没有发生过，我实在不知道能做什么，只能尽力把文艺会演准备好，也算是为他分忧解难。

本以为学生会主席的事情到此就算尘埃落定，没想到没过多久，出现了峰回路转。

周日的晚上，我像往常一样去上晚自习，刚到教学楼门口，一群人突然拿着铁棒、棍子冲进我们学校，抓住几个男生就开始揍。高中部的三栋教学楼里，冲出了很多男生，和他们打起了群架。

旁边的花坛正在维修，堆放着待用的砖头，很多男生就直接拿着砖头去拍对方。陆陆续续，还有更多的男生加入。

眼前的场面让我很吃惊，好像回到了初中。我一直在简简单单、快快乐乐地过着高中生活，觉得生活是从未有过的单纯，却不知道原来只是我选择了单纯的生活，并不是生活本身单纯。

同学们一面害怕地都躲进了教学楼，一面却都很激动地聚在门口窗口看热闹。

歌厅和舞厅都是经常打群架的地方，我早已经看麻木了，没有丝毫兴趣地提着书包走向教室。

上到二楼，看见张骏堵在楼道口，不许他们班一群想去打架的住校生下楼。男生们破口大骂，又推又搡，张骏就是不让他们走，推搡中，眼看着他们就要动手打张骏，外面响起了警笛声。

张骏让到了一旁，一群男生立即往楼下冲，我立即紧贴墙壁站住，给他们让路，心里直嘀咕，没听到警笛声吗？谁还等你们啊？早已经散场了！

当男生们旋风般地刮走后，我转身抬头，想往上走时，看见张骏仍站在楼梯上，正居高临下地凝视着我。那一瞬间，阶梯上只有我和他，高低参差的空间让我滋生了幻觉，似乎我们很近，只要我一伸手，就能抓住他。我呆了一下，移开了视线，面无表情地拎着书包，从他身边走过。

这次由技校学生挑起，一中高中部三个年级的住校生都有参与的群殴是一中建校以来第一次校内群架事件，影响极为恶劣，两个同学胳膊被砍伤，一个同学头被砖头砸伤，还有无数轻伤。学校开除了两个学生，警告、记过处分了一大批。

在此次群架事件中，（4）班没有一个同学参与，学校给予了（4）班集体表扬。

郑安国作为本届住校生的核心人物，在打架发生时，一直躲在教室里。他在周一的升国旗仪式后，向全校检讨自己的失职，主动辞去学生会主席的职位，由沈远哲接任。

没多久，沈远哲被批准为预备党员的消息传出，可谓双喜临门。

后来，马力说技校生就是冲着郑安国来的，郑安国当然不敢出去了，可为什么技校生要来打郑安国，他又说不清楚，只说他认识的技校兄弟就这么说的，大概郑安国太蹭了吧！

经过这一闹，郑安国的哥们儿觉得他太孬种，都和他翻脸，没有人愿意和他做朋友了。郑安国是住校生，父母都不在本市，在一中的后两年，他过得很痛苦，努力地想融入大家，大家却都对他很冷淡，只能一个人独来独往，不过，因为没有人玩，郑安国只能把全部时间都花在学习上，后来居然考上了北京一所很好的大学。也许，这就是高老师说的，"有的时候失去是为了得到"。

3
少男少女的心思

为什么年少时的爱，单纯却笨拙，诚挚却尖锐？
为什么当我们不懂爱的时候，爱得最无所保留，
而当我们懂得如何去爱的时候，却已经不愿意再轻易付出？

期末考试前，班主任告诉我们一个好消息，学校会组织一个天文海洋夏令营，选拔一批学习成绩优异的学生和优秀班干部去北京和青岛。经过仔细甄选，我们班的人选是林依然、杨军、沈远哲和我。

我激动起来，祖国的首都，我还没去过呢，关键还是全免费的！

回去后，和爸妈一说，他们骄傲得立即告诉了所有的亲朋好友，搞得我又在亲朋好友中风光了一把。

期末考试一结束，我们就准备出发，考试成绩也只能等回来后才能知道了。

非常不幸，临出发的前一天，杨军打篮球时把脚给扭伤了，不得不放弃了去夏令营的机会。

出发的那天，学校的车到我家楼下接我。

为了赶火车，凌晨时分就得出发。等我带着困意钻上车时，发现大部分人都已经在车上了，很热闹。

车厢里比较暗，大家又都缩在座椅里，我也看不清楚谁是谁，只能扯着嗓子叫："林依然。"

"这里。"

我立即蹿过去，一屁股坐下："特意给我留的座位吧？"

林依然笑着点点头。

车厢里的同学都带着去首都的激动，聊天的聊天，唱歌的唱歌。前面不

知道坐的是哪个班的，竟然回转头，和林依然对着数学考试的答案。我不能置信地惊叹了一瞬，反应过来，这辆车上可会聚着我们年级的优异生。

到了火车站，我兴高采烈地站起，座位后面的同学也站了起来，两人面面相对，我这才发现是张骏。他要伸手去拿背包，我也要伸手去拿背包，两个人的手碰到一起，我的心咚地一跳，整个人好像都被电了一下，立即缩回了手。过了一瞬，才故作镇定地去拿行李架上的包，发现扔上去的时候容易，拿下来时却有点困难，踮着脚尖，也没把包拿下来。

张骏拿完自己的包，顺手帮我把包拿下，递给我，他一句话未说，我也一声不吭地接过。

我不知道我的笑算不算是破功，反正一直笑着，自己都不知道自己怎么下了车，走进了火车站。

距开车还有两个多小时。学校因为考虑到人多，怕有意外，所以把时间计划得比较宽裕，没想到我们一个比一个麻利，一切都很顺利。

带队的是一位年轻的女老师，把我们召集到一起，先自我介绍："我姓邢，是（4）班的班主任，也是这次的带队老师，就算是正队长了，任何同学有任何问题都可以找我。"

我们的物理老师也介绍了自己："我姓王，（5）班和（6）班的物理老师，这次活动的副队长，欢迎同学们随时找我交流，我们的任务就是安安全全把大家带出去，再安安全全带回来。"

邢老师又说了几点纪律要求后，指定了沈远哲和张骏是同学里的负责人，同学们有什么事情，如果不方便找他们，也可以找沈远哲或张骏。

开完会后，有同学拿出扑克牌，把报纸往地上一铺，开始坐成一圈打扑克。我缩在椅子上，咬着手指头，思索着未来的尴尬，一个月同出同进，这趟北京之行似乎会有很多不快乐。

沈远哲人缘好，和所有人都认识，有人拖着他去打牌，他看我和林依然在一边枯坐着，笑着谢绝后，过来陪着我们。

我发了半晌呆，问沈远哲："关荷应该是（4）班的前三名，为什么

（4）班没有关荷？"

"本来有她的，可她自己放弃了，好像家里有事。"

我轻叹了口气，她肯定是想来的。

虽然这次活动学校负责基本费用，可出门在外总是要花钱的，我妈就唠叨着穷家富路，给了我一千五百块钱，关荷的继父只怕不能这么大方。

等上了火车，同学中的阶级差异立即体现了出来。

这次出行，所有的费用都是学校出，但是只限于最基础的，比如，火车只能坐硬座。像我这样普通家庭的孩子都自然坐的是硬座，可像张骏、贾公子几个家境好的同学都自己出钱买了卧铺。不过，现在是白天，他们把行李放在卧铺车厢后，为了热闹好玩，就又跑到硬座车厢来和大家一块玩。

他们一堆人挤坐在六人的座位上一起玩扑克，热闹得不行。

大家都像失去束缚的猴子，男孩女孩没有拘束地坐在一起，兴奋地又笑又叫，光牌局就开了好几个，还有的围在一起算命，算未来，算爱情，一会一阵大笑。

林依然不会玩扑克，又不善于和陌生人很快熟络起来，安静地坐在一旁；我则是因为张骏在，不肯凑过去。

沈远哲为了照顾我们俩，就陪我们坐在一边聊天，搞得我们（5）班的三个人和大家有些格格不入。

我和他说："你不用特意照顾我们。"

沈远哲笑笑："聊天也很好玩。"他指着一个个人给我和林依然介绍，"张骏，（4）班的班长，刚才邢老师已经介绍过，你们也应该都见过。他旁边的是甄郓，外号甄公子，他爸就是上次来学校视察的甄局长，张骏和甄公子关系很铁，甄公子嘴巴比较厉害，性格很傲慢，不过人不坏，坐甄公子对面的就是鼎鼎大名的贾公子。"

我和林依然都是只听说过其名，没见过其人，毕竟我们所有人的爹妈都归人家老爹管，所以都盯着看了几眼，发现这个高干子弟看上去很普通，温温和和地笑着，还没有甄公子看上去架子大，我问："他怎么能来，他的成绩没那么好吧？他也不是班长，不可能是优秀班干部。"

沈远哲笑着说："学校的原定计划是每班四个人，可因为好几个人都放弃了，学校就把名额让了出来，只要没犯过错，自己出所有的费用就可以参加，所以不只贾公子，甄公子和正在给大家算命的黄薇也是自己出的钱。"

那个女孩化着淡妆，戴着首饰，大概因为放假，又在外面，老师也没有管。我问："她是哪个班的？"

"（2）班的。"

我觉得黄薇这个名字好像在哪里听过，却想不起来在哪里听过，林依然则轻轻"啊"了一声。

我立即问："你听说过她？"

林依然大概没想到我反应这么快，看了沈远哲一眼，红着脸、压着声音说："我有个小学同学在三中读初中，听她说她们学校有个叫黄薇的女生为男生割腕自杀，闹得都休学了。"

又是一个在外面混的女生，难怪我对她的名字听着熟呢，我没有继续追问，看了一眼黄薇，把视线投向了窗外。

到了晚上，张骏、贾公子、甄公子、黄薇都去了卧铺车厢。

看到张骏走了，我舒了口气，和沈远哲说："我们打扑克吧！"

林依然摇头："我不会玩。"

我笑着说："你和我一家，我带你，非常简单，比英语简单一百万倍，英语你玩得那么转，这个一学就会。"

她和沈远哲都知道英语是我的痛，全笑起来，其实依然看到大家刚才玩得那么高兴，心里也想玩的，只是她自尊心比较强，不想因为自己弱，让和她一家的人跟着输。

沈远哲去拿了两副扑克牌，我们三个加上（6）班的班长一块玩双扣，两个男生一家，两个女生一家，他们会玩，依然不会玩，看上去是他们占了便宜，但是很快就出现了相反的结果。

林依然是文静而非木讷，几把之后，已经上路，而且我知道她记性非常好，一百零八张牌，谁出过什么牌，还有什么牌没出，她脑袋里算得很清楚，再加上我的牌技，我们俩打得很顺。

（6）班的班长感叹："没想到好学生打牌也打得这么好。"

林依然很兴奋，抿着嘴角笑。

我们四个打到凌晨四点多，困极了，有的趴在桌子上，有的靠着玻璃窗睡了。

林依然即使睡觉，仍然坐得斯文端正；我蜷着身子，靠着她，很困，可睡得很难受，时睡时醒中，好不容易挨到清晨。

贾公子、甄公子、张骏、黄薇他们过来了。应该睡得很好，一个个神清气爽。邢老师和王老师昨儿晚上一个在卧铺车厢，一个在硬座车厢，此时掉换，邢老师看着我们，让王老师去休息。

邢老师低声和贾公子他们商量，问他们可不可以让同学借用他们的卧铺睡一会儿，四个人都说没问题。因为人多，邢老师也不好指定，所以就让他们四个自己去安排。

四个人自然都先把自己的卧铺车票交给各自关系熟的同学，张骏竟然走过来，笑着把车票让给沈远哲，我心里有些吃惊，原来他们不仅仅是点头之交。

沈远哲没有客气，笑问："介意我先让给女生吗？"

张骏笑着摇摇头："你做主了。"

沈远哲把车票交给林依然："你去卧铺车厢睡一会儿。"

林依然为难地看着我，我笑着推她："赶紧去吧，我昨天晚上一直在翻腾，弄得你也根本没睡着，等你睡完，我再睡。"

林依然去了卧铺车厢，座位空出来，沈远哲招呼张骏坐，张骏竟然真坐了下来，就坐在我旁边，我心里憋闷得很，想走，可他坐在外面，我如果要走，还要和他说话。

（6）班的班长仍然靠着车厢打瞌睡，沈远哲却似乎一点不困，和张骏聊着天。我心里烦闷，往桌子上一趴，开始睡觉。沈远哲忙一边说话，一边帮我整理桌子上的东西，关心地问："你要不要吃点东西再睡觉。"

我闷着头说："不用了。"

同学们又挤在一起打牌，六个人的座位挤八个人，四个人的座位挤五六个人。我表面上看着在睡觉，实际哪里睡得着，两只耳朵竖得老高，时刻听着张骏的动静。

沈远哲和张骏终于都被拉去打扑克，我旁边的座位空了下来。我拿了几本书当枕头，蜷缩着身子躺下，脚搭在对面的座位上，开始努力睡觉。也是真困了，虽然车厢里吵声震天，睡觉的姿势很古怪，我仍然睡死了过去。

迷迷糊糊中醒来时，已经是下午，有男生在唱歌，有女生在解说算命的结果。不知道打牌打输了还是什么，听到一个女生大叫："贾公子，你是猪啊？这牌都敢往下出？"

毕竟年轻，外面的现实社会对我们的影响还有限，而且此行的同学成绩都很优异，每个人都对未来充满信心，管他贾公子、甄公子，其实大家都不放在眼里。

我闭着眼睛微笑，在这么狭小的空间里，三十多个少年挤在一起，真是一种很奇妙的体验。

夏天的火车车厢很是闷热，当年的普快硬座车厢又没有空调，我睡了一身汗，一边昏沉沉地坐起来，一边找水喝，等喝了几口水，戴上眼镜，才发现这个四个人的座位，只坐着两个人，我对面的那个人，竟是张骏！

他究竟什么时候过来的？他为什么没有打牌？

我过于意外和吃惊，根本不知道该怎么反应，只知道傻傻地看着他。

我们俩面无表情地对视了几秒，我一片空白的大脑才又有了脑电波，弯身从座位底下拿出洗漱工具去洗漱。等洗漱完后，却没有回原来的座位，装作要看同学算命，随便找了个空着的座位就坐了下来。

张骏依旧坐在那里，静静地看着车窗外，也不知道他究竟在想什么，竟然就一个人那么枯坐着。

很久后，有一桌的牌桌少了个人，叫他，他才去打牌了。

看他走了，我才拿着洗漱用具，返回了座位。

林依然从卧铺车厢回来，把车票还给沈远哲，沈远哲问我要不要去睡觉，我摇头："已经睡够了。"

他把车票还给张骏，张骏瞟了我一眼，接过车票，给了一个女生。大家这么轮换着去卧铺车厢睡觉，又有挤着打牌的同学空出的座位，也算都休息了。

剩下的时间，我要么闭着眼睛打盹，要么看书，反正避免和张骏接触。

到了晚上，张骏一走，我就开始生龙活虎，我和林依然白天都已睡足，晚上索性就打了一通宵的扑克。

清晨，张骏依旧把卧铺车票给了沈远哲，沈远哲依旧让给了林依然，林依然去卧铺车厢休息，我则和昨天一样，蜷缩在硬座上睡觉。气温比前天还高，车厢里十分闷热，我睡得后背上全是汗，那么困，都睡得不安稳。

睡梦里，忽然感觉有凉风习习，燥热渐去，身心渐渐安稳，美美地睡了一大觉。

半梦半醒时，才发觉是沈远哲坐在对面，一直在给我打扇子，我又是感动又是不安，忙爬起来："多谢你了。"

他微笑着："举手之劳，客气什么呢？"

正在旁边座位打牌的（6）班班长开玩笑："下次我也要你的举手之劳。"

大家起哄地大笑，纷纷冲着沈远哲说："我也要，我也要！"

张骏也是握着牌在笑，眼睛却是盯着我。

我本来在笑，看到他的笑意，反倒有些笑不出来了，避开他的视线，匆匆拿出洗漱用具去洗漱，等洗漱回来，发现沈远哲趴在桌子上睡了。

投桃报李，我四处找扇子，看到旁边的牌桌上有一把没人用的扇子，我走过去，刚想伸手，一只手覆盖在了扇子上。

张骏拿起扇子，啪一下打开，一边看手里的牌，一边扇着，好像丝毫没有看到我。

我默默地退了回来。

后来，列车员来卖扑克牌和扇子，我花五块钱买了一把，虽然有些贵，不过以后用得着，坐到沈远哲旁边，一边看书，一边帮沈远哲打着扇子。

等沈远哲睡醒，北京也到了。

在拥挤的火车车厢里，所有人很快就熟悉了，大家都很喜欢沈远哲，就连曾经因为流言对他有负面想法的同学也喜欢上了他。

他总是留意着那些沉默内向的同学，照顾着他们，打牌的时候记得叫他们，轮卧铺票的时候也记得他们，不会因为哪个同学不会来事、不够活泼就忽略他们。张骏和甄公子都把自己的卧铺车票让给过沈远哲，可沈远哲自始至终没有去卧铺车厢休息过，每次都把机会给了别人。

邢老师看在眼里，感叹地说："难怪你们班的班主任什么都不操心，心都被你操完了。"她看同学们都看沈远哲，立即又说，"不过，我们班的张骏也是很好的，这一年来幸亏有他，否则我真不知道拿宋鹏那帮小浑蛋怎么办。"

邢老师说得咬牙切齿，同学们都笑。我们年级最坏的两个男生都在（4）班，那可不是普通坏学生的调皮捣蛋，邢老师的确不容易，不过，她非常聪明，知道以恶治恶，丝毫不顾忌张骏以前做过的事情，用他做班长，去管宋鹏他们。

到了北京，两个人一个屋，我和林依然同屋。甄公子和贾公子同屋，张骏和沈远哲同屋。

大家一起吃饭、一起玩、一起听大学里的老师给我们讲天文知识。

一群同年龄的年轻人都相处得很愉快，唯一的不愉快就来自我和张骏。

张骏和沈远哲关系越处越好，两个人交换了相机，直接你给我拍照，我给你拍照，常常形影不离。

我和林依然都没有相机，沈远哲为了照顾我们俩，时时都叫着我们，给我们照相。林依然当然很乐意把她到过的地方照下来，带回去和爸爸妈妈分享，所以一直和沈远哲在一起。我却很郁闷，因为这样就意味着要和张骏在一起，想溜，可沈远哲和林依然总是拖着我，细心照顾我，溜都没法溜。

因为四个人经常一起玩，连文静的林依然都开始和张骏有说有笑，我却和张骏仍然不说话。

沈远哲发现我和张骏一直没说过话，以为我们是因为在火车上一个晚上睡觉，一个白天睡觉，没机会熟悉的原因，特意向我们俩介绍彼此："这位是（4）班的班长张骏，我的好朋友；这位是我们班的罗琦琦，我的好朋友，认识一下。"

我和张骏都皮笑肉不笑地点点头，笑着说："你好。"

沈远哲和林依然都以为我们以前从不认识，我和张骏居然都保持了沉

默，谁都不肯提我们小学是同班同学。

沈远哲高兴地拉着我们一起玩，可他很快就发现，我和张骏完全不来电，一个看另一个完全不顺眼，谁都不给谁面子。

张骏参加的活动，我都不愿意参加；张骏提议要去哪里，我一定是不想去的。

张骏倒是不反对参与我参与的活动，可他时时刻刻都不忘记刁难我。

有时候，明明我和沈远哲聊得很开心，他却会突然插进来，每句话都是讽刺我，让我和沈远哲完全说不下去，只能尴尬地结束话题。

爬到香山顶上时，正好是落日，天边的彩霞铺满林梢，美如画境。我麻烦沈远哲帮我照张相片，两个人正嘻嘻哈哈地照相，张骏却在一旁冷嘲热讽，不是讥讽我的姿势做作，就是嘲笑我的表情僵硬，搞得沈远哲非常尴尬，不停地打圆场，他却越说越来劲。

别人说我，也许我就一笑，可他是张骏，就算我的脸皮真比长城的城墙拐弯都厚，他也能轻易地伤到我，我又是羞窘，又是难受，冲沈远哲说：“我不想照了，不用再给我照相。”

沈远哲不停地安慰我，让林依然劝我，我只是摇头，坚决不肯再照相。

张骏看我不照了，闭了嘴巴，我冷冷地问他："丑人不作怪了，你满意了？"

他不吭声。

自从去过香山后，不管去哪里，除了老师要求的集体合影，我绝不肯再照相。

可张骏仍然看我不顺眼，我们去颐和园玩，行了一路，张骏就看我不爽了一路，总是挑我的错，拿话刺我。搞得我完全不记得颐和园长什么样子，只记得他嘲讽我了，他又嘲讽我了，他还是在嘲讽我！

我从来不知道张骏是如此刻薄的人，在我的记忆中，他属于话不投机，转身就走的人，只会打架，不会吵架。

我有时候很纳闷，我究竟哪里得罪了张骏？他为什么要处处针对我？其实我并不想和他起冲突，我都是尽量回避他，不想和他接触，即使接触，我都尽量回避和他说话。可他如此对我，我也不是个泥人，由着他欺负，所以只能回击，搞得两个人矛盾越来越深，到了几乎一开口就要刺对方的程度，彼此都好像恨不得对方立即消失。

甄公子幸灾乐祸地在一旁看热闹，时不时再浇点油。贾公子是个没脾气的温和人，但因为和甄公子、张骏关系好，所以也跟在一旁敲边鼓，帮着张骏一块儿打击我。

我们虽然只是一个三十多人的小集体，可因为来自不同的班级，不知不觉中就分了三四个小圈子。张骏他们几个是我们这个小集体里最大的小圈子，因为他们三个核心人物的态度，我渐渐地有些被众人孤立，不管干什么事情，都不会有人主动叫我。

孤立就孤立！我又不是没被孤立过！

我根本不吃他们这套，该怎么玩就怎么玩。林依然不知道有没有察觉出我和张骏他们的交战，反正她对我依旧，整天都跟在我身边，我做什么，她做什么。有了这么忠实的朋友，我更是不怕他们的孤立了。

沈远哲成了夹心饼干，作为这个小集体的负责人，他不想这种对立的事情发生；作为我和张骏的好朋友，他尤其不希望我们俩对立。他不停地给我们做思想工作。在我面前，不停地说张骏的好话，又跑去张骏面前，不停地说我的好话，只希望我和张骏能改变一下对彼此的"恶感"，能友好相处。

我不知道张骏听到沈远哲夸我的话是什么反应，反正我是从不反驳沈远哲夸张骏，不但不反驳，反倒在面无表情下很用心地听。

我一直很努力地将自己隔绝在张骏的世界之外，可内心一直在渴望了解他的点点滴滴。我喜欢听沈远哲告诉我张骏很讲义气，在男生中很受拥护和尊敬，就连宋鹏都很服张骏；喜欢听他夸张骏为人处世圆滑却不失真诚，该软的时候软，该硬的时候硬；喜欢听他讲张骏学习认真、做事理智，喜欢听他说他有多么欣赏佩服这位朋友。

我甚至享受着沈远哲讲张骏，因为，我从不敢如此明目张胆地去谈论张骏，第一次有人在我面前不停地谈论他，一谈一两个小时，而且全是他的好，我怀着喜悦、心酸、骄傲，各种复杂的心情静静地聆听。

可我们两人一见面，立即就水火不容。

沈远哲很辛苦、很小心翼翼地在我们两人之中维持着和平，同时继续在我面前讲张骏的好话，在张骏的面前讲我的好话，希望有一天我们俩能被他感化，化干戈为玉帛。

有一天晚上，林依然去玩扑克，因为牌桌上有甄公子在，我就回避了。

正一个人在活动室看电视，黄薇拿着扑克牌来找我玩："要算命吗？我算得很准的。"

我有些惊奇，除了沈远哲和林依然，大家都有些孤立我，她和张骏玩得很好的样子，怎么不帮着张骏，反倒来找我玩？不过，我当然不会拒绝她的善意，立即回应："好啊！"

黄薇让我洗三遍牌，分别说四个男生、四个女生的名字，替我预测这些人会在我的生命中和我发生什么故事。

我洗完牌，笑着随口说："沈远哲、杨军、小岛一匹狼、马蹄、林依然……"

黄薇边帮我算命，边和我聊天。她说："牌面上看沈远哲和你很有缘分，你和他是在谈吗？"

谈就是谈恋爱的意思，当年大家也不知道是不好意思，还是回避老师家长，将其减缩为谈。我立即说："啊？没有。"

黄薇一副"你不要紧张，我会帮你保守秘密"的样子："不少人看到他晚自习后送你回家哦！"

学校禁止早恋，可禁止不了少男少女的心，大家都在暗地里火苗闪烁，不过，我和沈远哲还真不是，所以我淡淡地解释："我们只是顺路。"

黄薇微笑着问："你到底喜欢不喜欢沈远哲？"

我有些烦，我和她又不熟。这些事情就是好朋友都不见得会告诉，她怎么如此不长眼色？

"普通朋友的喜欢。"

"那你有没有喜欢的人？我是说特别的。"

"没有。"

"真的吗？我不信！你肯定有喜欢的人，谁呢？我怀疑就是我们夏令营中的一个，对不对？"

"我从来没有喜欢过男生。"

我否定得脸不红心不跳，想起身走人，却发现不知道何时，沈远哲和张骏都站在一旁，正看着我们算命。我的心咚地一跳，忽然就有很酸涩的感觉，完全忘记了自己上一秒想干什么，仍呆呆地坐着。

黄薇笑眯眯地问张骏和沈远哲："你们要不要算命？十分灵验的。"

沈远哲说了四个女生的名字，有我和林依然，黄薇立即说："刚才罗琦琦说的四个男生的名字也有你，牌上说你是她心中重要的人，你们会有很长的缘分。"

黄薇的口气很暧昧，搞得我很不自在，沈远哲微笑着说："我们要在一个学校读三年高中，当然是很长的缘分。"

黄薇变换着语气开我和沈远哲的玩笑，像试探也像撮合，沈远哲很镇定地兵来将挡，水来土掩，太极拳打得很圆滑，黄薇拿他一点办法都没有。

到张骏算命时，他边从黄薇手里抽牌，边随口报着女孩的名字："童云珠、李小婉、林依然……"

我们都诧异地看他，他和林依然没这么熟吧？

都等着他的第四个名字，他却突然停住了。

我装作不在意地拿起遥控器，随意换着电视频道，心里却莫名其妙地有了期待。

张骏的手在牌面上停了一停，微笑着抽出牌，说出了最后一个名字："关荷。"

沈远哲和黄薇都笑起来，我也开心地笑着，目光没有温度地看着张骏，将内心的纷纷扰扰全部掩盖住。

第二天晚上，大家一起去外面吃饭。十二三个人一张大桌子，分了三桌，我非常不幸地再次和张骏同桌。

甄公子极其能侃，大家边说边聊，一会儿一阵笑声。我知道他们都讨厌我，所以一句话不说，一直低着头吃饭，菜都不主动夹，面前有什么就吃什么。

茶杯里的茶水已经喝完，我抬头看了一眼，发现茶壶在甄公子手边，就

又低下头，继续吃饭。

张骏端起茶壶挨个给大家倒茶，大家都笑着说"谢谢"，倒到我时，我用手一扣茶盅："不用。"其实，我想喝水，可他这几天欺人太甚，我就是不想领他的情，即使只是个顺手人情。

一桌的人都看着他，搞得他很没面子。他端着茶壶站了一瞬，微笑着给下一个人倒，甄公子却冷哼了一声："某些人给脸都不要脸。"

我当听不懂，低着头继续吃饭，甄公子仍在冷嘲热讽，果然长了一张毒蛇嘴。

桌上的气氛很尴尬，我忍了一会儿，实在忍不下去，猛地把筷子往桌子上一拍，盯着甄公子问："你有完没完？张骏是你哥还是你弟，他自己哑巴了？要你出头？"

没想到甄公子笑眯眯地说："张骏就是我哥，怎么了？他是不屑和你计较，我就是喜欢替我哥出头，怎么了？"

贾公子也凑热闹："路不平众人踩，敢情你还不许我们拔个刀相助了？你以为你是谁啊？"

沈远哲打圆场："大家一人少说一句，又不是什么大事。"

男人的嘴巴厉害起来，真是女人都得怕三分。我站了起来，走到饭馆外面坐着，沈远哲跟出来，我说："我是吃饱了才出来的，你不用管我。"

"我也吃饱了。"

他坐到我旁边，要了两杯冷饮，递给我一杯，想说什么，却又不好开口。

我知道随着我和张骏他们的矛盾越来越大，众人都越来越排斥我，他又维护我，所以真的很为难。

"其实你不用帮我，我并不在乎别人怎么对我。"

"我知道你心里不好受。"

我凝视着冷饮杯子上凝结的小水珠，鼻子有些发酸。我的难受不是来自于众人的排斥，这些完全伤害不到我，而是张骏，我一点都不明白到底哪里得罪了他，他为什么要这么处处刁难我？竟然逼得我连躲避的角落都没有。

林依然走了出来，坐到我旁边，低着头说："琦琦，我想和你说几句话，希望你别介意。"

"我有那么小心眼吗？"

"你不是小心眼的人，可正因为你不是小心眼的人，我才不能明白你刚才为什么要那样对张骏。我觉得你现在这个样子不好，大家出来的机会很宝贵，一起玩多好，可因为你和张骏，搞得我们都很紧张尴尬，话都不敢多说。刚才张骏给你倒茶，你为什么拒绝？即使平时有矛盾，张骏说了一些不好听的话，可你向来最大方，马力那么嘲笑你，你从来不生气；杨军老是捉弄你，你也从来不介意，你为什么要介意张骏呢？"

我低着头想了会儿："我知道了，谢谢你，我不该因为自己影响了大家。"

林依然很紧张："你会不会不开心？"

"不会，我知道你是真正关心我，希望大家都不要讨厌我，才会对我说这些话。"

林依然释然了，笑着说："我知道你没吃饱，刚才麻烦服务员把剩下的小馒头打包了。"

"谢谢。"

林依然笑眯眯地摇摇头，沈远哲却是若有所思地看着我。

等回到住宿地，才七点多，同学们有的在打篮球，有的在打扑克，有的在看电视。我一个人在宿舍里坐了会，决定去找张骏，我要和他谈一谈，解决我们之间的问题。

找了个男生，向他打听张骏在哪里。

"张骏说有点累，没出来玩，一个人在宿舍休息。"

我去张骏的宿舍敲门，他说："门没锁。"

我推门而进，他正站在窗口，回头看是我，愣住了。

我关了门："我想和你谈一下。"

他坐到了唯一的一把椅子上，请我坐到床边。

我沉默了很久，都不知道从何说起，他也一点不着急，安静地坐着，丝毫看不出平时的刻薄样子。

很久后，我叹了口气说："我知道你看不惯我、讨厌我，可没有必要因为我们俩影响大家，我保证以后不会惹你，保证以后尽量不在你的眼皮底下出现，保证不管你说什么我都只赞成不反对，也麻烦你放我一马。"我说完，立即站了起来，想要离开。

他立即抓住我的衣袖："我没有看不惯你。"

"你还没有看不惯我？"我气得停住了脚步，甩掉他的手，指着他质问，"我为了躲开你，爬香山走得飞快，尽力往前冲，你说我丝毫不体谅走得慢的同学，那好，我体谅！去故宫，我为了不招你嫌，走最后，你又讽刺我拖大家的后腿！我和同学说话，说多了，你说就我的话最多，把别人的话全抢完了，那成，我沉默！你又讽刺我没有集体意识，一个人独来独往，玩清高装深沉！就是我照个相，把眼镜摘下来，你都有话说。你说，我摘不摘眼镜，关你什么事呀？我已经很努力在回避你了，你究竟想怎么样……"

我一边说话，他一边走了过来，我在气头上，全没留意，只是一步步下意识地后退，直到贴到了墙上，仍瞪着他，气愤地申诉："我们好歹从小认识，都是高老师的学生，你就算讨厌我，也没必要搞得让大家都排挤我……"

他忽地低下头来亲我，我下意识地一躲，他没有亲到我的额头，亲到了我的头发。

我的声音立即消失，嘴巴张着，惊恐地瞪着他，他双臂撑在墙上，低头看着我，虽然面无表情，可脸色却是一阵红、一阵白，显然也是非常意外和紧张。

我脑袋一片空白，呆了一瞬后，猛地一低身子，从他的胳膊下钻了出去，拉开门就拼命往自己的宿舍跑，砰地关上门，身子紧贴着门板，心还在狂跳。

跳了很久后，人才有意识。我如同喝醉了酒一样，歪歪斜斜地走到床边躺下。越想越悲伤，越想越气愤，张骏还真把自己当校草了，似乎只要是女生，就会喜欢他。

我悲哀地想着，我当时要么应该抽他一大耳光，抽清醒他这个浑蛋；要么应该索性扑上去，回亲他一下，反正我喜欢他这么多年，究竟我们谁占谁便宜还真说不准。

　　可我他妈的竟然没用地跑掉了！罗琦琦，我真想抽你一巴掌！

　　林依然回来了，问我："你饿吗？要吃小馒头吗？"

　　我裹着毛巾被，含含糊糊地说："不要。"我早被自己气饱了。

第 **3** 章

A BOOK DEDICATED TO

OUR YOUTH

回看人生风景

你说你没什么不同，长得也普普通通

可是你用一把声音，就击穿了我们的心房

你让我们永远记得了眼镜、大海，和高亢

记得了：多少凄清事，尽付笑谈中

1
尴尬快乐的北京

青春那么短暂，我却在花季正盛时，遇见了所爱的人；
生命那么有限，我却在最美丽的年华，被所爱的人深深爱过。
我们曾在山巅海角相爱过；纵使结局是于山巅海角分别，我也不后悔。
我唯一后悔的是，当时没有多爱他一点。

　　一夜辗转反侧，完全没睡着，一时觉得应该抽张骏两耳光，一时又觉得应该先抽自己两耳光。

　　早晨起床时头晕脚软，幸亏今天是去参观北京天文馆，不会太耗费体力。

　　我戴着大凉帽，把自己藏在人群里，躲着张骏走，恨不得自己有件隐身衣。我近乎悲愤地想，这世道怎么如此古怪？明明是他做错了事，怎么倒好像我见不得人了？可道理归道理，行动却是毫不含糊地畏缩。

　　因为太困，究竟在天文馆里看了些什么，听了些什么已经完全不记得了，只记得最后，老师把我们带到一个大厅里，讲恐龙灭绝的原因。

　　大厅的天顶是椭圆形的，当灯光完全熄灭时，整个天顶化作了浩瀚的苍穹，无数颗星星闪烁其间，美丽得让人难以置信。

　　随着解说员的声音，我们如同置身宇宙，亲眼目睹着亿万年前彗星撞向地球，导致恐龙的灭绝。

　　这样的节目本来是我的最爱，可置身黑暗中，头顶星海浩瀚，馆内温度宜人，我看着看着就睡着了。

　　感觉也就是睡了一小会儿，就有人推醒了我。我立即睁开眼睛，发现张骏坐在我旁边。

　　大厅里的人已经走得半空，周围的椅子全空着，他默默地看着我，我脑袋充血地瞪着他。

人都走空了，我们仍然是刚才的姿势，互相瞪着对方。

工作人员来催我们："同学，放映已经结束。"

张骏拽拽我的衣袖，低声说："走了。"

我迷迷糊糊地跟着他晃到了大厅，发现同学们都在买纪念品，各种各样的恐龙。

他带着我过去："要恐龙吗？"

我点点头，又摇摇头，意识完全混乱，完全无法思考，就纠结着打他还是不打他。

他把每一种恐龙都买了一只，花了不少钱，甄公子开玩笑："你要回家开恐龙展啊？"

张骏笑了笑，没吭声。

当我纠结了半天，发觉自己已经错过最好的发作时机时，我迅速逃离他，跑去找林依然："你怎么走的时候也不叫我一声？太不够朋友了！"

林依然看着我身后不说话，我一回头，张骏像个鬼影子一样，不知道什么时候跟了过来，就站在我身后。

坐车时，本来都是我和林依然坐一起，可回去的时候，张骏主动要求和林依然换座位，坐到我旁边。

我以为他有什么话要说，解释、道歉、狡辩……反正不管什么，他总应该说些什么，这样我才能反击，可他一路一句话没说，我闭着眼睛装睡觉，貌似镇静，实际已经完全晕了。

去食堂吃晚饭时，他没和男生坐，反倒坐到我和林依然身边，顺手就帮我和林依然把方便筷子、纸巾都准备妥当，林依然惊奇地看着他，我也完全不能理解地盯着他，他却若无其事，我行我素。

我们前几天一直互相敌对，恨不得一刀杀死对方而后快，昨天吃晚饭时还针锋相对，闹得满桌人尴尬，今天却一百八十度大转弯，坐车一起，吃饭一起，别说外人看着奇怪，我自己都觉得很诡异。

沈远哲端着餐盘坐了过来，笑着问："你们总算可以和平相处了，误会怎么解开的？"

我低着头吃饭，不吭声，张骏笑了笑，和他聊着别的事情。沈远哲几次想把话题转到我和张骏身上，张骏却都避而不谈。

吃完饭，回到宿舍楼，大家依旧聚在一起玩，我却立即跑回了自己的房间。

第二天，上了车，我已经和林依然坐好，张骏却一上车就走过来，要求和林依然换座位。这不是什么大不了的事情，林依然又向来不会拒绝人，立即就同意了。

张骏又坐在了我旁边，我心里七上八下，幸亏一向面部表情瘫痪，外人是一点看不出来。

这一天是游览北海公园和北京动物园，一整天，不管去哪里，他都跟着我，我不理他，他也不说话。如果我走得快，他就走得快，如果我走得慢，他就也走得慢，如果我和林依然说话，他就站在一旁摆弄相机，如果我被哪处景物吸引，想多看一会儿，他就站在一旁默默等着。反正，不管我说什么、做什么，他都不再嘲讽我，就是一直跟着我，跟得我毛骨悚然，不知道他究竟想干什么。

中途，我尝试着偷偷溜了几次，可是，集体活动，再溜能溜到哪里去？过一会儿，他就能找到我，继续像个鬼影子一样跟着我，后来，我也放弃了这种无谓的尝试，任由他去。

虽然非常古怪，我和他却很和平地相处了一整天，整整一天啊！

晚上回去时，他仍旧坐我旁边，去食堂吃饭时，他也仍旧坐我旁边，沈远哲和林依然都目光古怪地盯着他，他却坦然自若，和他们都谈笑正常，只是不和我说话而已，当然，我也只和林依然、沈远哲说话，坚决不理他。

第三天，还是如此，他总是在我身边，默默地跟着我，默默地照顾我，却一句话不说，搞得我也什么都说不出来。

我开始有些受不了。感情上，我暗暗渴望这样的日子继续下去，可理智上，我知道绝不能再放任自己，否则，我会死无葬身之地。

我和张骏不一样，张骏玩得起，我玩不起。

吃过晚饭后，我和前两天一样，立即回了宿舍，边冲凉边思索，等洗完澡，换了条长裙，我决定去找张骏把话说清楚。

张骏、贾公子、甄公子几个男生在篮球场打球，黄薇和几个女生在一旁观战。

我走到篮球场边，默默站着。七个男生分成两组，打着力量不对称的比赛，拼抢却都很投入，张骏的技术非常突出，黄薇她们不停地为他鼓掌喝彩。

杨军的篮球打得也非常好，可惜杨军没来，否则他们两个一定能玩到一起去。

我胡思乱想了一阵，实在没有勇气在众人面前，高声把他叫过来，所以，只能又默默地转身离去，低着头，一边踢着路上的碎石头，一边走着。

身后传来急匆匆的脚步声，未等我回头，一个浑身散发着热气的人已经到了我身边，是张骏。他的脖子、胳膊上密布着汗珠，脸颊带着剧烈运动后的健康红色，浑身上下散发着非常阳刚健康的男孩子的味道。

一瞬间，我也不知道为什么，脸腾地就滚烫，忙转过头，盯着脚前面，大步大步地走路。

他也不说话，只是沉默地跟着我。

我走了一会儿，心头的悸动慢慢平息，脚步慢下来，他也自然而然地慢了下来。

我停住了脚步，转身看着他，他也立即站住。

我把心里的五味杂陈都用力藏到最深处，很理智、很平静地说："我已经接受你的道歉，明天不要再跟着我，我会忘记所有的不愉快，我们之间就当什么都没发生过，各玩各的。"

他盯着我，胸膛剧烈地起伏着，似乎里面有什么东西就要挣脱束缚，跳出来，可一会儿后，他又平静了下来，淡淡说："我要去打球了。"说完，立即跑向了球场。

我长长吐出强压在胸口的那口气，立即转身朝着相反的方向走去，我怕晚一步，我就会后悔。

晚上，我再次失眠了，心里有很多挣扎，一会儿是理智占上风，肯定自己的决定是正确的，一会儿是感情占上风，嘲讽自己自讨苦吃，何必呢？

　　不过，现在怎么想都已不重要了，因为骄傲如张骏，只会选择立即转身离开。

　　半夜时分，下起了暴雨，雷声轰隆隆中，雨点噼里啪啦地敲打着窗户，我刚有的一点睡意，立即全被敲走，只能卧听风雨，柔肠百转。

　　清晨起床时，我有些头重脚轻，想到待会儿还是会见到张骏，突然觉得很软弱。

　　洗漱完，和林依然一块儿去吃早饭，到了食堂，刚要去打饭，有人叫我："罗琦琦。"

　　是张骏的声音，我石化了三秒钟才能回头。

　　张骏脸色不太好，好像没睡好，他没什么表情，非常平静地说："我已经帮你和林依然打好早饭了。"

　　我还没说话，林依然已经笑着说："谢谢。"我只能跟着他，晕乎乎地走到桌前坐下，坐在一旁的沈远哲冲我笑着点头，脸色不太好看，似乎也没有睡好。

　　我做梦一般吃着早点，究竟吃了什么，完全没概念。

　　到了车上，林依然刚想坐到我身边，张骏的胳膊一展，就搭在椅背上，挡住了她："不好意思，这个位子我要长期占用。"

　　林依然愣了一下，笑起来，走到后面坐下。

　　张骏坐到了我旁边，我扭转头，望向窗外，装作专注地研究车窗外的风景，心里却七上八下。

　　车在公路上奔驰，车厢里有的同学在唱歌，有的同学在谈笑，张骏却一直沉默着。

　　我不停地酝酿着勇气回头，却怎么都没有勇气，当我的脖子都快要变成化石，玻璃都快要被我看融化时，我终于鼓足勇气，很淡定地回头，打算和张骏进行严肃对话，却发现张骏头歪靠在椅背上，呼呼大睡。

　　我虚假的淡定变作了失落的怨愤，我在那边纠结啊纠结，纠结得脖子都酸了，人家却一无所知，睡得无比香甜。

可是，怨愤很快就散了。

夏日的清晨，一束束阳光透过车窗射进来，照在他脸上。车窗是深蓝色的，光线被过滤成了深浅不一的蓝色，随着车的移动，深深浅浅的蓝色都在欢快地跳跃，而他却是极静谧的，在一片晶芒掠跃、华光流溢中，他安稳、香甜地睡着。

忽然间，很多年前的一幕回到了心头，灿烂的夏日阳光透过树梢洒下来，河水哗哗地流过，他躺在大石头上静静地睡着，暖风吹过我们的指尖，很温暖，很温馨……

原来不知不觉中，已经这么多年过去了，我们竟然已经成为了当时觉得遥不可及的高中生。

我的心柔软得好似四月的花瓣，轻轻一触就会流出泪来，我悄悄拉好车窗帘，遮去阳光，头侧靠在椅背上，静静地凝视着他。

我已经很久、很久没有真正看过他了，这些年来，我要么是视线一扫到他，就立即移开，要么只是用眼角余光追随着他的背影或侧影。

他睡了很久，我看了他很久。

没有任何预兆地，他忽地睁开了眼睛，两人的视线猝然相对，我怔了一瞬，立即惊慌地转头，可马上又意识到不能太着痕迹，所以装作坐久了不舒服，故意揉着脖子，把头转来转去，好似刚才他睁眼的一瞬，我只是恰好把头转到了他的眼前。

两人的视线总会相遇，可又总会轻轻一碰，就迅速移开，我都不知道到底是他在惊慌，还是我在惊慌。我总觉得该说些什么，可之前酝酿好的东西已经忘得七零八落。

他轻声说："还有一个小时才能到，睡一会儿吧，爬长城需要力气。"

他的口气很温和，我的心很柔软，所以，我虽然漠然地转过了头，却听话地闭上了眼睛。

脑子里仍在胡思乱想，一会儿是小时候的事情，一会儿是刚才的画面，不过，昨晚没睡好，想着想着就真正睡着了。

猛地感觉到刹车，惊醒时，发现已经到长城了。

司机停停倒倒了几个来回，终于把车停好。

万里长城就在眼前，同学们激动地抓起背包，呼啦一下全冲下了车。

张骏等人走得差不多了，才慢悠悠地站起来，从行李架上把我们的背包拿下来，我刚要去拿，他却打开自己的背包，把我的小背包压了压，全部放进了他的背包里。

"你干什么？"

他不吭声，施施然做完一切，把背包往肩上一背："走吧！去爬长城！"

我只好空着两只手，跟着他下了车。邢老师买好票后，决定由她领队，物理老师看着中间，沈远哲和张骏压后。

三十多人的队伍，有人走得快，有人走得慢，渐渐拉开了距离。

我很快就明白了，张骏可不是好心地帮我背包，而是我的水、食物和钱都在他那里，这下变成了我像个鬼影子一样跟着他了。

不过，没多久我就顾不上琢磨这些事情了，因为这是我第一次亲眼看到万里长城。课本上、电视上的万里长城终于真正到了脚下，我非常激动！

我、林依然、张骏、沈远哲一边爬长城，一边说话。张骏今天不但不打击我，反倒十分捧场，不知不觉中，我和他也开始说话，他已经爬过两次长城，给我们讲起以前的有趣经历，学着北京人的卷舌音耍贫，我和林依然都被他逗得不停地笑，所有的隔阂在笑声中好像都没有了。

林依然看我很高兴，也十分高兴，变得异常活泼，爬累了时，开玩笑地问张骏，她能不能也享受背包服务，张骏立即二话不说地把她的包背了过去。

林依然冲我眨眼睛，吐舌头笑，没对张骏说谢谢，反倒对我敬了个礼，说了声"谢谢"。

"去你的，别得了便宜卖乖！"我嘴里骂着，心里却暖洋洋地开心，忍不住地开怀而笑。

张骏看我笑，他也一直在笑。

我们四个说说笑笑，爬爬歇歇，所以真的是十分"压后"。

等回程时，张骏性子比较野，不想再走大道，提议从长城翻出去，走外面的野径。

林依然有些害怕，我努力煽动她："我的体育全班最差，我都能走，你也肯定能走，如果碰到野兽，我保证落在最后一个帮你挡着。"

林依然依旧犹豫着，征询地看着沈远哲，显然沈远哲的意见起决定作用，沈远哲说："我们还是不要……"

我立即谄媚地央求："走一样的路很没意思，我知道你一直都很帮我，拜托！"

沈远哲一时间没有回答，他的眼睛藏在眼镜后，阳光映射下，镜片反射着白蒙蒙的光，看不清楚他眼睛里面的内容。

他说："那好吧，我们就违反一次纪律，只此一次，不过，先说好了，如果被邢老师和王老师发现，就说全是我和张骏的主意，你们俩是被迫的。"

"没问题，没问题。"

我哈哈笑着，立即拽着林依然去找好翻的地方。

走在野外，风光和长城上又不同。

在充满野趣的大自然前，林依然很快就忘记了担心害怕，看到一簇美丽的野花，就照相；看到一株俊秀的树，就合影。玩得比我还投入。

沈远哲帮林依然照相时，张骏问我要不要照相，我笑着摇摇头，他也明白我为什么不肯再照相，想说什么，找立即跑走了。

晚上下过雨，很多地方很滑，林依然走得颤颤巍巍，向来心细的沈远哲自然担负起了照顾她的任务，碰到难走的地方，还会经常扶着她的手。

张骏几次伸手想扶我，都被我拒绝了，我一个人蹦蹦跳跳、歪歪扭扭地走着。这种野趣，要的就是惊险刺激，如果没了这份惊险刺激，那趣味也就大大减少了。

我们四个在荒山野岭里爬山涉水，终于快要到山下了。林依然拜托沈远哲帮她照几张相片留念，两人一直忙着选取各个角度照相。

我站在山脚下仰头看向高处，群山连绵，起伏无边，气势壮阔非常，让人心中自然而然有一种豪气激荡，这样的感觉是看再多的书也无法真正明白的。

我弯下身子，从地上捡了两个完好的松果，放进袋子里。

"罗琦琦。"

张骏站在一棵树下叫我，我回头，他微笑着说："过来。"

我笑着走过去，他突然猛地踹了一脚大树，人急速后退，随着树干摇晃，树叶上的积水抖落下来，仿若一阵小雨飘下。

"呀！"我惊叫着躲，差点要滑一跤。张骏趁机握住了我的手，我一边敲他，一边哈哈大笑，"我的帽子、衣服都湿了，你说怎么办？"

张骏不吭声，笑握着我的手往山下走，我要松开他的手，他却不放，起先，我还没意识到，以为他没明白我的意思："不用扶了，我自己能走。"

他好似压根儿没听到，薄唇紧抿，一脸严肃，眼睛只是盯着前面，等我用力抽了好几次手，他却越握越紧时，我终于后知后觉地反应过来这不是同学间的互相帮助。

我的心开始扑通扑通地狂跳，跳得我又甜蜜又慌乱，想看他，又不敢看，身体里好像有无数个甜滋滋的酒心巧克力泡泡汹涌澎湃地冒出，让人变得晕晕乎乎，什么都忘记了，只知道跟着他走，即使他带着我跳下悬崖，只怕我也会跟他去。

也许，我的动作无形中已经泄露了我的心意，张骏的神情不再那么严肃紧张，眉梢眼角都透出了笑意。

他突然说："那天算命时，黄薇让我说四个女生的名字，我其实只想说你的名字，可说不出口，我就想先说林依然的名字，再说你的名字，那样能显得自然些。"

"那你怎么后来没说？"

他含着笑反问："你不也没说我的名字？你当时真的哪个男生都不喜欢？"

我们两个都沉默了下来，身心却沉浸在难以言喻的甜蜜中。那种透心的甜蜜，是无论多少年过去，都不可能忘记的。

等我们快到山下时，我才想起还有两个人："哎呀，沈远哲和林依然呢？我们把他们给丢了！"

　　也不知道我说的话哪里好笑了，张骏极其开心，眼睛里的笑意比夏日的阳光更灿烂，他笑着指指上面："他们老早已经回正道了。"

　　我抬头看去，可不是嘛！他们正站在长城边上，四处查看着我们，我立即甩脱了张骏的手，希望他们什么都没看到。

　　我和张骏翻回了长城上，他拿出相机，递给沈远哲，"帮我和琦琦照张相。"

　　我立即站了起来，也没留意到他已经只叫我琦琦了："我不照。"

　　张骏想抓我没抓住，我已经咚咚地沿着台阶直冲而下。

　　一口气跑下山，发现我们虽然回来得很晚，但是老师和同学都在采购纪念品，所以没人在意。

　　我也凑在小摊上看，有核桃雕刻的十八罗汉、有景泰蓝手镯、有玻璃鼻烟壶……每一件我都拿起来把玩一会，又都原样放回去。

　　张骏站在我身后问："喜欢吗？"

　　我摇头，那个时候我喜爱摄影家郎静山、作家三毛，我崇尚的是一把牙刷一双布鞋，走遍千山万水，人对外物的拥有有限，人的心灵却可以记录下世间一切的美丽。

　　每个摊位上都大同小异，我不买东西，所以很快就和张骏站在一旁等大家。

　　"你不买东西吗？"

　　张骏摇了摇头："我光长城就爬了两次，这是第三次，小时候还挺喜欢买这些小玩意，现在没什么兴趣了。"

　　"你已经来过那么多次，为什么还要参加夏令营？"

　　张骏没有回答，只是笑笑地凝视着我。

　　我脸颊发烫，嘴里却嗤一声讥笑。

　　张骏眼中的黯然一闪而逝，柔声说："我们照张相片吧，就一张。"

　　我摇摇头，断然拒绝："我不喜欢照相。"

　　"琦琦，我之前说的话没有一句出自本心，你一直不肯正眼看我，我只是想逼你不要再对我视而不见，当然，也有些自暴自弃了，想着如果不能令

你喜欢，那让你彻底憎恨也行，至少你心里有我。"

我微笑地沉默着。

一直到老师叫我们集合清点人数，他都未能说服我与他在长城上合影留念。其实，不是不相信他，也不是记仇，而是……我自卑，自卑到不愿意把自己的身影记录在他身边。

上车后，张骏将相机收了起来，不知道是对自己说，还是对我说："下一次，我们来北京把所有景点都重新玩一次，把所有不愉快的记忆都洗掉，然后再在长城上照相。"

因为年少，总觉得前面的时间很漫长，长得一切皆有可能重新来过，却不知道时光的河，只能往前流，从来没有重新来过。

昨天晚上没休息好，今天又爬了一天的长城，坐着坐着就昏沉沉地睡了过去。

半睡半醒间，听到邢老师的说话声，好像在询问张骏青岛哪些地方值得去，哪些地方不值得去，张骏一一回答。

我渐渐清醒，原来青岛他也是去过的，难道他真不是为了玩而才参加夏令营？

一会儿后，邢老师的声音消失了。张骏问："你醒了？"

我睁开了眼睛："你怎么知道我醒了？"

他笑："你真正睡着的时候，头会一顿一顿地直往下掉，像一只脑袋一缩一缩的小乌龟。"

我有些羞窘，沉默着。

大概真如晓菲所说，我不笑不说话的时候，总是给人很冷漠疏离的感觉，张骏立即不敢再开玩笑："你生气了？"

我笑了笑："没有。你干吗这么敏感？我生气有那么可怕吗？"

他不吭声，好一会儿后才说："不是你可怕，是我害怕。"

这句话不是什么甜言蜜语，我心里却透出甜来，嘴角不自禁地就像月牙一样弯了起来。

"琦琦，明天早上，一起吃早饭？"

我想都没想，已经笑眯眯地脱口而出："好。"

到了青岛后，吃得比北京好，每天都是海鲜，住得却比北京差，四个人一间屋，我、林依然、邢老师，和另一个女生同屋。

屋子里住了一个老师，林依然她们也就是拘谨一些，我却是全身上下都不舒服。

我对老师的心理阴影竟然这么多年过去，仍然没有办法彻底消除，所以只能尽量晚回屋，避免和老师的接触机会。

张骏不再和沈远哲住同屋，而是和贾公子、甄公子住同一屋。

因为我跟着张骏玩，所以渐渐和甄公子、贾公子混熟。

晚上，我们四个人老聚在一块儿玩拱猪，张骏玩这个很厉害，两位公子经常到楼道里跑一圈，打开每个宿舍的门，对着里面叫："我是猪。"

他们俩玩不过张骏，就欺负我，常常是他们两个刚打开哪个门对着宿舍里的人叫了："我是猪。"一会儿后，我就得去打开门，对着他们说："我也是猪。"

下一次他们输了，张骏就让他们说："我是一头又脏又臭，三个月没洗澡的懒猪。"

或者，看着我要输了，他就索性放弃自己，让自己输，变成他打开宿舍的门，对同学和老师说："我是一头没皮没脸没脸没皮好吃懒做懒做好吃无耻卑鄙卑鄙无耻的流氓猪。"

老师和同学从刚开始笑得前仰后合，到后来处变不惊，看我们推开门，就很平静地说："又一头猪来了。"

我晚上和张骏的哥们儿一起玩，白天带着林依然混在张骏的朋友圈子里，不知不觉中，就和沈远哲疏远了，不过沈远哲身边并不缺朋友，所以，我也感觉不到我和他疏远了。

林依然性格温婉宁静，刚接触的时候会觉得她有些木讷无趣，可熟悉了她，才发现她其实一点都不无趣，相反她反应迅速，言辞敏捷，甄公子和贾公子都很喜欢林依然，都对她越来越好，真心当她是朋友，反倒是对我，绝大部分是因为张骏的面子，我的棱角太分明，行事太不羁，他们都不喜欢女孩子这样的性格。

我们几个一块儿爬崂山，崂山上到处都是水，大家边走边玩，一路上不亦乐乎。

居然碰到了穿着黑白长袍、绾着发髻的道士，我过去和人家攀谈，聊日常生活、聊道教文化，聊崂山的云、崂山的雾……

蒲松龄笔下的人物活脱脱出现在眼前，真是有太多的话要说。

甄公子和贾公子无聊得不行，拉着林依然，举着相机，在周围走来走去，不停地拍照，就张骏耐心地坐在一旁听我们聊天。

那个年代的道士都是真正的道士，不像现在招摇撞骗的多，两个道士和我们聊得投机，主动当我们的导游，领着参观崂山上的各个洞，讲述这些道家仙窟的来历。

从道士们居住的院子出来，我和张骏没有走游览用的台阶道路，而是领着大家沿着野径一路攀缘，刚开始还有路可循，到后来已经完全没路。

我想攀到峭壁边缘，林依然不肯冒险，也劝我不要去，我冲着她笑："都走到这里了，如果不上去看一眼，以后想起来会遗憾。"

我手脚并用，往上爬，只有张骏陪着我，林依然、甄公子、贾公子都站在安全的地方等着。

几经艰难，终于到了峭壁边缘，我眺望着前面，有很多感触。

崂山的海拔并不高，可山顶常年云雾环绕，和别的山完全不同，站在这里，完全看不清楚脚下和前面，只有云雾，似乎自己一伸手，就能抓住一段云雾，飞翔而去，与神仙同住。难怪古人登上这座山后，会认为这是座仙山。

学过地理之后，已经知道这只是因为崂山靠海，湿气遇到山势阻碍凝结成雾，可我大概是有点迷信的人，明白归明白，却依旧朦朦胧胧地相信着草木有情、兽禽有灵，那座破落的道观中曾住过笑看沧海的智者；在月圆的夜，窗前的石榴树会轻笑，一树红花宛然就是女子的红裙；而青石上的狐狸会静听着琴声，对着月亮沉思。

山风激荡，人被吹得好像会掉下悬崖，我用手按着帽子，迎着山风又向前走了几步，眼前云气蒸腾，天地苍茫。那些"古人今人若流水，共看明月皆如此"，那些"念天地之悠悠，独怆然而涕下"的感觉忽然间就真正明白了，他们已经走了，可他们的思想却在我脑海里复活，这一刻，我是我，我也不是我。

从小到大，我去过的地方很少，这次的北京和青岛之行，真正打开了我的眼界，让我看到了很多以往没看见过的东西，接触了很多平常不会接触到的人，我一面验证着它们和书上的相同，一面体会着它们和书上的不同。

这个世界的确如小波所说，的确值得我去奋力飞翔，追寻各种各样的精彩！

年少癫狂，我忍不住张着双臂对着翻滚的云雾人叫："喂——"

帽子呼的一下被风卷走，翻滚在白云间，我先是惊叫了一声，又哈哈大笑起来。

张骏笑抓住我的胳膊，把我拉到他身边："小疯子，小心点。"

我眼睛溜溜圆地瞪着他，他笑着笑着就笑不出来了，只是看着我。

山巅之上，野风激荡，时间却静止。

不管海是否会枯、石是否会烂，在无开始、无终结的无涯时间中，这一刻他眼里只有我、我眼里只有他。

灵台异样清明，我忽然无比清晰、无比悲哀地明白，人生中这样的时刻可遇不可求。也许，他很快就会忘记，而我会一生一世记得，记得在我十六岁那年，他曾陪我站在崂山之巅。

甄公子大叫："喂，喂，你们两个没变成化石吧？"

贾公子也叫："你们看够了没有，看够了，就下山。"

张骏冲甄公子和贾公子挥了挥手，和我说："不用理他们，如果你想多待一会儿，我们就再待一会儿。"

我微笑："不用了。"

这就是人世，即使我们已经从书本上积累了前人的智慧，在当时已经知道它不寻常，知道它很宝贵，可是我们仍然只能放手让它离去，因为时光的指针永远都在转动，不会停止。

下去的路，比刚才更难走，幸亏张骏身手矫健，在他的帮助下，我平安返回。

一直紧张着的依然总算松了口气："下次可别这样了，太危险了！"

我笑说："我们去找大部队吧，估计也该下山了。"

林依然立即说好，她从小到大都是规矩孩子，如今跟着我，总是干无组织、无纪律的事情。

等我们嘻嘻哈哈地寻找到大部队时，邢老师和王老师已经等了我们好一会儿，正急得蹦蹦跳，大概因为贾公子在，他们倒也没发火，只装模作样地说了张骏两句。

回到住处，吃过晚饭，张骏说想先去冲澡，等冲完澡后来找我。

我洗完澡，收拾好东西，张骏还没来找我，我暗笑一个大男生洗得比我还慢。

过一会儿，邢老师就会回来，我不愿和邢老师接触，所以不想待在宿舍里，就先出去散步。

正沿着小径走，碰到了沈远哲，自然而然就变成了两个人一块儿散步。

沈远哲踌躇了半晌，才半试探地说："你和张骏……没想到这么快就化解了矛盾，成了朋友。"

我对他有抱歉，于是从头解释："其实我和张骏是小学同学，还一起参加过数学竞赛，关系也算比较熟，只不过上初中后，就不怎么说话了，我一直没告诉你，真的很抱歉。"

他呆了好一会儿才说："没关系，是我自己太笨了。张骏不是多话刻薄的人，更不可能刁难女生，你也不是那么小气、一激就怒的人，明明你们俩都行事反常，黄薇和林依然都看出了异样，我却一直想不明白，傻乎乎的。"

我又是愧疚，又是甜蜜，愧疚于对不起沈远哲，甜蜜于从别人口里印证出张骏的感情："真的对不起，当时让你花了那么多心思调解我和张骏的矛盾。"

沈远哲淡淡地笑着："没有关系，你和张骏都是我的好朋友，你们能……和睦相处，我也挺高兴的。"

我感激地说："谢谢你。"

沈远哲和我边走边聊，我忘记了时间，等张骏找到我们时，已经九点多。沈远哲和张骏打了声招呼，立即走了。

我和张骏道歉："没戴表，忘记时间了。"

张骏低着头沉默了好一会儿后，抬起头笑着说："没关系。"

第二天，早上听课，下午去海边玩。

上车后，夏日的骄阳恰射到我脸上，我正怀念被风吹走的凉帽，眼前一暗，张骏把一顶凉帽扣在了我头上，我拿下凉帽看，发现是一顶很漂亮的宽檐草编米色凉帽，笑问："哪里来的？"

他不回答，只问："你喜欢吗？"

"嗯。"

他很开心的样子，把帽子戴回我的头上。

我忽然明白过来，这是他昨儿晚上特意去买的，难怪我洗完澡后，他仍没回来。我想说谢谢，又想说对不起，最后，却什么都没说。

我们从小在内陆城市长大，很多人都是第一次见到海。到了沙滩边，看到电视上的画面变成了真实，大家都激动起来，脱了鞋子，卷起裤管在海滩边玩。

因为张骏提醒过我最好穿短裤，所以我省去了这些麻烦，和林依然牵着手在海滩边跑，等我们疯跑了一圈回来，发现黄薇换了泳装出来，她走到海边，试探着从哪里下水。邢老师说："你一个人最好别下水，就在边上随便游着玩玩就行了。"

她答应了，可下水后，在边上玩了一小会儿，就越游越远，邢老师和王老师都是旱鸭子，着急得不行，同学和老师一起拼命叫她，她也听不到。

邢老师急得叫张骏："你是不是会游泳？赶紧去把她叫回来。"

张骏从沙滩上的小商贩那里现买了一件泳裤，换了后，跳进海里，去追黄薇。

两个人在海里很久，仍没回来。

波浪一起一伏，人的脑袋又都差不多，从远处根本看不大清楚，可邢老师和王老师仍一直站在海边，手搭在额头上担心地眺望着，同学们却没老师那么多担心，开始各玩各的。

因为张骏不在，我和甄公子又一直相处得磕磕碰碰，所以我也没和他们一起玩。我、林依然、沈远哲三个人在海滩边修碉堡、挖城池。其实我心里很担心张骏，大海的无边无际令人畏惧，可越担心，反而越不想表现出来，只是用眼角余光留意着海面。

我们的城堡修了大半个之后，张骏和黄薇才返来，邢老师气得不行，第一次发了火，不知道是对黄薇的父母有顾忌，还是因为黄薇是女生，邢老师的怒火全冲着张骏，骂得张骏狗血喷头。

我们都静悄悄地不吭声，就甄公子和贾公子像看戏一样，挤眉弄眼地笑。等邢老师骂完，张骏微笑着向甄公子、贾公子走去，两个人立即逃，可惜没跑过张骏，张骏一个人把他们两个人都扔进了大海里，两个人浑身上下全部湿透。

贾公子惦记着老师的叮嘱，不敢胡闹，湿着身子从海里走了出来，甄公子却索性穿着衣服往大海深处游，气得邢老师跳起来，叉着腰叫："甄郓，你给我滚回来！"

甄公子在海里叫："在海里怎么滚？我不会啊！"

大家都想笑不敢笑，邢老师又气又笑，跺着脚叫："你再不回来，我就让你明天一个人留守宿舍。"

甄公子慢吞吞地游了回来，邢老师嘴里骂着他，手里却找了条毛巾递给他。

张骏去换了衣服回来后，看到我和沈远哲、林依然在修城堡，他走过来，我朝他笑了笑，继续趴在地上修城堡，他在一边沉默地看着。等我们修完了，我笑问他："我们的城堡怎么样？"

他笑了笑："很好。我们去海边走走。"

我低着头忙碌："再等一下，我的护城河还没引水。沈远哲，我们从这里挖一条倾斜的河道，可以把涨潮时的海水引到护城河里。"

忙着忙着，一抬头，发现张骏不知道何时已经离开，站在浪花中，眺望着大海，背影显得有些孤零零。

"我去买瓶水，过会儿回来。"

我对沈远哲和林依然撒了个一戳就破的谎后，跑去找张骏。快靠近他时，蹑手蹑脚地走过去，猛地跳到他身边："嘿，你怎么不和我们一块儿修城堡？"

他看到我，立即开心地笑了："你等会儿，我马上回来。"他跑过去，和正在照相的甄公子、贾公子说了几句话后，又跑了回来。

我们两个人赤脚在海水里散着步，有默契地，向着远离老师和同学的方向越走越远。

他牵住了我的手，我又一次像是被电流电过，昏昏沉沉、酥酥麻麻的透心甜蜜。

他说："你不问问我吗？"

"问什么？"

"问问我为什么在海里和黄薇待了那么久？"

"我不想问，因为我能猜到为什么。"

我朝他做鬼脸，嘲讽着他的桃花运。即使刚开始没明白，现在也已经猜到黄薇喜欢他。

他猛地拖着我的手，跑起来，边笑边跑，直到我跑不动，向他求饶，保证以后绝不再嘲笑他。

我们站在海滩边，只觉得天很可爱，地很可爱，海很可爱，反正眼睛里看到的一切没有不可爱的，不管他或者我，随便说一句话，两个人就能莫名其妙、毫无原因地笑了又笑。

那种傻傻的幸福啊，单纯、美妙，大概只能盛开在绚烂热烈的青春里。

张骏对我说："海浪袭上来时，我们跳起来，看看谁在空中待的时间久，谁能落下去时，躲开浪花。"

"嗯。"我摘掉了眼镜和凉帽,把它们放到沙滩上。

我们跳起来,又落下,跳起来,又落下,海浪在我们脚边翻滚,我们大声地笑。

两个人玩得兴起,又都是性子有些野的人,顾不上衣服会全部湿透,手拉着手冲着海浪走,和海浪正面对抗,海浪扑到我们身上,碎裂成千万朵浪花。

我毕竟是第一次接触海,又不会游泳,开始害怕,想后退,他抓住我。"如果浪花来了,你就闭住呼吸,憋上一口气,过上一瞬,浪走了,再吸气就可以了。我会一直抓着你,不会让你被海浪卷走的。"

有了他,恐惧淡了,天性里追寻冒险刺激的一面被激起,随着他越走越深,海水已经和我齐腰。当一个浪潮涌来时,我紧闭呼吸,闭上了眼睛。感觉轰隆一下,自己似乎被汹涌的大海卷进了水底,身体被冲击得不受控制,害怕、恐惧、刺激都有。他紧紧抓着我,我紧紧抓着他,那一刻,似乎我所唯有的就是他,他就是我整个世界的支柱。

一会儿后,开始潮落,水位下降,我的头又露了出来。我长出一口气,剧烈地咳嗽着,毕竟没有经验,还是被呛着了,他眼睛里全是笑意,看着我大笑。

我又是咳嗽,又是擦眼睛,又是抹头发,还能抽出空来,给他一脚。

等休息好了,我们手牵着手,又开始准备迎接下一次的海浪。

茫茫碧涛中,我们成了彼此的唯一,潮涌潮落间,我们放声大笑,肆意快乐。

2

青岛的最后一天

多么希望当时，我可以不那么自卑；

多么希望当时，我可以不那么骄傲，

虽然即使那样，我们也许仍不可能在一起，

但是至少当时我们会更快乐一点，现在你会更愿意回忆过去一点。

在青岛的日子过得太快，似乎转眼之间，就到了最后一天。

最后一天，上午进行了一场简单的海洋知识考试，下午去军舰上参观，回来后举行闭幕式，颁发了优秀营员奖状，然后，正式结束了这次夏令营。

第二天就要离开青岛，贾公子大概想到又要回到他老爹的严厉管制中，强烈要求晚上要放纵一把。张骏和甄公子去买了三瓶白酒、一箱啤酒、一大堆零食，偷偷搬运到宿舍的楼顶上。

张骏的朋友自然是甄公子、贾公子，我想请林依然和沈远哲，张骏居然不同意。我让他给我一个理由，他说因为林依然是乖女孩，肯定不能适应。我说，可是我和邢老师住一个屋，如果就我一个人很晚回去，老师会起疑，拉上我们班的第一名，老师就不会多想。他权衡了一下，只能同意。

我们把几个纸板箱子拆开，平铺在地上，开着两个手电筒，就在楼顶上偷偷摸摸地开起了告别会。

张骏、甄公子抽烟的姿势都很娴熟，贾公子竟然是第一次抽烟，当他笨手笨脚地学着张骏吐烟圈时，甄公子狂笑。

张骏给我拿了罐啤酒，我摇摇头："我不喝酒。"

"从来不，还是戒了？"

"从来不。"

他愣了一下，没想到我跟着小波他们混了那么久，竟然滴酒不沾，又问："那烟呢？"

"偶尔会抽着玩。"

张骏拿了一根烟给我，我夹着烟，低下头，凑在他的烟前点燃，抬头时，看到沈远哲和林依然吃惊地盯着我，我朝他们笑了笑。

林依然不抽烟，也不喝酒，抱着一袋青岛的特产烤鱼干，半是紧张，半是好奇地看着我们。

张骏教贾公子划拳，贾公子一输，立即就喝酒，看得出来，他很享受被家长和老师禁止的放肆。

甄公子嫌光喝酒没意思，拉着大家一起玩开火车，地名由他决定。

他问："谁当青岛？"

我和张骏都赶着说："我当。"

大家都望着我们俩狂笑，后来张骏做了北京，我做了青岛，林依然是南京，沈远哲是上海……

我如果输了，张骏帮我喝酒；林依然如果输了，沈远哲帮她喝酒。定好规矩后，开始玩。

"开呀开呀开火车，北京的火车开了。"

"到哪里？"

"南京。"

刚开始还玩得像模像样，渐渐地就混乱了。贾公子酒量特浅，醉得一塌糊涂，非要拉林依然的手，说是有心事告诉她，吓得林依然拼命躲；甄公子坐到林依然身边，把自己的手给贾公子，贾公子就把他的手捏在掌心里，摸啊摸，边摸边哭边说："依然啊……"

林依然憋着笑，涨红着脸，看着甄公子和贾公子，甄公子一脸贼笑，不停地对她做鬼脸。

沈远哲酒量比甄公子要好，可一人喝了两人份，也醉得一塌糊涂，贴着墙角，双手撑在地上，非要倒立给我们看，证明他没有醉，一边趴在地上不停地倒立，一边还不停地叫我们，非要让我们看他。我们都啊啊呀呀地答应着，实际理都不理他。

张骏一个人喝了两个人的酒，却只有五六分醉。我和他趴在围栏上，眺望着这座城市并不辉煌的灯火，身后的吵闹声一阵又一阵地传来，我们却奇异地沉默着。

他夹在指间的烟，几乎没有吸，慢慢地燃烧到了尽头。看到我在看他，他解释说："初三出了那事后，我就把这些东西都戒了，现在就是朋友一起玩的时候，做个样子。"

我点了点头，表示理解。

他感叹地说："许小波是真心对你好。"

"以前是的，现在我们已经绝交了。"

"我和以前的朋友也不来往了。"

我们都沉默地看着远处，在那段叛逆的岁月中，他固然是幸运者，我又何尝不是呢？

他突然说："我好高兴。"

我诧异地侧头看他，他又说了一遍："我好高兴。"

我渐渐明白了他的意思，低声说："我也是。"

他猛地握住我的手，非常大声地对着天空大吼："将来我们结婚时，到青岛来度蜜月。"

我腾地一下，脸涨得通红，幸亏后面的那帮家伙都醉傻了，没醉傻的也以为我们醉傻了。我过了很久，才很轻、很轻地"嗯"了一声，他却立即就听到了，冲着我傻笑。

不管别人如何看这座城市，它，在我们心中，是最美的一个梦。我们微笑着约定，一定会再回来。我们都以为，只要有了约定，我们就可以永远保留住那份幸福。

我们取道北京回家，因为是暑假，火车票不好买，尤其是卧铺票，邢老师麻烦了甄公子才替所有人搞定了火车票。统计买卧铺票的人数时，多了好几个同学登记。其实，我手头也有余钱，不过，我早就想买一套鲁迅全集了，所以，想都没有想就放弃了。

在车站时，张骏一手拖着自己的行李，一手拖着我的行李，我有点紧张，怕老师发现异样，后来看见也有别的男生帮女生拿行李，才放下心来。

火车站的人非常多，邢老师一边紧张地点着人头，一边大叫着说："都跟紧了，别走散了，去卧铺车厢的跟着我，张骏押后；去硬座车厢的跟着王老师，沈远哲押后。"

我要拿回自己的行李，张骏说："你跟着我走就行了。"

我不解地看着他，走在前面的甄公子回头笑着说："张骏已经让我给你买了卧铺票。"

周围几个听到这话的同学，视线都盯向我，黄薇眼中更是毫无掩饰的鄙夷不屑。我突然觉得很受伤，我是没钱，可我很乐意坐硬座，我一把抓住自己的行李："放手！"

张骏看到我的脸色，犹豫了一下，放开了，我拖着行李，小步跑着去追林依然和沈远哲。

直到上了火车，我仍觉得自己脸颊发烫，手发抖。

不一会儿，张骏就匆匆而来，和林依然打了声招呼，坐到了我旁边。我侧头看着车厢外面不动，也不说话。

张骏完全不能理解我那一瞬间的羞辱感，在他看来，他买了卧铺票，想给我一个惊喜，是为了让我能坐得更舒服，这样我们俩也有更多一点的私人空间，可我却生气了。

他在一旁赔了很久的小心，又说好话，又说软话，低声央求我去卧铺车厢，我仍然紧闭着嘴巴，看着窗外，不和他说话。

我的冷漠，他的小心，引起了同学们的注意，很多同学都看着他，他面子挂不住，终于动怒，不再理我，自己一个人去了卧铺车厢。

林依然安静地坐回了我身边，不敢说话，只是给我泡了一杯茶，放在桌上。

我凝视着窗户外面飞逝而过的树丛，开始困惑，这次的夏令营真像一场隔绝在凡尘俗世之外的梦，是不是火车到站时，就是我的梦醒来时？是不是真的就像雪莱所说"今天还微笑的花朵，明天就会枯萎，我们愿留驻的一切，诱一诱人就飞，什么是这世上的欢乐，它像嘲笑黑夜的闪电，虽明亮，却短暂？"

周围的同学都在打牌，一会儿尖叫，一会儿笑骂，因为混熟了，比来时玩得还疯还热闹，我却有一种置身在另外一个空间的感觉，满是盛宴散场的悲凉感。

甄公子、贾公子都在这边玩牌，他却……不过肯定不会寂寞，黄薇也没有过来。

暮色渐渐席卷大地，车窗外的景物开始模糊，我正盯着窗外发呆，身侧响起了张骏的声音："不要生气了，这次是我做错了。"

我额头抵着玻璃窗户，不肯理他。

他可怜兮兮地说："我已经把卧铺票和同学交换了，我和你一块儿坐硬座。"

他小心翼翼地拽了拽我的衣服，又小心翼翼地拽了拽我的衣服："喂，你真打算从今往后都不和我说话了？那我可会一直黏着你的。"

我起先还悲观绝望到极点的心，刹那就又在温柔喜悦地跳动，脸上依旧绷着，声音却已经温柔："你其实不用和我坐一起，你晚上去卧铺车厢休息，白天过来玩就可以了。"

"不用，你喜欢坐硬座，我和你一块儿坐。"

我又说了很多遍，他笑嘻嘻地充耳不闻，那边有同学叫我们去打牌，他问我要不要去，我很贪恋两个人的独处，摇了摇头。

张骏说："你躺下睡一会儿。"

因为同学们都挤在一起玩，我们的这个三人座位只坐了我们俩。根据这么多天坐火车的经验，一个人侧着睡的话，空隙处还能勉强坐一个人。

我用几本书做了个枕头，摘了眼镜，躺下来，尽力让腿紧靠着椅背，给他多一些空间坐。

虽然一直以来，同学们都是这么彼此轮流着休息的，可坐在旁边的是张骏，感觉就完全不一样了，心里既甜蜜，又紧张。

可他坐得端端正正，一边戴着耳机听歌，一边拿着我的书翻看着，我的心渐渐安稳，微笑着闭上了眼睛。

因为才十点多，车厢里还很吵，我很困，却很难入睡。忽然感觉张骏小心翼翼地拨开我的头发，将耳塞放进我的耳朵里，我一动不敢动，装着已经睡着。

张骏应该选择了循环播放键，所以，一直重复播放着一首歌。

我很少关注流行歌坛，又是粤语歌，听不懂唱什么，只觉得很是温润好听，很适合用来催眠。

等一觉醒来时，耳边依旧是情意绵绵的歌声。

很多年后，我已能流利地说粤语，在朋友的车上，从电台听到这似曾熟悉的旋律，才知道是陈百强的《偏偏喜欢你》。

那一瞬，低头静听中，漫漫时光被缩短成了一首歌的距离，可蓦然抬头时，只见维多利亚港湾的迷离灯火。

原来已是隔世。

只有，《偏偏喜欢你》的歌声一如当年。

醒来后，看了眼表，凌晨三点多，还有很多同学在打牌，时不时地大笑着，张骏趴在桌上打盹。

我想坐起来，动了一下，他立即就醒了："怎么了？"

"我睡好了，你也躺一会儿。"

"我没关系，你睡你的。"

"我真睡好了，这会儿强睡也睡不着，白天困了再睡。"

我拿了洗漱用具，去刷牙洗脸，又梳了头。自从和张骏在一起后，我不知不觉中就少了几分大大咧咧，开始留意自己的外表。

回去后，张骏已经躺下了，笑眯眯地看着我，我坐到他身旁，拿起书，静静看着，因为怕惊扰到他，所以一动不敢动，时间长了腰酸背疼，十分难受，却难得的无限甜蜜。

我放下了书，低头静看着他。真难相信，这个人竟然就躺在我伸手可触的距离内，和他在一起的每一天都有一种不真实的感觉，忍不住地笑，我就像一个土财主，偷偷地看着自己的财富，一个人傻笑。

不经意的一个抬头，发现沈远哲正看着我，我很是不好意思，没话找话地说："你醒了？"

他点点头，看了眼表，发觉已经快凌晨六点，决定去洗漱，省得待会儿人都起来时，就没有水了。那个年代的硬座车厢总是水不够用，稍微晚一点就会无法洗漱。

等他洗漱回来，我们俩小声聊着天。他讲起他妹妹沈远思，沈远思竟然和林岚一个学校，因为两个人是一个城市出去的，所以成了好朋友。沈远哲显然不是一个善于传播他人信息的人，在我的追问下，也只简单地说了一些林岚的事情。

两人正在低声交谈，张骏醒了，他坐起来，迷迷糊糊地说："我好渴。"

我忙把水杯递给他，他却不肯自己拿，半闭着眼睛，就着我的手喝了几口水，仍在犯困的样子。

"如果困就再睡会儿。"

他又摇头。

"那去刷牙洗脸，要不然待会儿就没水了。"

"陪我一块儿去。"

刚睡醒的张骏像个孩子，我朝沈远哲做了个无奈的表情，帮大少爷拿着洗漱用具，服侍他去洗漱。

等我们回来，沈远哲已经和别人换了座位，正和另一个同学一块儿吃早饭。

张骏把他的背包拿下来，开始从包里掏出大包小包，问："你要吃什么？"

我惊骇地看着堆满　桌的零食，摇摇头。

他说："那我们去餐车吃早餐。"

"如果你想吃，我就陪你过去，我在火车上不喜欢吃肉和淀粉，只喜欢吃水果，所以你就不用管我了。"

张骏很泄气的样子："罗琦琦，你知不知道你很难讨好？"

我不解地问："你为什么要讨好我？你根本不需要讨好我。"

他又帮我削了一个苹果，我本来不饿，可盛情难却，只能吃下去。吃完后，反倒胃里不舒服，不好告诉他，只说自己有些累，靠着坐椅假寐。

车厢里渐渐热闹起来，听到甄公子他们的声音："打牌打牌，同学们，让我们抓紧最后的时间狂欢，张骏，快过来。"

"你们玩吧，我看会书。"

张骏一直坐着未动，难得他这般爱热闹的人竟肯为我安静下来，我的感动中弥漫着惶恐。

我睁开了眼睛："我想喝点热水。"

他十分欣喜，似乎很享受照顾我，立即帮我去打了一杯热水，我慢慢地喝完一杯热水，感觉胃里好受了一些。

一个同学打输了牌，站在座位上，对着全车厢大叫："我是猪！"

全车厢都哄然大笑。

不管是来的时候，还是去的时候，有了我们这群人的车厢总是多了很多快乐，青春真是一件好东西。

我笑着说："我们也去打牌吧！"

张骏笑着点头。

一群人在一起玩闹，时光过得分外快，没玩多久已经是晚上。想着明天一大早就要下车，我一点睡意都没有，只想时光永远停驻在此刻。

张骏似乎也有类似的想法，到后来，什么都不肯再玩，就是和我说话。

夜色已深，旁边的同学在打牌，对面的同学在睡觉，只我们俩在低声私语。我们也没谈什么正经事，全是瞎聊，起先他装模作样地给我看手相，胡扯鬼吹地谈什么事业线、爱情线，后来我想起（8）班的赵蓉买了一本星座书，立即借过来，翻着研究。

我是天秤座，他是金牛座，应张骏的强烈要求，先看我。

天秤座的守护星是金星，属性是风向星座。人际相处中注重平衡，她们天性优雅、沟通能力强，容易被信任。她们很容易感到孤独，害怕被孤立，希望恋人陪着他们，可风向属性又决定了天秤女们害怕被束缚，她们古怪善变，有一套自己的行事逻辑，内心并不如外表那么随和。她们很任性却以优雅饰之，很特立独行却又显得很亲切，很多情却善于冷静，她们古道热肠时往往热得水都会沸腾，可是冷若冰霜时又冻得周遭都结冰……

张骏问我："说得对不对？"

我说："溢美之词都是正确的，诽谤之言都是错误的。"

张骏嘿嘿地笑：“我怎么觉得正好相反啊？溢美之词都不对，诽谤之言都特正确。”

我拿着书敲他，又翻到前面去看他的。

金牛座的守护星是金星，属性为土向星座。他们做事不浮躁不冲动，考虑周全，善于忍耐。他们很有艺术细胞，具有欣赏和品味艺术的潜能。他们非常固执，一旦认定就不会变，不管是一份感情、一份工作，还是一个环境。这既是他们的优点，也是他们的缺点。

金牛座的男人做事向来不急躁，恋爱方面也是如此，他不会见你一面，就莽莽撞撞地投进爱情的陷阱，当他看中一个女孩之后，他会观察很久再决定到底要不要追求，但一旦决定，他们会无一丝保留地全心付出。金牛座的男人是居家型男人，渴望家庭和谐，对家人有强烈的占有欲和保护欲，是潜在的大男子主义者，他们也许沉默容忍，但是非常重视尊严……

我边看边笑：“呀，我们有同一个守护星——金星，掌管爱与美。”

我和他相视而笑，大概只有恋爱中的人，才会为那一点点莫名其妙的巧合而喜悦。

张骏对自己的性格分析没有任何兴趣，我在看书，他在看我。

我说：“你才不像老实可靠的牛呢！”

“那我像什么？”

“像猪。”

“你才是猪。”

“你才是。来，说一声‘我是猪’。”

“说什么？”

“我是猪！”

“你是猪！”

“我是猪！”

“是啊，你是猪！”

我们俩就这么说着废话，乐此不疲，笑个不停，那个时候，好像不管说什么、做什么，都十分有趣，十分甜蜜。

一夜的时间，竟然那么快就过去了，我一点都不觉得困，就是觉得舍不得，无限依依又无限依依。

下了火车，学校有车来接我们，坐上汽车，看着周围熟悉的景致，我突然有一种恐慌，我们回到现实世界了。

我和张骏都安静沉默地坐着，好像都找不出话来说，两人之间流淌着奇怪的陌生感，好似刚才在火车上窃窃私语、笑谈通宵的是别人。

司机大概是陈淑桦的粉丝，放了一盘陈淑桦的专辑，车厢里一直都是她的歌，从《梦醒时分》到《滚滚红尘》。

"起初不经意的你，和少年不经事的我，红尘中的情缘，只因那生命匆匆不语的胶着……"

张骏还茫然无知，我却感觉如同心尖上被刺扎了一下，装作欣赏风景，把目光投向了窗外。

"来易来去难去，数十载的人世游，分易分聚难聚，爱与恨的千古愁，本应属于你的心，它依然护紧我胸口，为只为那尘世转变的面孔后的翻云覆雨手……"

在歌声中，车停在了我家楼下，我妹妹正在楼下和朋友玩，看到我们，大叫着激动地跑过来："姐，姐……"又冲着楼上大叫，"爸，妈，我姐回来了。"

张骏要下车帮我拿行李，我立即紧张地说："不用，不用。"自己用力拖着行李，摇摇晃晃地下了车。我都不知道我紧张什么，害怕被爸妈看见？害怕被邻居看见？

我妈在阳台上探了下脑袋："行李放地上就行了，你爸已经下去了。"

张骏站在车边默默地看着我，邢老师、王老师在车里和我挥手再见。我爸爸对老师说谢谢。

我站在妹妹身边，礼貌地微笑着和老师、同学说再见。身处爸爸、妈妈、妹妹、老师、同学的包围中，我和他的距离刹那就远了，声音喧哗、气氛热闹，而心却有一种荒凉的沉静。

我妹拽着我的手，往楼上走，叽叽喳喳地问："北京好玩吗？你在天安门上照相了吗……"

在那个年代，那个年龄的感情只能躲藏于黑暗中，我连回头的时间都没有，就回了家。

到家后，把给妹妹、妈妈、爸爸的礼物拿出来，他们都很开心，妹妹缠着我问北京和青岛哪个更好玩，我却神思恍惚。

妈妈说："坐火车太累了，在外面吃得又不好，先去休息，我买了好多好菜，晚上给你做好吃的。"

我回到卧室，躺在床上，虽然很疲惫，却睡不着。看到熟悉的书柜、熟悉的床铺，我觉得我就像是午夜十二点之后的灰姑娘，一切的魔法消失，回到了现实世界。

在外面，只是我们一个小集体，张骏一时鬼迷心窍，回到这里，他的生活精彩纷呈，我算什么呢？所以，美梦已醒，不管心里是痛苦，还是哭泣，表面上却只能若无其事地微笑。

3
想要什么样的人生风景

因为你是大男生，所以你骄傲、粗心。

因为我是小女生，所以我自卑、敏感。

我们努力去爱，以为只要足够用力、足够用力，就会改变一切，

却不知道，我们的结局早已注定。

多年后，年华已去，青春已老，你不再骄傲、粗心，

我不再自卑、敏感，可是，我们却再不会那么用力、那么用力地去爱。

我只能唱起那首老歌，

在泪光中，回忆起你曾很认真、很笨拙地爱过我，一个人微笑。

清晨六点多我就醒了，一个人坐在桌前，整理着旅行带回的东西。故宫的门票、颐和园的门票、崂山的门票、蛇馆的门票，还有我和张骏在青岛海

边捡的几枚贝壳……

在北京的门票都是单张，但从长城之后，就全是两张门票，张骏在这些琐事上完全不上心，门票随手就给了我，他肯定以为我扔了，我却很小心地将我们俩的门票都收藏了起来。

我不想照相，可是，我也知道这些时光是多么宝贵，所以，我选择了以自己的方式永远记住它们。

我将它们抚平包好，放进一个纸盒里，再塞到床下的柜子里。

关上柜门时，突然发现竟然能每日都枕着这些快乐睡觉，忍不住，偷偷地笑了。

一枚松果，一块石片。

这是送给小波的礼物。将它们装进一个牛皮信封，准备写信。

未提笔前，我总觉得我有很多感触，很多话想告诉他，想告诉他对外面世界的所见所闻，可真正提笔后，却发现千头万绪，什么都写不出来。

想了很久，竟然只写了一句。

"北京长城下的松果，青岛崂山上的石片。"

我抬头看向墙上钉着的中国地图，也许有一天，我能走遍这千山万水，也许到那时，他不会再拒绝已经可以飞翔的我。

九点多时，林依然和沈远哲按照事先的约定，来找我一起去学校看期末考试成绩。

鲜艳的红榜虽已经颜色斑驳，字迹却仍然清楚。

关荷是年级第九名，林依然是年级第十，我是年级第十九，张骏是年级七十多名，沈远哲是年级六十多名。

我看到自己的成绩后，沉重到近乎绝望，我多么希望是数学、物理什么的考砸了，可是，仍然是英文，73分。

我从没有间断过努力，却几乎没看到任何起色。虽然有什么"坚持就是成功"的至理名言，可是当身处其间时，只感觉到越坚持越绝望。如果我完全放弃，靠着小聪明和记忆力去应付考试，只怕也不会比这个成绩差多少，反而不会有越努力越失望的感觉。

沈远哲提议一起去喝冷饮，我心情已经差到连敷衍的力气都没有，随便找了个借口就拒绝了。

一个人走在燥热的柏油马路上，不用再假装微笑，不用再假装自己不在乎，任由自己垮着脸，大步大步地走着，一直没有停，却有不知道何去何从的迷茫感。

在外人眼里，年级前二十，已经够好了，我的迷茫与痛苦似乎有些莫名其妙，可是这并不仅仅是成绩，而是，我不明白，为什么那么努力地付出，却没有收获？我对自己和未来产生了质疑。我没有容貌，没有财富，没有家世，我的未来能凭依的只有我的头脑与勤奋，如果努力不等于收获，也就意味着我根本无法靠自己的努力决定自己的未来，那么我的未来、我的人生究竟掌握在谁手里？既然不能由自己掌握，我又何须苦苦努力？

不知道走了多久，我站在了一片浓密的柳树荫底下。

因为是白天，K歌厅还没什么生意，四个打工的女孩贪凉快，在门口的树荫下，支了一张小桌搓麻将。容颜换了又换，青春却都年年相似。

如果我上技校的话，如今都已经要开始实习，可以领着实习工资悠闲地打麻将，我爸妈不用担心我早恋，反倒该计划给我介绍个对象了，而我不用为该死的英文痛苦，也不用喜欢个男生还要偷偷摸摸，只需边上班，边思考下班后究竟是去跳舞还是打麻将，是去见男朋友还是去见女朋友。

如果我放弃为英语做苦行僧，靠着一点小聪明和一般的努力，成绩应该也能混个中上，还能多出大把时间研究一下流行时尚，打扮得漂漂亮亮，跟着童云珠出去玩，生活肯定比现在摇曳生姿。

几个女孩打了好几圈麻将，我仍站在树荫下发呆，她们半是好奇，半是警惕地问："小姐，你等人吗？"

我恍惚地看着她们，沉默了一会儿问："小波在吗？"

一个女孩边搓着牌，边说："小波？没这个人……"另一个女孩打了一下她的手："不会是许老板吧？好像是叫这个名字。"她抬头瞪向我："你究竟找谁？"

我笑了笑，转身离去。

人生啊，风景总有多种，可究竟哪一种风景是自己最想要的？

我可以选择放弃，也可以选择坚持，可究竟哪一种才是多年后，我不会有遗憾的？

以前，不懂得，如今努力过、失望过，才明白陈劲当时的意思，"坚持"这两个字也许比世界上任何字都难写。

已经走到河边，马上就要到家时，却突然想起包里装着给小波的礼物，可是……如果我选择了放弃，那包里的礼物也就绝对不用送出去了。我看着波光粼粼的河面发起了呆，到底哪种人生的风景是我最想要的？

我转身向歌厅跑去。

听到我的脚步声，四个女孩都抬起头惊诧地看着我，我掏出包里的牛皮信封递给她们，她们看着信封上的名字研究。

我说："这是给许小波的，就你们的小老板，知道吧？"

四个女孩立即点头，我转身离去。

我慢慢踱着步，回到了家中，取出一张白纸，在上面写下：暑假计划。

从明天起每天背一小时英文，背十个英文单词，看半小时语法，剩下的时间才可以自由支配。

我重重又重重地把自己的名字"罗琦琦"签在了计划下面。这是我自己给自己的誓言，在没有希望的漫长中，没有喜悦的枯燥中，这是我唯一能给自己的约束和力量。

把暑假计划书有字的一面朝下压在书桌的玻璃板下，除了"罗琦琦"三个字，因为力透纸背，露了痕迹，别的地方只是一张白纸。

这本就是只写给自己看的，不是给他人看的。

低头看着雪白的纸，心里有了莫名的寂寞和伤感，这些辛苦的努力，这些痛苦的挣扎，只有自己才知道。大人眼中缤纷灿烂的青春，其实完全不是他们想象的那么轻松。

忍不住握笔在一张信纸上，一遍遍写着"长弓"，写满一张纸，就换另一张。这是我这些年不知不觉中养成的毛病，每当难过时，都喜欢写"长弓"，好似这样就能把心底的难过释放出去。

在马力同学的吵嚷下，接风洗尘是假，吃喝玩乐是真，我和杨军、马力、吴昊、马蹄一帮同学聚会了一次。

聚会的时候，吴昊一脸神秘地对我说："我听夏令营回来的同学说你和张骏……"

我夸张地做了一个受宠若惊的动作："没想到多说了两句话，就有此荣幸做张骏同学的绯闻女友，太激动了！"我嘻嘻笑着，"上个学期，我和班长晚自习一起回了几次家，人家还说我和沈远哲有问题呢！"我指指马蹄，"刚开始，我和马蹄坐同桌的时候，你们不是还把我们俩往一块凑嘛！说我们不是冤家不聚头！"

马蹄恨恨地说："竟然把我的名字和罗琦琦联系到一起，我那么没审美品位吗？"

我毫不客气地一掌打在了他背上，他夸张地惨叫："说她暗恋张骏我倒相信，说张骏喜欢她，我坚决不信！"

我心突地一紧，脸上的肌肉都绷了起来，却看到大家都在笑，原来只是个玩笑，我也立即跟着大家大声地笑。

嘻嘻哈哈中，关于张骏的事情就轻松地揭了过去。我们这个年龄，眉眼长得好看一点的男生女生都免不了被传这样那样的小道流言，像张骏这种流言满天飞的，绯闻女友多我一个不多，少我一个不少。

聚会结束后，马力等大家都走了，神神秘秘地把我叫到一边："你老实说吧，和张骏究竟是什么关系？"

我又是紧张，又是丈二和尚摸不着头脑："刚才不是解释过了吗？就普通同学。"

"少来！普通同学会特意晚上跟着你回家？"

"你什么意思？"

"高一刚开学的时候，咱俩不是闹了点矛盾嘛！我去外面找了几个人，让他们去找你谈谈话，结果每次都是刚开始答应得好好的，转头就反悔了，后来我才知道张骏和他们打了招呼。"

我说不出来话，有意外和惊讶，还有一些古怪的喜悦滋味。

马力还以为他把我给吓住了，拍拍我的肩膀，挤眉弄眼地说："放心，我不会告诉同学的，你如今是有人罩着的人，我可不敢得罪张骏。"

"去你的！"我一掌把他推开，大步离开。

也许因为马力的话，我又对张骏燃起了希望，可夏令营后，一个多星期过去，张骏都未出现在我的生活中。

理智上，我特能接受张骏没再找过我这个事实，都不用想什么人生哲理，只需想想自己是个什么样的人就明白了，可是，那些伤感和失落是无法用理智分析和控制的。

有一天，爸爸妈妈上班去了，妹妹练了会电子琴就偷懒跑去看电视，我虽然醒了，但仍赖在床上眯着。

妹妹过来敲门："姐，有人找你。"

我以为是杨军、马力他们，没在意地说："有没有搞错？这么早！"

胡乱洗漱了一把，披头散发、趿着拖鞋走进客厅，看到沙发上坐着张骏，神清气爽、眉英目俊。

我立即反身逃回卧室，对着镜子梳头发、换衣服，又觉得自己很神经，挣扎了一会儿，终是把头发梳理好后，走了出去。

张骏站起来，却因为我妹妹在，只沉默地看着我。

我妹仍专心致志地看第一千遍的《新白娘子传奇》，丝毫没留意身边的异样。

我觉得这么戳在客厅也不是个事，于是说："我们出去吧！"

下了楼，沿着小路沉默地走着，到了河边，两人趴在桥栏上，低头看着哗哗而流的河水。

虽然是白天，可小桥上没有任何行人。初二的时候，修建了一座更宽更好走的新桥，这个设计不合理的旧桥就被废弃了，不过我不管任何时候过河，都喜欢走这座旧桥，原因并不仅仅是它距离我家近。

张骏说："咱们小时候，这桥还挺多人走的，现在都成荒桥了。"

"是啊！它比较窄，又全是台阶，每次过桥，还要把自行车扛着走，摩托车也没法骑，当然没人走了。"

"你平时都做什么？"

"也没做什么，就睡觉看书。"

"看什么书？"

"有时候是课本，有时候是闲书。"

"你什么时候变得这么认真了？暑假还这么用功？"

我不知道说什么，沉默下来，两人之间好不容易有了一点的谈话氛围再次冷场。

"罗琦琦……"他突然叫，我看着他，他憋了好一会儿，才冒出句，"你是不是后悔了？"

"嗯？后悔什么？"

"就夏令营，我们在一起……你是不是后悔了？"

"没有！"我飞快地回答，停了停，终于鼓足勇气问他，"你呢？你有没有后悔？"我怕的是他后悔，他竟然问我有没有后悔。

"当然不！"他的表情总算不再那么紧张，把一块石头丢进河里，笑着说，"后天一中高考放榜，我们去看成绩吧！"

但凡想考大学的人，大概都会对这个关注的，而且更重要的是和他一起，我立即同意了："好。"

他笑了："那后天早上九点钟，我们在这里碰头，不见不散。"

"好。"

两人默默站了会儿，我问："你还有事吗？你若没事，我就回家了。"我今天的英文任务还没完成。

他眼中闪过失望，却笑着说："好啊，我正好也有事要做。"

当时年纪小，看不到他眼中的失望，只看到了他的笑容，所以，我也笑起来，向他挥挥手，小步跑着冲向家。

那些因为学习而来的灰色和沉重突然就散开了，青春好似在刹那间就向我展露了本该属于它的明媚和喜悦，虽然这明媚和喜悦都太飘忽、太不确定，但是这一刹那是真真切切的。

定了六点半的闹钟，起床后，先读了一小时英文，吃完早饭，匆匆冲了个澡，开始梳妆打扮。

妈妈正好在吹头发，看我在镜子前面鼓捣头发，就拿吹风机帮我把头发吹直，用了点发胶定型，看上去又黑又顺，又找了两枚镶有假珍珠的卡子，教我把一侧的头发用卡子交错别起来。

妈妈匆匆赶去上班了，妹妹仍在睡觉，我偷偷摸摸地溜进妹妹屋里翻她的衣柜，寻了一件蓝色的背带裙，配白色小翻领衬衣。出门的时候，左想想、右想想，一狠心，把妹妹最喜欢的白色凉鞋也借了来。

到桥头时，张骏已经到了，他穿着白色的休闲裤，白蓝二色的T恤，站在白杨林边的草地上。

乔木青翠，芳草茵茵，清晨的阳光从树林间落下，照在他身上，他就如蓝天白云般干净清爽，绿树阳光般朝气蓬勃，我一时间竟看呆了。虽然人人都说张骏长得英俊，可大概从小就认识，从没真觉得他的外貌如何，今天才真正意识到他真的英俊迫人。

他低头看了眼表，向我家的方向张望，没有不耐烦，反带着微笑。

我穿过白杨林向他走去，女孩子的虚荣心膨胀，这么出众的少年等待的人竟然是我。

他听到声音，侧头看见了我，眼睛一亮。

我们俩站在白杨林间，竟都有些不好意思，我说："对不起，迟到了。"其实，我是躲在一边看了他一会儿。

他笑着说："没关系，我们走吧！"

我问他："你最喜欢什么颜色？"

"蓝色，白色，黑色，你呢？"

"绿色，蓝色，白色，我喜欢树、草、花，觉得没有了它们，什么都没有，它们就像生命；喜欢蓝天，觉得这是最宽广的颜色；而白色……"

"白色最简单，也最复杂；最包容，也最挑剔。"

两人相视一笑，有灵犀相通的喜悦。

他说："可是很少看你穿白色的衣服。"

"容易脏，太麻烦了，宁可不好看，也不要麻烦。"

他哑然失笑："这原因对女生而言可真够稀奇的。"

两个人说说笑笑地到了一中门口，已经有一堆家长围在校门口等放榜。他轻吹了声口哨，表示惊叹。我却想起了小波，有些难受，挤在人群中等待高考放榜，对我们，也许天经地义得令人讨厌，却是他心头永远的遗憾。

我和张骏买了两瓶饮料，坐在人行道旁边的花圃台子上，边说话边等。

我对他刚才的反应有些奇怪，便问："你以前没到校门口看过吗？去年中考成绩出来的时候，也人山人海。"

"第一次。"

我想起关荷说他去年到上海去了，便问："上海好玩吗？"

"还不错，没有北京、青岛好玩。"

他眼里有笑意，我故意装听不懂，喝着饮料，四处乱看，看过来看过去，就是不看他，可眼睛里的甜蜜藏都藏不住。

"张骏，罗琦琦。"

穿着紫色连衣裙的关荷站在了我们面前，大概因为第一次看到我和张骏有说有笑，很是惊讶。

我的笑意僵了僵，张骏往我身边挪了挪，腾了块地方给关荷坐。

关荷坐在了他旁边，说："我不知道你今天要来看榜，要不然就把林忆莲的磁带带来了。"

"没事，我又不听，我那边还有不少她的带子，你若要听，找个时间去我家挑。"

"好啊！"

听到他们熟稔地交谈，刚才还好像多得涨满了胸间的喜悦刹那就没了。

关荷嘀咕："怎么今年这么晚放榜呀？"

正说着，就听到噼里啪啦的鞭炮声响起，鞭炮声中，学校里面出来了四五个老师，开始贴榜。关荷诧异地说："去年没有放鞭炮。"

张骏说："今年的状元和榜眼都是我们学校的，总成绩也位列全省第一，当然要庆祝了。"

校门口已经开始喧哗了："陈劲是状元！陈劲是状元！刘涛是全省第二……"

家长、学生都开始往前挤，场面很混乱。

我问张骏："你早知道怎么不告诉我们一声？"

张骏笑着说："这样不就没意思了吗？"

关荷看着校门口，怔怔出神，她肯定是想到自己的成绩了。自从上了高中，她最好的成绩也只是年级第九，对于从小到大习惯了第一的人，肯定有心理落差。

甄公子、贾公子他们都来了，一群人边看热闹边聊天，话题自然全都围绕着今天的焦点陈劲。甄公子也消息很灵通："听说陈劲已经和清华谈妥了，进了清华的建筑；刘涛也是清华，计算机系。"

人群中有喧哗，原来是刘涛来看榜了，家长们都盯着他看，发出各种各样欣羡的声音，刘涛的爸爸笑得嘴都合不拢，关荷很好奇："不知道陈劲会不会来看榜。"

我脱口而出："肯定不会。"

关荷惊异地看我一眼："为什么？你认识他？"

张骏解释："我们和陈劲小学一个班过，琦琦和他还是同桌，一直到他跳级。"

关荷惋惜："可惜我来晚了，竟然错过和状元同班了。"

校门口有人大笑、有人大哭，上演着人生得失的悲喜剧，不过毕竟和我们没有关系，一会儿后，我们对高考榜单的新鲜劲儿就过去了。

贾公子他们嚷嚷着去打保龄球、滑旱冰，张骏对关荷和我说："一块儿去。"

关荷微笑着摇头，张骏笑说："我请客，给点面子啦！"

甄公子立即手圈成喇叭，朝着周围的同学叫："张骏请客，有谁去打保龄、滑旱冰？"

一堆人举手，张骏踹了甄公子一脚，笑对关荷说："大家都去，一块儿去玩吧！"

关荷仍然微笑着拒绝。

保龄球是刚兴起的玩意儿，打一局就要十块钱，对学生而言，是很奢侈的消费。

我看出关荷其实很想去，可她的骄傲和我类似，但是我愿意为了她放弃我的骄傲，我笑着劝她："去吧，大家一起去玩，我都没玩过保龄球，正好去见识一下。"

甄公子不停地作揖："关大美女，给点面子了。"

关荷终于点了点头。

十来个人拦了两辆面包车，浩浩荡荡地冲向了保龄球馆，张骏领着我走在前面。

因为是非周末的白天，价格有优惠，八元钱一局。大家分了三个组，要了三个道比赛。张骏、甄公子、贾公子各领一组。

张骏教我玩，他让我拿球，一直试到最轻的球，我才勉强能打，他用手量了一下我的手腕说："我一个指头就能扳倒你，你应该加强体育锻炼了，不然大小脑发展太不均衡。"

我的回应是瞪了他一眼，他笑着开始教我打球，不过，我真的比较笨，打了好几次，仍然找不到感觉。

关荷的球感却很好，上手没多久，就连着打了几个大满贯，大家都拍掌欢呼，张骏看着她微笑。

我心里有很空落的感觉，表面上好像什么都没留意，实际上一直都在小心观察。

关荷分到甄公子一个组以后，张骏一直在留意看关荷，甄公子刚开始只顾着自己玩，张骏特意过去和甄公子低声说了几句话，虽然没有人听到他们说了什么，可根据甄公子前后的态度变化可以判断，肯定和关荷有关。

我的心情越来越低落，球越打越糟糕，面上反倒越发笑得开心。张骏取笑我："你的小脑好像完全没有发育过，咱们得制订一个计划发展一下你的小脑。"

甄公子也摇着头嘲笑我："关荷也是第一次学，和你可是一个天一个地。"

张骏冲甄公子说："得了，你少叽歪几句！没笨人怎么凸显你们聪明呢？咱们得给罗琦琦同学记一大功。"

我和他们一块儿嘲笑自己的笨手笨脚，可心里却有一个小小的人悲哀怜悯地看着自己，不要去比较了！你本来就是一直输给关荷的！不比就没有输赢，也就没有难过！

我到后来已经很不想打，因为每打一次，甄公子都会嘲笑我，我也和他一块儿嘲笑自己，与其等着别人把我踩倒，不如自己先把自己贬到尘埃里去。

在我的严重拖后腿下，即使张骏几乎每局都打了大满贯，我们组仍然输掉了。

甄公子和贾公子都哈哈大笑："好了，好了，有了罗琦琦，我们以后肯定永远是赢家。"

张骏笑对关荷说："你打得真好，完全不像第一次打。"

关荷因为累和激动，脸颊晕红，眼睛亮晶晶的，美丽如夏日雨后的一朵荷花。我突然觉得很累，很想回家，可是刚才已经答应了要一块儿去吃饭，去滑旱冰。

吃饭时，关荷先坐了下来，我刻意地坐到了她对面，因为此时张骏还没进来，我想知道他究竟会坐在哪里。我不知道是不是所有的女孩子都会用些莫名其妙的细节来验证感情。其实，如意不如意都不能证明什么，因为男生的思维和女生的思维压根儿不在一个频道上，唯一能肯定的就是如果她这样做了，只能证明她对这份感情一点信心都没有，这份感情潜藏着危机。

张骏进来后，一边和贾公子说着话，一边坐到了我旁边，非常自然。

刚才玩保龄球时的不快总算淡了一点，可没高兴多久，就看到张骏把菜单先递给关荷，询问她想吃什么，又特意嘱咐服务员不要放香菜，因为关荷不吃。

我的话越来越少，笑容却越来越灿烂。

也许，我们根本就坐错了位置，关荷应该坐在张骏旁边，我应该坐到对面去。

吃完饭，他们商量去哪里滑旱冰。听到他们的谈论，我才知道上个学期就又开始流行滑旱冰了。

如今流行两种旱冰，一种是室内，木地板的；一种是露天，水泥地的，木地板的比较小，水泥地的比较开阔。他们贪方便，选择去保龄球馆旁边的水泥地。

到了之后，男生去买票、交押金、拿鞋子，女生在一旁等。

看到他们拿来的鞋子，我才发现时代变化了，已经不是小时候穿着鞋子就能穿的旱冰鞋，而是精巧美丽的皮革鞋，像靴子，必须脱掉鞋子才能穿。

张骏递给关荷两个小塑料袋，说："包在脚上再穿鞋，干净一点。"又把两个小塑料袋递给我。

我默默地穿好鞋子。张骏弯身想帮我系鞋带，我往后缩了缩："不用了，我自己可以。"我虽然是第一次穿这种鞋，但是我有眼睛，刚才贾公子穿鞋的时候，我一直在悄悄观察，已经知道怎么绑鞋带。

贾公子、甄公子他们都是自我中心惯了的人，一穿好鞋，立即就跑了。

张骏走过去看关荷，关荷把脚伸出来，张骏蹲下去教她系鞋带，然后看着她穿好另一只鞋。他们一个是俊男，一个是美女，如同最和谐的情侣，经过的人都会多看一眼。

关荷第一次滑旱冰，连站都不敢站，张骏鼓励地伸出手，示意她相信他。关荷把手放在他手掌上，颤颤巍巍地站起来，张骏回头对我说："你在这里等我一会儿，我过一会儿就回来接你。"

我看着他扶着关荷滑了一圈，仍没有回来的意思，我站了起来。鞋子虽然变了，原理仍然一样，滑旱冰就像骑自行车，一旦学会，永远不会忘记。

我扶着栏杆走进旱冰场，脚步一蹬就滑了出去。虽然很多年没有滑过，可一会就滑得很溜了。

旱冰场上放着音乐，一会儿激烈，一会儿抒情。这家的主人很有心思，把舞厅里常用的彩灯装饰在高处，让旱冰场色彩变化，又有一个超级亮的聚光灯，每隔几首曲子，就会挑一对滑得特别好的人，把聚光灯打到他们身上，让全场的人都能看到，满足了年轻人的虚荣心。如果是父女，音乐就会特别抒情，让滑的人和看的人都盈满了感动；如果是年轻的情侣，音乐就会

很热情，让他们充分展示出自己的滑旱冰技术，细节如此迎合顾客，难怪这家的生意这么好。

旱冰场很大，人很多，我又刻意不想去看张骏和关荷手拉手滑的样子，所以很快我就不知道他们在哪里了。

我一个人随着音乐，用力地，快速地滑着，旁边有男生邀请我："可以和你一块儿滑吗？"

原来如今滑旱冰和跳舞一样，也可以邀请人，我没有拒绝，他陪着我滑了两圈，试图牵我的手，被我借着加速巧妙地避开了。

他很懂得进退，再没尝试过，开始介绍自己，询问我的名字，夸赞我很有气质。

我微笑，他不看电视的吗？对着不美丽的女孩子没有什么可赞的时候，就赞她有气质。

我没有回答他任何关于私人信息的问题，他却不放弃，仍然在我旁边和我一起滑，休息的时候，也陪着我，和我聊天。我并不讨厌他，所以和他聊着一些没有边际的话。

在人群中，我看到了张骏，他仍然和关荷在一起。等他们滑过后，我又开始滑，可张骏和关荷手牵着手的样子却在我眼前挥之不去，我的速度越来越快，身旁的男生善意地提醒我："小心一点。"

眼前突然一亮，巨大的光束打到我们身上，我很茫然，差点摔一跤，他忙扶住我，很开心地说："我来玩了很多次，第一次被照灯。"

他想拖着我滑，我推开了他："对不起，我不想滑了，你一个人滑吧。"

我向边上滑去，灯束却追着我而来。我的技术一点都不突出，这照灯的人眼睛有问题？我不耐烦地向边上躲，照灯的人大概终于明白了我的意图，我不是要滑，而是要躲，把灯移开了。

我刚坐下来，那个男的也追过来："口渴吗？要喝饮料吗？"

我还没回答，张骏站在我面前，脸黑着，眼睛里面全是怒气："你玩得很开心？"

我看着他，他有什么资格向我发火？

"是的，很开心。"

他盯了我一瞬，转身就滑走了。旁边的男生问："要喝饮料吗？"

我侧头对他说："谢谢你的好意，如果我口渴，我会自己去买饮料。另外，我是认真的，你的耐心和诚意并不能打动我，不如把同样的精力投入别的女孩子身上。"

他笑着说："明白了，在和男朋友赌气？"

"没有。"

激烈劲爆的音乐响起，明亮的光束照到一对男女身上，是张骏和一个我不认识的美丽女子。她穿着小短裙，有一双美丽修长的腿，滑得十分好，两个人一进一退间，将旱冰滑得像跳拉丁舞。

"那是你的男朋友吗？"

我不吭声。张骏是吗？我不知道。

他笑着说："和这样的男孩子在一起，需要很坚强的神经。"

我站了起来，去滑旱冰，速度越来越快，只想甩掉所有的不愉快。突然，脚下失衡，摔了下去，伤心间也忘记了保护自己，就那么直挺挺地向后摔到地上，后脑勺重重磕在水泥地上，刹那间眼前一片漆黑，意识倒还是清醒的，只是身子动不了，听到身旁无数轱辘嗖嗖地从耳边掠过。

"哎呀，小心点。"

"快起来啊，会绊倒别人的。"

"喂，你没事吧？"

我终于缓过来，一对好心的情侣拉了我一把，我刚想站起来，身子又往下滑，眼前全是金色的光芒，原来"眼前金星乱冒"并不是修饰，而是真的。

女孩子关切地说："是不是摔到脑袋了？我看着也摔得够狠的，好大一声响。"

他们俩把我送到休息区，问："有一起来的朋友吗？要我们帮你去找吗？"

我抱着脑袋，低声说："我一个人来的，已经没事了，谢谢你们。"

他们又问了我好几遍，确认我神志清醒后，手牵手快乐地滑走了。

他们彼此扶持的身影，让我眼眶发酸，那个在我受伤时，应该安慰我

的人在哪里？

　　旱冰场里，明亮的光束下，张骏仍在翩翩而舞，时而他扶着女孩的腰，时而女孩握着他的手。光束渐渐暗了，他刚和女伴分开，又有女孩子找他滑，他也没有拒绝，两个人双手互握，张骏开始倒滑，女孩子则随着音乐的节奏踩花样步。

　　我的脑袋疼，心却更疼！难言的伤心和委屈下，我只想远远地离开这一切。

　　我脱掉了旱冰鞋，拿回自己的鞋子，穿好鞋，一个人走出了旱冰场。

　　看了看自己身上的钱，只有三块，早上出来的时候，以为就是看榜，没想着带钱，根本不够打的回家，这边又没有什么公车，我决定走路回家。

　　给自己买了一根最贵的巧克力夹心三层雪糕，作为对自己的宠爱。

　　这世上，谁都可以不爱我，但我要爱自己，怜惜自己，对自己好。这道理是小波教会我的，想到小波，突然想哭，可是，我应该微笑。

　　我边走边吃，嘴里还努力地哼着歌，我的快乐由我自己主宰，绝不建立在他人身上，我想要快乐，所以我一定能快乐！

　　雪糕吃完后，我一个人在人行道上，唱着歌，一会儿背着双手，跳着格子走路，一会儿抢着双手，蹦蹦跳跳跑一会儿，反正就是要高兴，不许不高兴！

　　一个人骑着自行车从我身侧经过，回头看了我一眼，等我认出是陈劲时，他已经停住车。

　　"嘿！"他下了车，"就你一个人啊？散步？"

　　"是啊。"我努力地快乐着，"早上我去看榜了，恭喜你。"

　　他不在意地笑笑："我看到你上学期的成绩了，是不是很受打击？还在坚持吗？"

　　他似乎是唯一一个明白我为那么个"好成绩"痛苦的人，我重重点了下头："在坚持，不过，很辛苦，有时候都不明白自己在坚持什么。"

　　"等你到了山顶时，就会明白，如果中途放弃，那么你就永远都不会明白了。"他停了停，又说，"千万别放弃！有了第一次放弃，你的人生就会习惯于知难而退，可是如果你克服过去，你的人生则会习惯于迎风破浪地前进，看着只是一个简单的选择，其实影响非常大，会使你走向截然不同的人生。"

我没完全听明白他说什么，不过，在天才面前，我很习惯。"对了，我想问你个问题，我听说你可以被保送北大的，你为什么没有去？北大比清华差吗？"他爸爸是教育局当官的，我以为他有什么内部消息。

"如果保送上北大，我只能读物理或者化学系，这两个专业我都不喜欢，我想读建筑，那当然是清华好了。"

"这样啊，难怪你会学画画。"原来没什么隐秘的内幕，只是一个简单的人生选择，可是放弃百分之一百安全的保送，选择不确定的高考，也并不简单。

"你家住哪里？好像不是住这附近吧？你打算一直走回去？"

"我喜欢走路。"

他笑着说："那你慢慢走，我得回家了。"他骑上了车，又问，"你确定你要走回去？要不要我送你一程？"

刚说了我喜欢走路，现在还能立即出尔反尔？我说："不用了，再见！"

"再见！"他骑着自行车离开了。

"祝你大学生活愉快！"我大声叫。

他回过头，笑着朝我挥了挥手，"我在清华等你。"

我脸上笑着，口里却重重叹了口气。他对我倒是有信心，我自己却只觉黑云压顶，情场战场都失利。

我又走了半个多小时才走到家，刚进楼门，一个人忽地拽住我的胳膊，我正要大叫，发现是张骏。

他冲着我嚷："你去哪里了？你知不知道大家都很着急？所有人在旱冰场里找你一个，你为什么眼里只有自己，做事情从来不肯考虑一下别人的感受？"

他的手捏得我的胳膊很疼，而更疼的是我的心，我用力推开他，一声不吭地往楼上跑。

"琦琦。"

我当没听见，一口气跑上了楼，回到家里，妹妹立即扑上来，一边检查裙子和凉鞋，一边和爸爸妈妈怒声说："看见了没有？她偷穿我的裙子和鞋子！哎呀！她把我的裙子弄脏了，这是什么呀？你干吗要偷穿我的衣服？干吗要偷穿？谁允许你了……"

我觉得自己很可笑，偷穿别人的裙子和鞋子，去讨一个并不喜欢自己的人的欢心。

"我以后再不会穿你的衣服了。"

"呀！你还偷戴我的珍珠发卡！"

妈妈忙说："那是我给你姐姐戴的，不是你姐姐拿的。"

爸爸也打圆场："好了，就是穿了一下你的裙子，不要那么小气，洗干净就行了。"

妹妹瞪我，我去屋里换下裙子，换回自己的衣服，把两枚珍珠发卡也拿了下来，一起还给妹妹。妹妹用力哼了一声，一仰头，把衣服抱去给妈妈洗。

我呆呆地坐着，眼前翻来覆去都是关荷和张骏。

"我要快乐，我不要别人主宰我的快乐！"自言自语地说着话，身子却好似再没有了力气，软软地趴在了桌子上。

书桌的玻璃板下压着一张雪白的纸，是我的暑假计划书。

罗琦琦，你今天还没有背单词和看语法。

虽然明白，却一点不想做，没有任何看书的心绪。

我的手指在隐约有自己签名的地方摸过。

这世上，他人可以背弃许给你的承诺，难道连你自己也要背弃自己吗？

我坐了起来，打开了英文书，强迫自己扫空所有的思想，开始做语法习题，做完习题后，又背了十个单词，才爬上床睡觉。

第二天清晨，一大早，我就出了门，跑去找杨军。

"有时间吗？"

"干吗？"

"找一套数学卷子做吧，看看谁的分高。"

简直投其所好，正中下怀，杨军立即翻卷子，往中间一摆，一人一叠草稿纸，定上闹钟，开始！

数学是最能让人的思维宁静下来的学科，尤其数学卷子，一般的设计都是从简单到难，慢慢抓住人的思维。

我心无旁骛地算与写，一个半小时后杨军就几乎全做完，开始尝试攻克最后一道题，我却是到最后十分钟才做完。杨军和我互换答案，彼此打分，我胜出。

杨军不服："明明我比你快，你最后一道题都没有时间做。"

我懒得理会他。拿起卷子的第一时间，我们同时看的最后两道大题，可看完后，我们做了完全不同的选择，我觉得最后一道肯定很花时间，所以决定放弃，保证卷面上其他所有的分不丢，所以我的速度放慢，保证每道题都万无一失；而杨军看完最后一道题，立即决定要快速做，好为这道难题节省出时间，结果是最后的难题他倒的确有了眉目，可前面的题目有失误，最后反倒我比他分高。

我们俩的选择和我们的性格爱好息息相关，我是实用主义、功利主义者，只看重最后的分数；而他是因为喜欢理科，从兴趣出发，想要的不仅仅是分数，还有攻克难题的成就感。所以，这会儿，我已经将整张卷子扔到一边，完全不关心那道难题如何解，他却仍然趴在桌子上孜孜不倦地思考着。

"罗琦琦，你别光坐着。"他把纸和笔拍到我眼前。

闲着也是闲着，我开始做。借鉴杨军的思路，很快就把证明步骤扔给他，他一边看，一边指正了我的几个错误，终于像一个吃完大餐的人，心满意足地搁下笔。

"罗琦琦，听说你和（4）班的班长张骏……"

我截断了他的话："你追童云珠追得如何？"

他的脸立即灰了："她不怎么搭理我，经常和另一个人出去玩。"

"你的情敌是什么样的人？"

"比我大好几岁，听说上初二的时候就辍学了，家里帮他开了一个录像厅，就是一个小混混，我完全想不通，我哪点都比他强，童云珠却喜欢和他玩。"

我笑着说："我早说了，你和她不是一个世界的人。你从小到大都是父母的好孩子，老师的好学生，很多东西，你没办法理解的。"

"我当然能理解，不就是男人不坏女人不爱嘛！就像张骏，他除了长得好看，哪点值得女生信赖了？女朋友一打一打地换，可你们女生偏偏都喜欢他。"杨军用胳膊搡了我一下，"你不会那么傻吧？"

我嘻嘻笑着："当然！"

杨军满意地点点头，突然神神秘秘地问："要不要请笔仙算命？我刚跟一个大学生学的，听说很灵，北京上海那边都很流行，我们算算你什么时候才能碰到真命天子。"

我站起来打算离开："你有毛病，我不玩这些神道道的东西，再算也是该是你的就是你的，不该是你的就不是你的。"

他送我出来，和我一块儿去馄饨摊上吃了一碗馄饨。

他边吃边叹气："好无聊啊，赶快开学吧，至少每天可以欺负你。"

第一次，我和杨军的观点完全一致。

和杨军分开后，我一个人骑车到河边，坐在河边默默发呆，越想心越伤，拿出英文书，强迫自己开始读，刚开始眼前全是张骏的影子，却硬是不管，逼着自己一字一字看。

读了一个多小时英文后，决定回家。

还没到楼门口，就看到张骏站在楼侧，背靠着墙壁，默默地望着路口。

我不想见他，躲了起来。

可是，我躲了很久，他依然是那个姿势，看看时间，爸妈快下班了，只能走到他面前。

他神情很憔悴："你是故意避开我的吗？"

"没有。"

"我早上八点就到你家楼下了，你爸妈一走，我就上去找你，你妹妹说你已经出门了。"

我不吭声，心里虽有软软的感动，却依旧板着脸。

他说："关荷不会滑旱冰，必须有个人带她一下，甄公子、贾公子人不坏，可都很以自我为中心，我必须先带关荷滑两圈，才能麻烦他们一块儿教关荷。等我和甄公子他们商量好后回去找你，你就没影了，我沿着旱冰场滑了无数个圈子，一直在找你，着急得不行，结果一回头，看到光束下你和别人正玩得开心，甄公子他们都笑我，瞎操心白着急，所以我后来态度有些不好。"

我说不清楚什么感觉，昨天觉得事情天大，可是今日却觉得自己有些小气。关荷出来玩一次不容易，我不但不帮她，反倒一直在心里嫉妒她，明知道她不会滑，却一点不为她考虑，只想着自己，我很羞愧。

他说："我们和好，好不好？如果我做错了什么，你告诉我，我会改的。"

张骏不像是说这种话的人，可他说了，所以他是喜欢我的，对吗？

我低声说："我现在要回家了。晚上八点我们在桥头见。"

他开心地笑："好，不见不散，如果你不来，我可会等一晚上的。"

我只觉得自己的心立即亮了，只觉得一切的一切都不算什么，原来他是如此掌握着我的喜怒，阴云密布还是阳光灿烂都只在他一念之间。

吃晚饭时，妹妹向爸爸诉说她的那个同学家装电话了，这个同学家也装电话了，为了方便她们做功课，强烈要求我们家也装电话。

那个时候，固定电话的初装费要一千五百块钱，和我妈妈一个月的工资差不多，节俭的妈妈压根儿舍不得花这个钱。爸爸犹豫不决，妹妹拽我，示意我帮忙。我不想理她，作业是靠打电话打出来的？可忽然就想到了张骏，快下火车时，甄公子、黄薇、沈远哲他们互相交换电话号码，张骏把他家的电话号码写给我，又兴冲冲地问我要电话号码，我只能羞涩难堪地说："我家没电话。"

我的心一跳，立即帮着妹妹一块儿请求爸爸安电话。

在我和妹妹的集体攻势下，爸妈同意了我们的请求，作为交换条件，我要继续保持现在的学习成绩，而妹妹要努力考入班级前十名，妹妹想都没想，一口答应。在电话的诱惑前，她已经化身超人，无所不能。

电话的主机安装好后，爸爸又从单位拿了一个电话，宣称我们谁能完成学习任务就给谁的卧室里安装分机，妹妹和爸爸撒娇，先给她安上，她保证完成任务，没等她贿赂成功爸爸，我就趁着他们不在家，一个人布线接机，把电话成功安装到了我的卧室。

爸爸妈妈非常惊喜，夸赞我动手能力强，妹妹却气得眼泪汪汪，我嘲笑着说："学个教训，记住靠人不如靠己。"

妈妈安慰妹妹，许诺只要她考入班级前十名，立即给她装分机，而我如果成绩下滑，就立即把分机撤掉。

现在想想，我们这代人在成长中没吃过什么苦，可也没奢侈享受过，明白一切来之不易，所以，我们后来都挺孝顺父母。

4
爱情是什么

爱情并不是由智慧掌控，而是由命运掌控。
我们永不会比命运聪明，
每当我们以为掌握了爱情的真谛，命运就在冷笑。

大概从小受小波、李哥、乌贼的影响，我对友谊的定义充满了江湖味：诚心相待、义气为先，必要时刻，不惜两肋插刀，生死相赴。

我觉得自己一直做得很好，我没有亏欠过任何一个朋友；可关荷令我的道德标准受到强烈冲击，我一方面因为她的美好，视她为好朋友；一方面却又嫉妒她的美好。

行为和自己的道德标准背离，使我常常被羞愧折磨。因为羞愧，我就会刻意地对关荷更好，弥补自己曾经的阴暗，可关荷并不知道我的思想斗争，她只是看到我对她好，所以，她就善良地用同样的好来回报我，我们的友谊越来越深，可我仍然无法不去嫉妒她，友谊的加深只能让我的愧疚越来越重。

因为愧疚，我越发对她好；因为我对她好，她也对我好，友谊自然加深；因为友谊加深，我很愧疚。我陷入了一个怪圈的循环中。

因为那天出去打保龄球、滑旱冰时，我心里非常阴暗地产生了一系列玷污友谊的思想活动，觉得对关荷很抱歉，很蔑视自己，所以，在看出她很希望自己能像别的同学一样滑翔时，我决定教她滑旱冰。

张骏嘲笑我："就你这技术还敢去为人师？"

"我的技术怎么了？教完全不会的人绰绰有余，教会最基本的滑行后，倒滑、单脚、花样都完全可以自己学。"

"我不是怀疑你，我是担心你。教人滑旱冰，如果自己技术不好，会很容易摔跤，我去找滑得好的男生教她。"

"关荷很要面子，她可没兴趣在男生面前摔得四脚朝天，你要不信，给她打电话。"

看过那天关荷小心翼翼，始终不敢放开的样子，我就明白没有哪个男生能真正教会关荷滑旱冰。

张骏立即打了，答案果然如我所料，他惊异地看着我。

其实，关荷的心思一点不难猜，因为那就是放大了的我的心思，我当年学旱冰时，也是躲在暗中苦练，压根儿不愿意让班里的人看到我的笨拙，只不过我是因为自卑产生的过度自尊，她的原因却要更复杂一些。

每周两次，成了我和关荷的单独"约会"时间。

我对她异样的耐心，自尊骄傲的关荷虽然一句口头的感激都没有说，可她心里的感激，我能感觉到，我们的友谊在飞翔的轱辘中飞速增长。

暑假还没过完，关荷就已经青出于蓝，而胜于蓝。只要她愿意，她也可以穿着小短裙，成为旱冰场上一道亮丽的风景。

作为谢师礼，关荷请我去吃麻辣烫。

在路上，我看见了一个故人——妖娆。

烈日底下，一个戴着棒球帽的男子踩着三轮车，妖娆坐在车后面，身旁堆满了纸箱子。她目不斜视，只专心地盯着她的货物。

这个素面朝天的女子真是那个妆容绯艳的妖娆吗？

一个纸箱子突然掉到地上，纸箱里掉出一堆女孩的发卡头绳，妖娆立即跳下车去捡，男子停了车去帮她。他大概觉得太阳太大，把自己头上的棒球帽戴到了妖娆头上，妖娆抬头一笑，就又忙着装东西。两人之间是很自然的亲近。

我站在远处，凝视着他们，心底有凉凉的悲伤弥漫成河。才一年多，妖娆就忘记了，忘记了乌贼，忘记了他们的山盟海誓，忘记了他们的白头之约。

这世间有多少人愿意戴着镣铐舞蹈？尾生抱柱固然震撼人心，可纵使放手，也无可厚非。这世间原没有多少人愿意负重而行，或者这世间种种本不支持人负重而行，所以，放下才是自然，可是，我依旧无法不悲伤。

关荷看我突然不走了，脚像生了根一样定在地上，便问："怎么了？"

我摇摇头，朝她笑着，一副了无心事的样子，关荷牵着我的手，直奔小吃摊。

我们要好了麻辣烫，正吃着，忽然听到有人叫我："罗琦琦。"

我抬头，竟然是林岚。

她兴高采烈地走过来："好久没有见你，暑假刚回来就听说了无数关于你的小道消息。"

久别重逢，我也很高兴，没忍住地抱了她一下："你还好吗？"

我的热情让她很是意外："我很好，还有两年就毕业了，所以今年回来提前找找实习的单位。你和以前不太一样了。"

我单手叉腰，摆了个造型，俏皮地说："那是，越长越漂亮了呗！"

林岚吃惊地瞪着我，似乎完全无法把眼前的人和当年沉默冷淡的人联系在一起。

我说："一块儿吃东西，我来请客。"

她笑着摇头："下次吧，今天我陪妈妈来的。"

她指了指不远处的另一家麻辣烫摊位，我看到她妈妈的一瞬间，惊得呆住，这个消瘦憔悴的女人真是林岚的妈妈吗？当年的她看着比我妈妈年轻十岁都不止，如今的她看着却比我妈妈要足足大上十岁，可这还不算最可悲的，最可悲的是她在努力把自己往年轻里打扮，穿着不得体才真正凸显出她的落魄。

因为太震惊，即使我一贯善于掩藏情绪，都没能掩盖住，林岚似完全明白我所想，淡漠地说："那男的说受不了压力离开了，她的爱情已经死亡。看着她如今的样子，我既觉得她可怜，又觉得很解气。当年所有人都劝她，我也哭着求她，可她心里只有那个男人，在她眼中我和爸爸都比不上她伟大的爱情，现在终于尝到恶果了。"

"你有什么打算？"

"我已经决定毕业后就回来，她现在只有我了。很可笑，我因为她逃离这里，又因为她要回到这里。"

我默默地看着她，不能说什么，也不可能说什么。

"我爸又结婚了，和新老婆生的儿子已经可以给我打电话，叫姐姐了。我爸的新生活才刚开始，我妈这辈子却已经完了。"林岚冷冷地讥笑着，"男人和女人不同，男人即使四十岁仍然可以犯错，男人可以'浪子回头金不换'，女人只有'一失足千古恨'，女人不要说四十岁，就是十五岁，只要一步踏错，就会把自己的一生毁了。"

林岚没有说十四岁，偏偏说了十五岁。想起晓菲，我的神色一黯，林岚明知道我的痛处，却依然往痛处戳。我盯着她，她却装糊涂，嘴角一扬，已经巧笑倩兮，看着就如这个年纪的普通漂亮女孩。

"我这一辈子绝不相信爱情。男人只会锦上添花，只有你美丽时，他才会来爱你；你丑陋了、落魄了，他比谁都跑得快。琦琦，你也要记得，永远要最爱自己。"

林岚抓着我的手，眼中有真诚的担忧，我这才反应过来她意有所指，看来她听说的是我和张骏的小道消息，张骏花名在外，她怕我吃亏。

我们几乎从不往来，可大概真是君子之交淡如水，否则以她现在的冷淡心性绝不会随意将自己的心敞开给外人看。

我反握住她的手："我明白的，谢谢。"

"好好学习，当年我们一群女孩，我一直认定只有我和葛晓菲是最优秀的，肯定能考上名牌大学，现在却只有你了……"林岚笑着摇了摇头，将眼中的阴霾甩掉，"我等着听你进清华北大的好消息。"

我笑着叹气："只有年级前几名才有可能进清华北大，我连班级第一都

不是。"

"我对你有绝对的信心。"

林岚走了，留给我一个轻快的背影，可背影下背负的沉重只有她自己知道。

我笑意盈盈地回到小吃摊，但关荷也非常人的敏感，问我："你和林岚说了什么？好像有心事。"

"没什么。"我沉默着吃了一会儿麻辣烫，终于没忍住地问，"你说，爱情究竟是什么？诗词歌赋、神话传说、小说电影里都一再歌颂着它，似乎它是我们人类情感中最美丽、最真挚的东西。可为什么我在现实世界看不到？我们身边的同学很容易说喜欢，可也许今天给你写情书，明天就在追另一个女生。大人的世界就更不用提了，善变与现实同在，我爸的一个同事刚考上中科院的研究生就把这边交往两年的女朋友甩了，唯恐耽误了自己的锦绣前程。"

关荷笑得喘不过气来，边笑边说："你问我，我问谁呢？你正在谈恋爱的人都不知道，我怎么会知道？不过相较爱情，我更愿意相信亲情，我知道我妈妈爱我，她永不会看到另一个更漂亮的女孩就对我变心，所以，我放心大胆、全心全意地去爱她。"

我哈哈大笑，关荷真是妙人！不管真、不管假，她总是用花团锦簇来装饰她的生活，她让自己像公主一般活着，别人也就把她当公主看。这大概是另外一种自爱的方式，不把自己的悲惨当悲惨，也就没有人敢轻视你。

关荷好奇地问我："琦琦，喜欢一个人是什么感觉？"

我带着试探反问："那么多男生喜欢你，难道你从没有喜欢过一个男生吗？"

关荷摇头："我和你们不一样，我没有心思想这些事情，必须要好好学习，否则我对不起为我牺牲了很多的妈妈。"

我放下心来，笑嘻嘻地说："不喜欢挺好的，喜欢就是把自己的心交给别人掌握，让别人掌管你的喜怒哀乐，这并不是一件好事。"

关荷笑："那你怎么还喜欢上了张骏？你有多喜欢他？我是说……"她想了想，"也许我的人生观比较现实，想得比较多，比如，你有没有想过，你会因为和张骏在一起，学习成绩下滑？老师说的话不见得都对，可事实证明，早恋的确会影响学习，对一般的学生，年级中落后个七八名也许无所谓，可在我们的位置，就是清华北大和西安交大的区别。"

关荷的问题不容易回答，我想了想后，问她："你看过列夫·托尔斯泰的《安娜·卡列尼娜》吗？"

"看过，不过很不喜欢，男的自私，女的怯懦，我更喜欢《复活》。"

"《安娜·卡列尼娜》是我最喜欢的书，我在初三的暑假看的这本书，连续看了三遍，可以说它颠覆了我的爱情观。"

关荷做了个疑问的表情，我说："渥伦斯基很爱安娜，爱到不介意她已经结婚生子，也不介意自己会名声受损，他们可以说历经重重波折才终于走到一起，他们绝对拥有世间最真诚的爱情。可是结果呢？当渥伦斯基真正得到安娜后，当两个人绚烂热烈的爱情落实到一日又一日的现实生活中时，激情退却后的渥伦斯基发现爱情只是生活中的一小部分，他开始渴望拥有生活中的其他部分，明明安娜仍然是那个曾让他心醉神迷的安娜，可他因为后悔为安娜所放弃的东西——家族、社会地位等，他开始对安娜心生不满。安娜最终选择了卧轨自尽，以牺牲生命的方式报复了渥伦斯基。渥伦斯基后半生肯定再得不到心灵的安宁，可值得吗？"

"你很讨厌渥伦斯基？"

"不，我不讨厌渥伦斯基，他并不卑鄙，也不是坏人，否则他不会因为安娜的死而终身受到心灵的谴责，他的想法和做法是所有正常男人的想法和做法，托尔斯泰只是将正常男人在他身上写实地放大了。男人只有可能为爱情活一瞬，绝不可能活一生。在他们的生命中，事业、家族、社会地位都会比爱情更重要，如果当时他没觉得重要，认为爱情更重要，请相信我，那一定是幻觉！"

关荷听得全神贯注："那安娜呢？你同情她吗？"

我说："我也不同情安娜，爱一个人没有错，女人的生命本就因爱情才多姿，可是，爱一个人爱到迷失了自己，那就一定是错的。女人总是喜欢为爱情自我牺牲，却不知道等她牺牲到只剩下爱情时，也是爱情离开她的时候。男人永不可能把爱情当作生活的全部，所以，女人也就必须不能把男人

当成生命的全部。安娜把渥伦斯基当成了她生命的全部，结果却是害死了自己，也让渥伦斯基终身不幸，安娜她爱得很失败。"

关荷点点头："这就是我不喜欢这本书的原因，因为这里面没有一个人物让我喜欢，不过必须承认安娜也是所有女人的写实放大，现实生活中的安娜比比皆是。我想我明白你的意思了，你不会做安娜，也绝不会让张骏有机会去做渥伦斯基。"

"是的！我不想十年、二十年之后，张骏回忆起他的高中，很后悔地说，如果我当年没和罗琦琦谈恋爱，也许我就能考一个好大学，能读一个好专业，也许我就不会像现在这样，我就能如何如何……"

关荷哈哈大笑："嗯，因为男人觉得爱情更重要那是幻觉，终有一天，他会从幻觉中醒来，遗憾自己为爱情所失去的。"

我自嘲地说："我自己都觉得我理智得太不可爱，不停地衡量爱情和现实。"

关荷打量着我说："错了，琦琦，你很喜欢张骏，喜欢到都怕他十年后会有遗憾，你不想他后悔曾喜欢过你。"

第4章

青春花开两枚

从解散的那一天开始

我们就在期待你们能复合

时间却残忍地说

散了，就再也回不去了……

1
高二开始了

岁月已将我心锻成坚强的铁，令我能从容于人世风霜。
可是，唯有你，轻易地，就能让它碎裂。
只因，你是我所有的青春岁月，是我所有不能忘的欢笑与哀愁，
坚硬的外壳下，总有一处深藏的角落，为你温柔地跳动。

新学期的第一天，早上是开学典礼。先是校长讲话，然后高一新生代表讲话，最后给各年级三好学生、优秀班干部颁奖，本人虽然成绩在班级位列第二，但是无缘三好学生，因为体育成绩班级倒数第一。

为了这件事情，班主任特意给我解释，我无所谓，我看重的不是这些虚名，我唯一惦记的就是我的学习成绩。不过，当听到（4）班的优秀班干部是张骏时，我却虚荣心很是爆发，他上台去领奖时，我鼓掌分外用力，手掌都拍红了。

下午的主要任务是大扫除，除了自己班的教室，学校还给每个班分了几条道路，要我们打扫

（4）班动作快，很早就打扫完卫生。张骏来找我时，我正和马力斗嘴，没听到他叫我。等听到他叫我时，我们班男生也全都听到了，开始嗷嗷地起哄。我被哄得不好意思，一溜烟地跑到张骏面前："我们还不能走，你先走吧。"转身就要溜回去，张骏说："我等你。"说着，就要坐到旁边的长凳上。

我吓得立即说："不要。"看到他失望不解的表情，我想了想又说，"那你在校门口外面的花坛等我吧，我去找你。"

他说："那也行。"

我拿着扫帚回去继续打扫卫生，杨军嘴快地问我："难道谣言是真的，你真和张骏谈上了？"

我瞪了他一眼："普通男女同学就不能说话吗？"

不知道为什么，我很难当众承认我是张骏的女朋友，也许我内心深处明白，只是不愿意去想。我怕张骏只是和我玩一场，我不想让别人在我的名字之前加上"张骏的女朋友之一"的修饰语。

因为我没有承认，大家也都觉得我和张骏八竿子打不到一起，所以虽然谣言满天飞，他们仍然当成玩笑。

童云珠默默地瞅着我，我知道她和张骏关系很好，突然就有些心虚，赶紧笑闹着，摆脱了那种感觉，我是没承认，可我也没否认呀！

正式开始上课后，张骏要求每天放学后和我一块儿回家。我不肯让他在楼道里等我，他只能在学校外面等我。

张骏为此没少抱怨，嘲笑我看着桀骜大胆，没想到这么怕老师父母。不管他怎么嘲笑，我依旧坚持"地下情"。

因为保密工作做得很好，除了张骏的哥们儿和我的几个好朋友，学校的同学都不知道我和张骏在谈恋爱。以张骏的受关注程度，我简直是创造了世界第九大奇迹。

高中时的恋爱，其实很简单。生活中没有什么大事，有的只是一点一滴的小事，所有的高兴与哀愁都紧紧围绕着这些点滴小事。

他每天等我放学，先送我回家，再自己回家。

我们俩的班级挨着，不管什么时候，他经过我们班，总不忘用视线和我打个招呼。

课间操的时候，他会买零食给我，知道我害怕别人看见，就让童云珠带给我，常常是我刚想起去买冷饮，童云珠已经笑拿着雪糕和饮料来找我。

燥热的夏季午后，没有一丝风，同学们都拿着自制的扇子，边扇边听课，他会请童云珠转交给我一个装满了冰块的密封太空杯，让我上课的时候放在桌子上消暑。

我是语文课代表，经常要去给语文老师送作业，他如果从窗户里看见我经过，总会立即强行帮助他们班的某个课代表送作业，陪着我一块儿去老师的办公楼。

　　张骏每天课间活动都会去打篮球，每次都希望我去看。我不好意思明目张胆地去看他打篮球，就先煽动杨军的好胜心，鼓动他一定要打败（4）班的张骏，确立高二年级篮球霸主的地位，等成功煽动了杨军后，我就打着去给杨军助威的旗号，拖着林依然去看杨军打篮球，顺便，当然就也能看到张骏了。在我天天的煽风点火下，再加上关于张骏和童云珠暧昧关系的谣言，杨军每次见到张骏都和斗鸡一样，在篮球场里把张骏往死里盯，张骏对我的曲线救国策略哭笑不得。

　　我不好意思说什么我喜欢你，也不好意思经常去找张骏，甚至，我会在学校里刻意回避着他，可我喜欢趁他不注意的时候看他，不管他在做什么，只要看到他，我就会觉得很幸福。经过多年的练习，我的"张骏定位技术"已经炉火纯青，我可以在一群人中，视线若无其事地扫过，却一眼就看到他；我可以在走过楼道时，目不斜视，眼角的余光却将他在教室里的一举一动尽收眼底；我甚至能从背后感受到他的存在，知道他有没有在看我。

　　我喜欢吃果冻，和他在一起后，尤其喜欢上了水晶之恋的心形果冻，偶尔，我也会羞涩地麻烦童云珠把一个水晶之恋的心形果冻转交给张骏，叮嘱他一定要在什么时间吃，然后，一直盯着表算时间，等到规定的时间，我也偷偷吃一个，感觉上就好像我们两颗心紧紧相连。张骏放学的时候，会笑着给我讲他上课偷吃果冻被老师抓住了，质问我他哪里得罪我了，我为什么要故意整他。

　　我们班和他们班的语文老师的办公桌面对面，有时候，我会利用职务之便，趁着去拿作业时，把写好的字条偷偷夹在他的语文作业里。字条上的内容多数很乏味，却藏着我隐秘的幸福和喜悦。

　　我发现他的科目中也是英文最不好，我每次做笔记的时候，都会在笔记纸下面垫一张蓝色的复写纸，写两份笔记，把字迹最清楚的那一份拿给他。为了鼓励他用功，我告诉他我每天早起半小时背英文，请他陪我一块儿早起。每天早上起床时，想到他也在这个时间起床了，就会忍不住微笑，念英语都念得像唱歌。

　　一起放学的路上，我们有时候讲学校里的事情，有时候他会给我唱歌。

他最喜欢张学友的歌，也是张学友的歌唱得最好听，声音醇厚，富有磁性，不亚于张学友本人。从《我等得花儿也谢了》到《一路上有你》，后来，每当别人问"你最喜欢听谁的歌"，我总会立即回答"张学友"，实际上我从不买流行歌曲磁带，我所有听过的关于张学友的歌都是张骏唱给我听的。

回家的路上，他总是帮我拿着书包，我手里需要拿的只是一支雪糕，他唱着歌，我听着，陪伴我们的是满天星辰、习习晚风。

周末，各自做完功课后，我们有时候出去玩，有时候就到河边散步。

出不出去玩、到哪里玩的决定权在我，而我怎么决定，取决于我的零花钱，因为我的自尊，我一直尽量维持着我们金钱付出的公平性，比如，他若请我滑旱冰，我就会请他吃小吃。但是我和他的差距太大，有时候他想请我去看电影，我却因为已经没有了零花钱必须拒绝他，可我不好意思告诉他真正的原因，只能简单地说我不想去。他有时候会不开心，不过来得快，去得也快。

那么多的琐事，小得都不知道怎么去回忆，可是，当时真的是太快乐了。在枯燥的学习生活中，两个人小心翼翼地享受着那份偷偷的快乐，每天的相处时间都只是点滴，可因为很珍惜，每一点、每一滴都特别甜蜜。

高二的那个九月，一切都美得像九月的天。心，每天都瓦蓝瓦蓝得明亮，而那些瓦蓝下的阴影，我们俩，我是迟钝，他却是以为只要足够爱，就可以克服。

十月份的一个周末，张骏说贾公子请我们去唱歌，让我跟父母说不回家吃晚饭，我照办了。

到了歌厅，发现同学很多，有我的好朋友关荷、林依然，也有张骏的好朋友甄公子、贾公子、童云珠、黄薇，还有一些我不认识的同学。

我紧张起来，刻意地和张骏保持距离，不想下个星期走进教室后发现我和张骏谈恋爱的消息已经人尽皆知。可张骏感受不到我的紧张，我坐到哪里，他跟到哪里。

唱了一会儿歌，张骏告诉我要出去一下，好一会儿，他都没有回来，我正奇怪，一直看着表的贾公子突然站起来，把灯关了，张骏捧着一个生日蛋

糕走进来。

在摇曳的烛光中，关荷和张骏的几个好朋友都拍着手开始唱："祝你生日快乐，祝你生日快乐……"其他人立即明白过来，也跟着一起唱"祝你生日快乐，祝你生日快乐"。

我手足无措，吃惊地看着张骏。父母那一辈人不讲究这些西式礼节，小孩子的生日也就是做一桌好菜，给一点零花钱，这是我人生中的第一个生日蛋糕，也是我第一次被人这么隆重地祝福。

浪漫的烛光、温馨的祝福，让我第一次忘记了介意别人知道我和张骏的关系。

张骏说："闭上眼睛许一个愿望，然后一口气吹熄蜡烛，愿望就会实现。"

贾公子他们也都说："生日许的愿望，很灵验。"

我闭上眼睛，把所有的杂念都清除，用十二万分的诚心，默默祈祷，请让张骏永远爱我。

那个时候，我最恐惧的是他不爱我，却不明白，他永远爱我，并不等于，我们永远在一起。

睁开眼睛，用尽我全身的力气，一口气吹熄了所有的蜡烛，大家都笑着鼓掌。

所有朋友都给了我礼物，我不停地说着谢谢，最后是张骏，大家很激动，尤其是女孩子，全等着看他的礼物，因为女孩子们总是认为从男生送的礼物中能清楚地看到他的感情。

张骏递给我一个红绒盒子，我打开看，发现是一根很漂亮的金链子，有一个小小的桃心金坠子。

"上面刻着我们俩姓氏的缩写。"张骏喜滋滋地指给我看，Zh&L。

女生们惊叹"真好看"，黄薇却是双手抱于胸前，不屑地盯着我。

我合上盒子，把金项链还给张骏："对不起，我不能要。"

屋子里突地安静下来，张骏的朋友都不能理解我此时的举动，只有关荷眼中有了然，我们都太自尊、太骄傲，或者说太自卑、太敏感。

张骏好似平静地微笑着说："即使样子不好看，你也收下做个纪念，这上面有咱俩的名字。"

"我不能要。"

甄公子怒瞪着我，想破口大骂，贾公子拉住了他，打着圆场："礼物送完了，我们也该散了。"

大家都尴尬地附和："走了，走了，我们走了。"

张骏盯着我，脸上的微笑勉强地绷着："最后问你一遍，你要不要？"

我摇摇头。

砰的一声，张骏将盒子扔进了垃圾桶，若无其事地对甄公子笑说："我们去打台球。"

甄公子瞪了我一眼，立即附和地大叫："走，走，一起去打球。"

他们几个要好的哥们儿带着所有朋友有说有笑地离开了，只剩下了林依然和关荷。

我对她们笑笑："对不起，我先回家了。"

短短一会儿，我就从天堂跌进了地狱。

回到家后，脑子里仍乱哄哄的，躺在床上翻来覆去都睡不着，所有因为张骏而起的委屈都涌上了心头。

每天放学都偷偷摸摸，牺牲了学习时间陪他，沦落成他众多女朋友中的一个，被人用讥笑的口吻谈论，明知道我不想别人知道我们的关系，他却邀请了那么多人，每次在一起时，花钱都很痛苦，他却丝毫不体谅……

正在胡思乱想，桌上的电话突然大响，我被吓了一跳的同时，很有第六感地立即接了电话，速度快得电话铃一声都没响完。

"喂？"

"是我。"

我胆战心惊地拉开门看了一眼，肯定父母那边没有任何动静后才抱着电话躲进了被子中。

两个人都不说话，好一会儿后，他问："你还在吗？"

"你干吗这么晚打电话？我爸妈接电话怎么办？"

"我想过了，如果是你爸妈接，我就立即挂掉，他们会以为是骚扰电话，不过，我有感觉，觉得会是你接。"

我不吭声，他问："你有没有生气？"

"没有。"

"那你明天愿意一块儿出去玩吗？"

"我明天要看书。"

"后天、大后天、大大后天你都要看书，你压根儿不想见我，对吗？"

我没有回答。

"今天是你的生日，无论如何，我都不该对你发火，更何况这是我们在一起过的第一个生日，我真的特别想让你高兴。我重新给你送一份生日礼物，你别生我气了，好吗？"

还送？我被他怄得差点要扔电话："你别送我礼物了，人的感情不是由礼物来表达的。"

"我刚才到过你家，已经把东西放在你家门口了，你去拿一下。"

"我不要。"

"即使不要，你也得去扔掉啊！难不成你想让你爸妈明天看到？"

我愣了一下，立即搁下电话，蹑手蹑脚地溜到客厅，打开门，看到门边的角落里放着一个小小的透明塑料瓶，上面系着一条蓝色的丝带，赶紧拿进来，关好门，溜回卧室。

到了卧室才敢细看，塑料瓶里装着一枚石头。

瓶子，虽然好看，却只是巧克力豆吃完后的废瓶子；石头，虽然漂亮，却是很普通的石头，只要肯花时间，在河里就能捡到。

我想了半天都没想通张骏是什么意思，只能又把电话抱进被子里，提着一颗心给他拨电话，电话刚响了半声，他就接了电话。

我压着声音说："是我。"

他说："我知道。"

"你是什么意思？"

"你还记得我们五年级的暑假吗？"

我脑海里一幅幅清晰的画面，哗哗地闪过，语气却冷冰冰的："不记得了。"

"高老师辅导我们参加数学竞赛，那时候，我们每天一起回家，常常去河边玩，你很喜欢捡石头。你那时性格比较内向，总喜欢低着头，不怎么笑，也不怎么说话，可只要我帮你捡到好看的石头，你就会很开心，会和我说话，还会给我讲你从书里看来的故事，你还记得吗？"

我当然记得，我怎么可能忘记？只是，我们的记忆有偏差，我记得我一直在绞尽脑汁地和他说话，也记得那时不管他帮不帮我捡石头，我都会很开心。

他说："我每次到河边散步，都会无意识地翻翻石头，如果有好看的就捡起来。一颗石头代表一年，以后，你每年生日，我都会从我收集的石头里挑一颗最好看的送给你，我希望你将来有一百颗我送的漂亮石头。"

我想了一会儿，才明白了他的意思，刹那间，我又从地狱到了天堂，心里是满溢的感动，口上却避重就轻地说："我哪里能活一百多岁？"

他笑着说："我们一起活，就能活到。"

"你就做白日梦吧！"

"这可不是白日梦，有科学根据的，报道说很多老人的长寿秘诀就是保持良好的心情，只要咱俩在一起，肯定每天都能高高兴兴的，我们肯定能活过一百岁。"

他说得有鼻子有眼，我忍不住捂着嘴巴不停地笑，晚上的不快就那么被甜蜜淹没得无影无踪了。

是不是每一段恋爱都是走着高兴、不高兴的起伏曲线？我不知道，我只知道我那颗敏感的少女心，会因为他的一句话，刹那跌入谷底，也会因为他的一个举动，瞬间升入天堂，看似反复无常，其实，一切的判断标准只是：他在不在乎我。

2
年级第一

感谢你，曾与我倾心相遇；感谢你，曾许我那句美丽的誓言。
时光流逝，年华老去，倾心的相遇会分离，
美丽的誓言会改变，这世界有太多的残缺和遗憾，
可我记得，我永远记得，你曾深深地爱过我。

因为生日宴会，我和张骏的事情在校园里很快传开，杨军同学笑得前仰后合。

那时候，校园民谣正流行得如火如荼，很多男生都喜欢课间休息时坐在课桌上，脚踩着凳子，抱着把吉它弹来弹去，杨军就是其中之一。

他没有办法对童云珠唱情歌，就把所有的精力用来打击嘲笑我，自从听说了我和张骏的事，他最喜欢的游戏就是对着我边弹边唱《同桌的你》。

"谁娶了多愁善感的你，谁看了你的日记，谁把你的长发盘起，谁给你做的嫁衣，谁又看了我写给你的信……"

全班人都边听边笑。

这个时候，我一定要镇定再镇定，彻底无视他，否则不管任何反应，都只会让我们班的男生笑得更开心。

可在期中考试前，杨军却突然萎靡不振，不再捉弄我，不再唱歌，连学习的心情都没有。

我问他怎么了，他悄悄告诉我，看见童云珠和那个开录像厅的流氓牵手。

他的伤心沉重得超过我的预料，他每天趴在桌子上睡觉，作业要么乱做，要么就抄我的。

我实在受不了他，晚自习叫上他一块儿逃课，两人跑到学校的荷塘边听青蛙或者癞蛤蟆叫。

我问他究竟有多喜欢童云珠，为什么喜欢童云珠，杨军说话完全前言不搭后语，一会儿很伤心地说很喜欢童云珠，不明白她为什么不喜欢自己；一会儿又很生气地说他也不是那么喜欢她，才不在乎她和谁在一起。

我说："你觉得自己比那个小流氓优秀，可你凭什么肯定自己的优秀呢？因为你成绩好，将来一定会考上名牌大学，有更光明的前途。可如果你现在为失恋开始颓废厌学，那你成绩会下滑，会考不上名牌大学，甚至连重点都考不上，你有什么资格觉得自己更优秀？童云珠一边在外面玩，一边成绩还不错，她把自己的生活掌控得很好，这样的女生肯定看不起不能掌控自己生活的男生。你若不喜欢她，就应该好好学习，因为她既然迟早是过眼云烟，你怎么可以用未来的人生为过眼云烟陪葬？你若喜欢她，就更应该好好学习，证明你是强者，这样也许她会在将来的某一天喜欢上你。"

杨军估计对我的逻辑很是不服，拧着劲问："那如果我恨她呢？"

我冷笑一声："那就更应该好好学习，只有这样，你将来才能功成名就，活得比她好，把她踩到脚下去。"

杨军被我说得蒙了，傻傻地看着我，我挥了挥手："我只是你的朋友，该尽的义务已经尽到，你要再颓废堕落，我一句废话都不会再说。反正，路要怎么走，只有自己能决定，这世上，如果不自爱，没有人会爱你！"

杨军默默沉思了很久后，忽然说："刚开始听说你和张骏在一起时，我觉得你压力会很大，现在突然觉得，其实张骏的压力也很大。"

我不解地问："什么意思？"

杨军摇摇头，望着黑漆漆的暗处发呆，脸上是不再掩饰的难过。在这个年纪，因为喜欢很纯粹，所以悲伤也很纯粹。因为那份悲伤，杨军好像突然长大了几岁，不再是一年前，我刚认识他时的没心没肺。

成长好像总是要伴随着伤痛，是不是因为只有受过伤，才能结疤？当一层又一层的疤包裹在我们的心上时，我们变得不再容易受伤，也不再容易感动，也就长大了。

我和杨军在荷塘边一直听着青蛙叫，快十点时，才往回走。

第二天，杨军又开始干劲十足，嚷嚷着要超过林依然和我，林依然抿着

嘴笑，我说："别说空话，放马过来。"

我们三个你追着我，我赶着你地为期中考试做准备。

我复习得很认真也很全面，连最讨厌的政治都可以倒背如流，英语我仍然没底，但根据平时做题的感觉，潜意识觉得这次应该有起色。

考试成绩的排名出来时，班主任很激动："我有一个好消息告诉大家，全年级九个班，年级前十名，我们班就占了三个。"

同学们刷的一下，全把视线投向了我们的三角区。

"首先我要恭喜罗琦琦，她是我们班的班级第一，也是年级第一。"

我们班同学开始鼓掌，我嘴巴张着，不能相信，虽然我这次感觉到自己的英文卷子做得不错，和以前考完后的感觉很不同，但是真没想到一下子就成了第一，而且是两个第一的目标同时实现。老天似乎故意在考验我，没有给我一点渐进的过程，而是突然之间就把我从绝望的黑暗扔到了绚烂的光明中。

班主任让大家安静，接着说："林依然是我们班的第二，也是年级第二。"

我们班的同学又开始鼓掌，林依然回头看我，眼睛里有喜悦和兴奋的光芒。我刚才有一瞬间的担心，担心她怎么看这次我的胜出，现在我知道了，她为自己感到喜悦，也为我感到喜悦。

"杨军是我们班的第三，年级第十。恭喜你们，恭喜你们！"

杨军握着拳头，猛地一声欢呼："终于进年级前十名了。"

在他发泄的大叫声中，我真正接受了自己已经成为一中年级第一的事实，因为这个成果来之不易，在我的生命中，第一次体会到了收获成功的喜悦，高兴得一句话都说不出来，只知道看着杨军和林依然傻笑。

时光悠悠流转，匆匆已是多年，我遗忘了很多事情，可那一次的喜悦我仍然记得清清楚楚，从那一次到现在，岁月磨砺下，我的很多观点都变了，可我始终认为只有辛劳付出后的成功才是真正的成功，唯有这样的成功才会带给人真正的喜悦。

下午放学的时候，张骏一见我就笑，显得比我还高兴，我知道他肯定也知道消息了，有心询问他的成绩，又怕万一不理想。

他主动汇报："在你这个小监工的督促下，本人的成绩也达到历史最好，从上学期的年级七十八前进到年级三十五，不过我刚前进了一点，你已经蹿到最前面去了，我的压力也太大了。"

我笑着吐吐舌头："把压力全部转化为动力就行了。"

张骏笑着叹气："我第一次发现，原来你是个女强人。"

我问："关荷考得怎么样？"

张骏摇摇头："不太好，有些下降，班级第三名，年级二十多。"

"那也没什么，大概没发挥好。"

张骏笑："的确没有人可以和你比，只上升不下降。"

我苦笑："世间的事情哪有那么容易？我经历的挫折不足为外人道也。"

张骏大笑起来，压根儿不信我的话，我一时间也懒得解释。

张骏问我："考了年级第一，明天下午逃课去庆祝如何？"

"好啊！"

第二天，我们俩逃掉了下午的课，去新开的溜冰馆滑真冰，又一起吃了晚饭并看了电影。我固然夺得了年级第一，他的进步却比我还大，所以两个人都意气风发，玩得十分开心。

期中考试的喜悦很快就被日常的学习冲淡，我的生活依旧两点一线，只是加了一个张骏的身影。

高一的一年，我已经习惯于一个人独来独往，井井有条地分配自己的时间，可高二有了张骏。他刚开始只是放学和我一起走，后来却连上学也来接我，周末我们也要在一起，不知不觉中，他逐渐蚕食了我几乎所有的课外时间。

刚开始时，我也欣喜能和他分分秒秒在一起，可日复一日，当我的时间全部被他霸占后，当我发现我都是跟着张骏和张骏的朋友玩，已经很久没有和林依然、杨军、沈远哲、马蹄、马力玩过时；当我发现我的生活完全依附于张骏时，我开始觉得有些压抑。偶尔，我试探地问他，周末的时候，我可不可以和沈远哲他们出去玩，他会惊讶地说："平时你学习忙，我们只能上

下学的时候说说话，好不容易有一个周末，你宁愿和同学出去玩，也不肯和男朋友出去玩？"我感受到他的不悦，只能立即打消所有念头。

过完元旦，大家都开始备战期末考试。

我心理压力很大，因为期中考试的成绩，既可以理解为一个从量变到质变的飞跃，却也可以理解为我突然走了狗屎运，发挥超常，期末考试究竟能不能拿第一，我并没有把握，因为没有把握，所以格外努力。

心理的压力、大脑的疲惫，让我更加迫切地需要一个人独处的时间，所以我不得不和张骏谈话，告诉他我的想法。期末考试前，我们只周末见面，平时，我想要一些独立的空间。

张骏不是很能理解，我和他解释，某些时候，我还需要朋友、需要同学，也许我放学的时候，本来想和林依然讨论一下数学题，可因为你在等我，我就不好和她多聊，她也不好意思来找我说话，而某些时候，我很疲惫，需要一个独处的空间，什么都不做，什么都不说，什么都不想，一个人静静地吹吹风，看看星星，发发呆。

我不知道张骏有没有真的理解我的想法，但是他同意了我的请求。

期末考试的成绩出来，我是年级第一，林依然回落到年级第七，杨军年级十三，张骏仍然是年级三十多，关荷的成绩却下滑到了年级三十多名。

过年的时候，我和张骏一块儿去了高老师家，高老师非常开心："我一直盼着你们俩一块儿来给我拜年，我们三个能再聚会，一起好好聊聊。"

我的脸刹那滚烫，低下了头。张骏看到我脸红，也低着头笑起来。

也许高老师本来的意思并非我所想，可她看到我们的反应，却立即明白了。她没有如一般的老师那样对早恋表现得很恐惧，反倒替我们开心，一边给我们切苹果，一边笑说："我就觉得你们两个有古怪，本来一块儿上补习课、一块儿参加竞赛，关系应该比别的同学更好才对，可你们俩谁都不理谁，却每年总是一个前脚刚走，一个后脚就来，和约好了一样。而且和我聊天的时候，老是套对方的消息，如果我没猜错的话，你们肯定每年都不小心'遇见'过。"

对着高老师，我的心情很放松："哪里有？就见过两次，一次在高老师家里，他要进门，我要离开；还有一次在楼下，他正在停摩托车，我刚好下楼。"

高老师打趣："记得好清楚。琦琦的记性虽然好，也不会把和谁碰见的细节都记住吧？张骏，你说呢？"

张骏不说话，只是笑。

我们和高老师像很多年前一样，畅所欲言地聊着天，聊到我的学习成绩时，我说："期中考试的时候，我有点担心自己是侥幸，过了期末考试，我已经没什么忧虑了。"

高老师说："我听说你是年级第一的时候，激动了一天，和办公室里每个老师说一中的第一名是我的学生。"

我不好意思地笑。

高老师笑问："你们下学期就要分文理班了，想过将来上什么大学吗？"

我看张骏，张骏说："还没认真想过，我爸和我提过两次，希望我要么读商科，要么读计算机。"

高老师问我："琦琦喜欢清华还是北大？"

"啊？没想过。"我一直心心念念就是年级第一。

"一中的第一不管是不是省状元，清华北大肯定随便挑着上，有时间的时候可以考虑一下哪个学校更适合自己，哪个专业更适合自己。"

我笑了笑，没说话。

从高老师家里出来后，张骏一直沉默着，我问他："怎么了？怎么突然这么沉默？"

他却笑着说："没什么。"

我感觉他心情不好，可他若不想说，我也不想追问。我一边走，一边想一些开心的事情讲给他听。

走到一家小店前，张骏忽地停了脚步："问你个问题。"

"嗯。"

"去年的今天，你站在那家店铺外面，盯着摩托车看的时候，究竟在想什么？为什么站了那么久？"

我呆了一下："那辆摩托车真是你的？"

"嗯。"

"你当时就在店铺里面？"

"嗯。"

想到自己盯着他的车发傻，我有些不好意思，哼哼唧唧地说："也没想什么，就……就想起你了呗。"

忽然之间，也说不清为什么，就觉得张骏的心情变好了。

他说："自从上高中后，你就不再出来玩，一个寒假都没机会见你，知道你肯定会给高老师拜年，那天我就特意等在这里，想看你一眼。"

我的心一阵一阵温柔地牵动，有一种温暖到窝心的感觉："前年的寒假，我下楼时，碰到你在停摩托车，并非真的偶遇，对吗？"

"琦琦，你还和别的小学同学有这么多的'偶遇'吗？一次偶遇是巧合，三次、四次偶遇就要靠有心了，整个初三，你见过关荷几次？见过我几次？你不觉得你初中三年见我的次数太多了吗？"

我讷讷地说："我……我以为是我的目光追随着你。"

张骏替我拍了拍帽子："这里风大大，别冻感冒了，我们找个暖和的地方。"

我们去吃羊肉串，坐在火炉子前，身上立即暖和了。我咬着羊肉串，满脑子仍在想以前的事情。

张骏问我："你怎么一直不说话，在想什么？"

"嗯……嗯……我有个问题想问你，你以前究竟有几个女朋友？"

他的脸竟然罕有地红了起来："你听说过几个？"

"两个，一个是幼儿园老师，一个是跳舞的。后来还有陈亦男、童云珠，不过，我从没看到你和陈亦男在一起，应该和童云珠一样，都是同学们瞎传的。"

"我和陈亦男一起出去玩过几次，朋友们老开我们的玩笑，把我们往一起凑，不知道怎么就越传越真。我从没约她单独出去过，她也从没约我出去过，就是偶尔会给我写信，全是古体诗词，我压根儿看不懂。童云珠和男生玩得很凶，其实一直喜欢的人都是郝镰，我和她百分之百的纯友谊。"

"那……那前两个呢？你喜欢她们吗？"

张骏非常尴尬，不想说，可又不得不说："你说的幼儿园的老师，我和她玩得很好，可她喜欢的不是我，是我的一个哥们儿，那个哥们儿有点花心，她就老是故意和我很亲密来气那哥们儿，你碰到她喝醉哭泣，都是因为那哥们儿闹的，和我没任何关系，后来她死心了，就不和我们来往了。"

现在仔细回忆过去，不多的几幅画面中，那个女孩的目光总是看着别处，的确从没有真正落在张骏身上。

"真正交往过的女朋友只有一个，就和你打架的那个，她叫林悦。"张骏非常窘迫，"咱们能不谈这些了吗？"

"不行。"我心里最介意的就是她，那一袭飞扬的红裙让我耿耿于怀了很多个夜晚。

张骏没有办法，只能继续交代："有一次，我去许小波的歌厅，你和他在对唱情歌，你还记得吗？"

我想了一下："记得。"那是为了庆祝你被人"抛弃"。

"我当时以为你和许小波在一起了，正好林悦对我有点意思，人也长得漂亮，几个哥们儿都觉得她很正点，我就和她在一起了，她和我们能玩到一起，也玩得挺开心的……"张骏四处看了看，问老板要了支烟，"后来的事情，你都知道，过去的事情我不想再说了，你以后也别问了。"

烟雾缭绕中，张骏的神情透着冷漠，是我曾见过的"小骏哥"的样子，竟让我有一瞬间的心痛。

"好的，我以后不会再问。"

我不知道他跟着小六的时候究竟干过什么，也不知道他在公安局究竟经历了什么，只知道他对过去的事情很介怀，绝口不提。也许要等到所有的伤痛都真正成为回忆时，他才会愿意告诉我，在此之前，我愿意耐心地等待。

他的神情慢慢柔和起来，把烟摁熄在烟灰缸里，凝视着我，非常郑重地说："你不是我第一个女朋友，但一定是最后一个。"

晚上，我在日记本上第一次写下："我想张骏是真的喜欢我，我觉得非常非常非常幸福。"

当年的我无限欣喜地沉浸于张骏喜欢我的认知中，享受着恋爱的幸福。可现在的我想到这段日记，却只有心酸，一边心疼着那个十六七岁的罗琦琦，一边心疼着张骏。张骏恐怕怎么都不会想到两个人在一起那么久了，他那么小心翼翼、全心全意地爱着琦琦，琦琦却直到现在才敢确信他爱她。如果他明白这点，也许他就能理解琦琦表面的坚强，假装的不在乎。

年少的琦琦用情很深，正因深反而越发怕，心底的自卑被放大，总觉得张骏随时会喜欢上别的女孩，再加上亲眼目睹了葛晓菲和其他人在爱情中的悲剧，她的自我保护意识很强，理智上一遍遍地提醒让她的爱带着悲观，像一只紧张的蜗牛，随时准备缩回自己的壳子里。可年少的张骏并不能理解琦琦的复杂心理，他只能根据眼睛看到的去判断，得出琦琦并不是很喜欢他的结论。

3
关于爱情的猜忌

这是我们的故事，可我们既未预料到故事的开始，
也未预料到故事的结束，我们将它怪责为命运，
其实所有的悲欢离合，都由我们一笔一画地写出。
只有在回首的刹那，我们才能看清楚一切的因由，
也只有在太迟的时候，才能揣摩出当时的错过。

高二的第二学期开学后，学校分了文理班，原先的班级保持不动，成为理科班，新增加两个文科班，（10）班和（11）班，把所有选择文科班的同学调到这两个班级。

文理分班对我、张骏以及周围要好的同学都没有影响，因为我们全都选

择了理科。

我和张骏保持上个学期达成的协议，给予彼此一些独立的空间，不再每天放学一起走，有时候周末，我也可以和林依然、杨军、沈远哲他们出去玩。

张骏很喜欢玩，跳舞、唱歌、打球，样样精通，黄薇也很会玩，他开始经常和黄薇一块儿出去。

刚开始，我并没有在意，可后来，张骏还常常放学后送黄薇回家，我心里就有些不舒服了。

但是那个时候，我很骄傲，骄傲到压根儿不屑于表现出我吃醋了，所以，当他问我："我不陪你回家时，你介意我和别的女生一起回家吗？"

我装作毫不介意地笑着："我为什么要介意？"

张骏无所谓地耸耸肩，笑着说："不介意就行。"

我因为他的无所谓而生气，却不知道他也因为我的不介意而生气。

要到很久后，我才明白，在这份感情中，患得患失的不仅仅是我，还有他。他本来就因为我拒绝他送我回家，而失望，我如今又完全不介意他和别的女生在一起，他已经不仅仅是失望，而是受伤了。

可是，我不但没能明白他的心思，反倒因为生气，一方面装作一点没生气，一方面却对他很冷漠。明明很想见他，却非要跑去和杨军、沈远哲、林依然一起玩。

甄公子、童云珠看到这样的我，自然会劝张骏分手，而杨军、林依然看到张骏明明是我的男朋友，却和别的女生一起玩，丝毫不考虑我的感受，自然也会对他不满。

张骏难受过后，却没理会朋友们的意见，决定要对我更好，他以为只要对我更好，我就会真正爱上他，在乎他。

当时的我，完全不知道张骏的心情起伏，我只知道我在生气，可张骏又突然不再送黄薇回家了，也不再单独和黄薇出去玩。他对我那么好，而我又那么喜欢他，两个人自然而然就和好了。可那种和好，虽然甜蜜，却并没有解决问题，只是一方的退让和牺牲。

四月份是张骏的生日。那天，他把校里校外的同学朋友都请了，包厢里

挤得满满当当，关荷看得目瞪口呆，问我："张骏怎么认识这么多人？"

我说："肯花钱的人一贯朋友多。"

关荷问我："你给张骏准备了什么礼物？"

"难道我到场给他祝贺生日，不就是最好的礼物？"

"别开玩笑，你真没准备礼物？"

我看了看张骏，看他正在和别人说话，没有留意这边。打开背包，给关荷看，一个漂亮的玻璃瓶，里面装着九十九颗幸运星，代表天长地久。

"真漂亮！"她凑到玻璃瓶前细看。

我在关荷耳边轻声说："是我自己叠的，每颗幸运星里都藏着一句话。"

关荷眼中有了轻松："我做了一个风铃给张骏做生日礼物，花了一个周末的时间。"

我心里感叹，她的骄傲比我更强，我是典型的"亲者痛，仇者快"的人，对越在意的人，越骄傲；对不在意的人，我会无所谓到无赖，可关荷不管对谁，都骄傲矜持。

来的大多数人，我和关荷都不认识，我们也没兴趣认识，所以坐在角落里聊天。

张骏带着几个人向我们的桌子走来："琦琦、关荷，你们看看还都认识吗？"

大家都愣了一下，然后尖叫起来，竟是小学同学。这些年，我为了杜绝那些不愉快的记忆，几乎完全不和小学同学来往。四年多之后再见，也许因为我现在过得很好，自信下，我开始变得从容，甚至有着久别重逢的喜悦。

有的同学就要技校毕业，已经在实习单位上班，有的同学在做小生意，有的女生已经订婚，还有几个和我们一样在读高中。几年不见，同在一个教室坐过的同学，人生轨迹却已经完全不同。

大家挤在一起，急切地交换着每个同学的八卦消息，一个个名字被大家提起，他们都好像很熟悉，我却总要想一会儿。

当他们提到周芸的名字，说她在实验中学读高中，我的心立即无法克制地颤了一下，以高度的警惕保持着微笑，生怕他们提起什么，虽然明知道那支一块多钱的钢笔早就什么都不是了，在成长的烦恼中，周芸的钢笔太不足挂怀。

同学们交流完了彼此知道的八卦，开始聊小学时候的趣事，打趣高飞同学看《妈妈再爱我一次》时，哭得比女生还凄惨，一整条红领巾全湿透了，高飞不肯承认，极力反驳，遭到大家一致的镇压。

高飞的女朋友像不认识他一样瞪着他。

大家幸灾乐祸地嘿嘿笑。

他们又互相揭短，说谁谁当年喜欢谁谁，都说当年张骏很会写情书，他们所有人的情书几乎都是张骏捉刀代笔，一个同学指着另一个同学和关荷说："他给你的情书就是张骏写的。"另一个立即指着高飞对关荷说："他给你的情书也是张骏写的。"

高飞的女朋友假装很生气，阴森森地对高飞说："我觉得我对你的了解真的很不够，今天晚上回去一定要好好谈谈。"

高飞却当了真，急得直叫："那时候几乎全班男生都喜欢关荷，大家都给她递字条。"挨个指着男同学问，"你说，你有没有喜欢过？还有你！我记得关荷拒绝你后，你把你爸的酒偷出来，叫我们喝，最后被你爸给揍了一顿。"又指着张骏，"还有你，有没有约关荷出去玩？被关荷拒绝了，还特自大地对我们所有人说'不是老子不好，而是关荷没眼光'！"

关荷羞红了脸，摇着手说："拜托，这都陈芝麻烂谷子的事情，你们别再说了。"

高飞趾高气扬地证明了在场所有男生都喜欢过关荷后，又特谄媚地对女朋友说："大家那个时候都是在凑热闹，根本不是真正的男女之间的喜欢，要不我们能彼此商量着轮流去约关荷吗？我们还一人出了十块钱，凑了八十块钱，打赌谁能约到关荷，钱就归谁。"

高飞的女朋友好奇地问："那谁约到了？"

"关荷就是珠穆朗玛峰，我们还没到半山腰，就全阵亡了！"

大家都哈哈大笑。

张骏侧身坐在我身旁，一手搭在我的椅背上，一手支着头，看着我，抿着唇笑。我也保持着微笑的表情，心里却有些发苦，如果换成任何一个女孩，也许我都会不介意，可他是我爱到自卑的张骏，她是我羡慕到自卑的关荷，在他们面前，我没有任何信心可以轻易地释怀。

在关荷的连连央求下，大家不再说她，又来开我和张骏的玩笑，七嘴八舌地说："交代一下恋爱过程，谁先追谁？"

"你们俩也太搞了，怎么现在才在一起？"

"我一直以为是谣言，现在才敢相信这是真的，保密工作做得太好了，你们究竟谁先喜欢谁？"

张骏看了我一眼，笑着说："当然是我先喜欢她了。"

高飞的女朋友问我："听说你是一中的年级第一，真的吗？"我点了点头，她尖叫起来，"啊！我竟然和一中的年级第一在一起！将来的清华北大生啊！"她用手抓住一只长玻璃杯，当成话筒，放到我面前："采访一下，从来没听说过年级第一名的好学生会谈恋爱，请问你觉得张骏究竟有什么魔力？"

我面红耳赤，讷讷了半晌，说："我不是好学生。"

她说："拜托！年级第一都不是好学生，那还有什么人是好学生？过度的谦虚可是骄傲的表现哦！"大家都哄笑起来，只有关荷，笑容越来越勉强。

高飞的女朋友把"话筒"移到了张骏面前："请问把一中的年级第一追到手是什么感觉？有没有觉得很有面子？"

我非常尴尬，张骏微笑着不说话。正好另外一张桌子上的朋友叫张骏，张骏趁机站起来："我过去一下，你们随便玩。"

人到得差不多时，大家开始一边吃饭，一边K歌。饭店的音响不好，对声音的修正能力很弱，不少人唱得很投入，却很难听。

小学同学们起哄要关荷去唱歌："去震震他们，让他们知道一下，什么叫唱歌。"

关荷稍稍推辞了一下，拿起了话筒。

关荷选唱的是一首老歌，叶倩文的《潇洒走一回》，几年前红遍大江南北。歌声响起时，所有人不知不觉中就安静下来。

天地悠悠过客匆匆潮起又潮落

恩恩怨怨生死白头几人能看透

红尘啊滚滚痴痴啊情深

聚散终有时

留一半清醒留一半醉

至少梦里有你追随

我拿青春赌明天

你用真情换此生

岁月不知人间多少的忧伤

何不潇洒走一回

这首歌旋律看似容易上口，其实并不好唱，因为想要把那种洒脱无畏的感觉唱出来，就要求声音非常有力度。关荷的声音就如她的气质，外柔内刚，完全唱出了这首歌的感觉，我甚至觉得她比叶倩文本人唱得还好听。

大家都被她感染，集体为她拍着手。

我用眼角的余光去看坐在另一张桌子上的张骏，他看着关荷，一脸心事重重。

大家的情绪越来越激昂，恰好又是老歌，人人都会唱，所以都一边拍手，一边跟着关荷唱，我不想显得另类，也跟着大家拍掌，拍子却总是和大家错乱的。

关荷唱完后，大家都高叫："再来一首，再来一首。"

关荷笑着放下话筒，走过来，推着我说："你也去唱一首。"

我往后缩，坚决不答应。开玩笑！刚有珠玉，我如今上去，不是东施跑去和西施比美吗？

一桌子同学，都是唯恐天下不乱的主，立即跟着起哄："罗琦琦，罗琦琦！"

我求助地看着关荷，希望她能明白我不想出这个"风头"。文艺会演时，练了几个月的歌，我都能在台上唱不下去，何况这种即兴演唱呢？可往常善解人意的她，今天却好像一点都不能理解我的心理，带着同学们起哄。

随着他们的起哄声，不管认识不认识我的人听到罗琦琦的名字，都知道是张骏的女朋友，立即跟着嚷"罗琦琦"。我不停地推辞着，推辞到后来，连我自己都觉得自己矫情得恶心，众人却仍在执著地叫，尤其是女孩子。

我以小人之心度女子之腹，严重怀疑她们都别有居心，就是想看我出丑。

终于，我被推到了电视机前。

唱什么？我是真不知道应该唱什么，我喜欢听迤逦柔靡的老歌，喜欢听美国的乡村音乐，很少关心流行趋势。我越想快点想出来，就越想不出来，大家都安静地等着我，气氛很是古怪。

真好！这次真是丢人丢大发了！而且全是张骏的朋友！

我自诩已经天下无敌的厚脸皮竟然也抵挡不住，开始想找个地洞去钻。

正在无比尴尬，张骏拿着另一个话筒，高举着手，大声问："我强烈要求和我家琦琦合唱，谁有意见？谁有意见？"

"没有，没有！谁敢有啊？"同学们哄堂大笑，刚才尴尬的气氛立即全没了。

张骏低声跟甄公子说了句话，拿着话筒走到我旁边，音响里开始播放熟悉的旋律，是张骏经常唱给我听的张学友的歌。

无求什么无寻什么
突破天地但求夜深
奔波以后能望见你
你可否知道吗
平凡亦可平淡亦可

自有天地但求日出

清早到后能望见你

那已经很好过

当身边的一切如风是你让我找到根蒂

不愿离开只愿留低情是永不枯萎

而每过一天每一天这醉者

便爱你多些再多些至满泻

我发觉我最爱与你编写

以后明天的深夜

而每过一天每一天这情深者

便爱你多些再多些至满泻

我最爱你与我这生一起

哪惧明天风高路斜

名是什么财是什么

是好滋味但如在生

朝朝每夜能望见你

那更加的好过

当身边的　切如风是你让我找到根蒂

不愿离开只愿留低情是永不枯萎

而每过一天每一天这醉者

便爱你多些再多些至满泻

　　说的是我和张骏合唱，其实，张骏几乎在独唱。刚开始我还跟着他唱几句，到后来，觉得他唱得那么好听，我完全多余，索性就不唱了，只听着他唱。

　　他站在电视机的另一边，没有看电视上的歌词，而是看着我。我不停地对他打眼色，希望他能明白一点，移开视线，可他一直看着我，看得我又羞又恼，看得同学们都开始哄笑鼓掌，我只能不去理会他，转过头盯着屏幕，

假装在研究歌词。

歌声结束的时候，很多男生打口哨，取笑张骏："不算了，这首是张骏唱的，罗琦琦再唱一首。"

张骏冲着他们笑，却压根儿不搭他们的话茬，把话筒递给了别人，拉着我回到桌子旁。

小学同学都打着哆嗦，做出被我们肉麻恶心到的样子，高飞的女朋友训斥他："看到没有？这就是你学习的榜样。"

高飞把袖子撩起来给她看："看到没有？全身的鸡皮疙瘩。"

关荷盯了我和张骏一眼，转过了头，盯着电视屏幕，好似专注地在听别人唱歌。

快十点时，大家集体给张骏唱了《生日快乐》歌后就散了。估计因为有上次不欢而散的阴影，甄公子他们都没有要求看我送给张骏的礼物，其他人的起哄声，也被他们无情镇压。

我和甄公子他们帮着张骏把礼物送到张骏家，等他们离开后，我才从背包里掏出为他准备的生日礼物。

张骏摇晃着玻璃瓶，看着里面五颜六色的幸运星，高兴地问："全是你自己叠的？"

"嗯。"

"谢谢你。"张骏打量了屋子一圈，拉开书柜的玻璃门，把玻璃瓶放进去，这样他躺在床上时，一抬头就能看见。

我怀着隐秘的喜悦偷偷地笑着。我没有告诉他，几个月前，我就在为他准备生日礼物，每天只叠一个，每一个都是最认真，最完美的。每天晚上睡觉前，我会坐在桌子前，回想着我们之间的事情，在彩色的纸条上写下一句最想对他说的话，再把有字的一面朝里，叠成幸运星。只要把幸运星拆开，就能看到里面的话。这个瓶子里，珍藏着九十九句我想告诉他的话。

我现在不想直接告诉他，我想等着某天，他突然之间意外地发现，给他一个大大的意外。想着他那时惊喜的表情，我就又期待又紧张。

张骏送我回家，走到河边，我说："在桥边坐一会儿，好吗？"

一直在默默出神的张骏愣了一下，才说："好。"

除了幸运星，我还给他准备了第二份生日礼物，我想在这个我们小时候就一起玩耍的桥上告诉他，从那个时候起我就在喜欢他，一直到现在，也一直会到未来。

张骏坐在我身旁，可心思却全不在我身上。他凝视着波光粼粼的河面，似乎思考着什么很为难的事情。他今天晚上一直心事重重，直觉告诉我，和见到我们的小学同学有关。

难道他打算向我坦白他对关荷的感情？

我想了想，决定等他先说完，我再说。

他不说话，我也不吭声。他捡了几个石头，往河里丢着，只听着一声又一声的"扑通"。

好一会儿后，他才好像下定了决心："琦琦，我想告诉你一件事情。"

"你说。"

"你……你还记得小学的赵老师吗？"

我沉默着，不知道该回答是记得，还是不记得。那个时候，我还没喜欢他，如果说记得，那就意味着当年所有的屈辱是在自己喜欢的人面前上演，那就是屈辱之上再加屈辱。

不知道怎么回答，我就决定打太极："怎么了？怎么突然提起她？"

张骏又沉默了好一会儿才说："周苿的钢笔是我偷的，偷了之后，顺手扔到操场旁边的荒草里了。"

我以为亲耳听到他告诉我，他曾真正喜欢过关荷会是今天晚上最糟糕的事情，没想到竟然还能有更糟糕的事情。我连训练有素的微笑都挂不出，只能震惊地盯着他。

"赵老师很蠢，不知道偷东西只要胆大心细，一个照面就能办到，不需要特意留在教室里等待作案时机，还搞什么搜身！真要贪图东西，要偷也该去偷个贵点的钢笔，干什么拿一支一块多的破钢笔……"他眼里有很多难受，却不知道怎么告诉我，只能一反常态，絮絮地说着话，却说到后来，自己都说不下去，声音仓促地断在了喉咙里。

夜色在沉默中透着异样的不安。

"琦琦，对不起！"张骏低着头，低声说，好似被难受和自责压得已经连看我的勇气都没有了。

我忽地仰着脸，对着他笑："其实，我早就猜到是你了。"

"啊？"他诧异地抬头，眼中沉重的自责难受淡了一些。

"你不会不知道自己小学时候的恶名吧？打架、抽烟、喝酒、追女生、偷东西……"我笑嘻嘻地看着他，边说边扳着指头算，"我们压根儿没交情，可你莫名其妙地对我那么好，主动借作业给我抄；迟到的时候，替我承担罪名；下雨时，特意买好伞等我一块儿放学，还说什么要保护我。哼！无事献殷勤，非奸即盗！你真以为我是傻妞啊？看不出端倪？"

他尴尬地看着我，眼中沉重的自责难受开始慢慢消散："原来当时你就知道了？其实我好几次都想和你说的，可每次都开不了口。"

我笑着问："小学毕业那天，你是不是就是想告诉我这个？"

"是啊！"他开始真的相信我早已经知道，表情变得轻松，"你是不是就是因为猜出是我做的，才不理我了？"

"是啊！那你以为能是什么原因？"我突然发现，谎言一旦开始，就如滚雪球一般，越滚越大，完全不能由自己控制。

他长长吐了口气，似乎庆幸终于吐出了这么多年压在心上的石头："我以为你嫌弃我，觉得和我做朋友很丢人，所以我后来才特不服许小波，他又没比我好到哪里去，没想到……可是，你怎么一点都没表现出你知道了呢？"

"我怎么没表现？你还记得吗？数学竞赛后，我突然流鼻血，你给我递纸，我一下就打开了你的手。"

张骏想了一会儿，才隐隐约约地记起来："是啊！当时吓了我一跳，那么凶！"

他看着我笑，有释然和轻松，以为我早已经惩罚了他很多年，我也微笑着看他。

我假装突然想起来，看了看表："呀！十一点多了，我得回家了。"

他忙站了起来，送我回家。

到我家楼下时，我笑朝他挥挥手："再见，做个好梦。"

他叫："琦琦。"

我回头看着他，他说："虽然事情已经过去了，我还是要说，对不起！"

我低下了头，眼中有泪水，语调却轻快地说："嗯，我知道。"

我快速地跑上楼，冲到三楼，就已经没有了力气。躲在角落里，身子紧靠着楼道的墙壁，蹲在了地上。

黑暗中，双臂紧紧环抱住自己，眼泪无声而落。我曾以为那是一个无比浪漫的开始，甚至曾以为他对我也是有一点点好感的，却怎么都没想到这中间是这样的因果关系。

第二天，张骏给我打电话，约我出去玩，我说："马上要期中考试了，我今天要去找一下林依然，向她请教几个问题。"

张骏知道我向来把学习看得很重要，所以一点没起疑："那你去吧，回来后给我打电话。"并且非常体谅地说，"这周你若想专心复习，我们可以不见面，不过，一定要每天给我打一个电话。"

"好的。"

"学习固然重要，身体也很重要，你不要太拼了。"

"嗯。"

我能感觉到他很舍不得挂电话，可我假装一无所觉，他终于还是挂了电话。

我没有生他的气，我也能完全明白所有的一切都是偶然，他并不是想陷害我，这只是命运和我们开的玩笑，可一时之间，我情绪上转不过弯来，又不想让他看出来，所以只能选择暂时不见面。

大概因为照顾张骏的阿姨临时回老家了，张骏不懂得照顾自己，再加上期中考试的忙碌紧张，一向健康得像头牛的张骏竟然重感冒了。可他一直没告诉我，直到期中考试后，我才知道。

我去看他时，发现黄薇在，正在嘘寒问暖。如果换成关荷，我肯定会吃醋，却不会表现出来，一定会故作大方地微笑，可对黄薇，我没有一点吃醋的感觉，沉默地坐到一旁，冷眼旁观，反倒让人觉得我十分介意。

张骏看到我来，非常高兴，不停地和我说着话，没几分钟黄薇就主动离开了。

我质问张骏："你为什么不告诉我你生病了？却告诉黄薇？"

张骏取笑我："罗琦琦吃醋了，罗琦琦吃醋了。"

我吃醋的次数多着呢！只不过，我真正吃醋的时候，你都不知道，因为真吃醋的时候，反倒越发去掩盖，绝不肯暴露自己的阴暗。

我笑着说："你别自我感觉良好，我不是吃醋，我是纯粹不喜欢她。"

"你又和她不熟，难道不是因为我才不喜欢她？"

"你若喜欢我，自然喜欢；你若不喜欢我，我自己会走开，和别人有什么相干？喜欢你的人多了，难道我还挨个儿去讨厌？我讨厌她是因为她明知道你有女朋友，不但不避讳，反倒故作暧昧，她这样既不尊重别人，更不懂尊重自己，任何一个自尊自爱的女生都做不出来，就这一点，我不喜欢她。"

张骏江湖习气重，一向维护朋友，赶忙替她辩解："你误会她了，她认我做哥哥了，我们是纯洁的兄妹情谊，她是看我病了才来关心一下。"

我冷笑，也不知道从哪里学的，如今男生拒绝喜欢自己女生的方法就是认她做妹妹，而女生追求不容易接近的男生的方法就是先认他做哥哥。

我去厨房给张骏倒水，看到一个烧得变形的水壶："张骏，这个水壶是怎么回事？"

张骏看着电视，不在意地说："我前天晚上烧水，稀里糊涂睡着了，水就烧干了。"

"你烧着水睡觉，不怕煤气中毒啊？"

"两点多时，我忽然醒了，觉得屋子里味道不对劲，及时关了。"

他说得浑然没当回事，我却听得出了一身冷汗，这人是不是因为从不做家务，所以对煤气的危险性没有任何认识？我记得我第一天学做饭，我妈就一再强调煤气阀门一定要关好，否则会爆炸，会中毒，会死人。

我关掉了电视，严肃地看着他，他以为怎么了，吓得呆呆地看着我，结果我开始给他普及一氧化碳中毒的知识，以及各种家庭爆炸事故，他边笑边点头："记住了，小啰唆！"

我们聊了一会儿天，我看快要十点，准备回家。

他拽着我的手，不说话，眼睛却可怜兮兮地一眨一眨，像小鹿斑比一样地看着我。

我说："要不然你搬去你姐家住几天，等病好了再回家。"

张骏放开了我的手："就一感冒，我自己能照顾自己，过两天就好了，你到家后给我电话。"

我想了想说："你有多余的钥匙吗？给我一把，方便我明天来看你，你病好了就还给你。"

他二话不说，立即先把自己的钥匙给了我。

我笑着拍拍他的头："好好休息。"

都走到门口了，他还大声说："记得打电话。"

爸爸妈妈平时的作息很规律，即使周末，仍然十一点就洗漱睡觉了。

我洗漱完，在卧室里换上平常晨练时穿的运动服，梳好头发，戴好棒球帽，一直等到十二点，听到爸爸打鼾的声音，我一骨碌爬起来，把一个枕头塞进被子里，伪装成有人在睡觉。

提着鞋，蹑手蹑脚地走到客厅，打开了大门，先把钥匙插进门里，把锁头旋转进去，然后慢慢地用力拉上门，再慢慢放开钥匙，这样就可以悄无声息地将门锁上。

贴在门口听了一会儿，确定家里没有任何异常声音后，虚掩好防盗门，穿上鞋就往楼下跑，一口气跑到张骏家，用他给我的钥匙轻轻打开了门，在黑暗中摸索着去开灯。

张骏还没有睡，正躺在床上看书，听到响动，赤着脚，拎出长年放在床下的铁管子，轻手轻脚走出来，刚打算挥棒子，客厅的灯亮了。

我和他都吓了一大跳，看清楚彼此的样子，又都指着对方大笑起来。

他惊喜地问："你怎么来的？"

"溜出来的，以前老听妖娆她们讲如何溜出家玩通宵，听了好多方法，好不容易有机会实践一次。"

"你为什么不和我说一声？我去你家楼下等你，你一个人晚上过来，也不怕碰见坏人？"

我怕提前告诉他，到时候我又溜不出来，让他空欢喜一场，但不想告诉他这个原因，只笑眯眯地打量着他说："你不就是坏人吗？"

他呵呵干笑两声："咱已经改邪归正了，如今是好得不能再好的好人。"

走进他卧室时，发现英文书倒扣在床头，显然，他刚才正在看英语，没想到他这么用功。

我怕他尴尬，装作没看见："你怎么还没睡？"

"白天睡多了。"

他挠着头，打量了一下四周："我打地铺，你睡床。"

我没客气，督促他吃完药后，穿着衣服就躺到了床上，他睡在地上。

这是我们第一次孤男寡女共处一室，两个人都很激动，不停地说着话，后来我怕他休息不好，装作困了，不再说话。

他在感冒药的作用下沉沉睡了过去，反倒是我一直计算着时间，没怎么睡好。

早晨五点多，我蹑手蹑脚地起来，帮他做了一份简单的早点，留字条提醒他吃药，安排好一切后，匆匆往家跑。

到了家门口，先将耳朵贴在门上听了听动静，肯定一切安全后，用钥匙轻轻打开门，蹑手蹑脚地迅速溜回自己卧室，钻进被窝。

快八点时，爸爸妈妈陆续起床，我听着他们的说话声，偷偷对自己做了一个鬼脸，安稳地睡了过去。

睡醒后，给张骏打了几个电话，他向我汇报有好好吃饭，有按时吃药，姐姐、姐夫来看过他，给他做了一堆好吃的，爸爸也有打电话，嘱咐他多休息。电话里，他语声柔柔的，乖得令人心疼。

晚上，和昨天一样，等爸爸妈妈睡后，穿好运动服，戴好运动帽，偷偷溜出家。

到了楼下，张骏突然从黑暗中走了出来，弯下身子，翩翩行礼："公主殿下，您的骑士在这里，请问需要什么服务？"

"你……你……"我又是开心又是心疼，"你究竟有没有生病？我看你可是好得不得了，我回家了。"

他赶紧装着咳嗽了几声："病着呢，病着呢！"

我们手牵着手，漫步在凌晨的街头，说着漫无边际的闲话，却觉得幸福无比。

晚上睡觉时，仍然一个床上、一个床下，聊着天，一直聊到凌晨三点，聊得我嗓子都有些哑了。明明我不是话多的人，他也不是话多的人，可我们俩聚在一起，总有很多话说，也不知道我们哪里来的那么多废话。

我看时间太晚，让张骏赶紧睡觉。张骏翻了个身，滚到床边，声称要握着我的手，他才能睡得更香，而睡得更香，他才能病好得更快。

我用握住他的手回答了他的无赖请求，他看着我，高兴地笑着，突然直起身子，以迅雷不及掩耳之势在我的脸颊上亲了下，然后迅速躺倒，闭上眼睛，装作已经沉睡，握着我的手却一直很用力，似乎生怕我溜掉。

我愣了愣，慢慢地笑了出来，心里有很充盈的幸福。

我不是林依然那样的女生，我早已经了解女生夜不归家会发生什么，也知道这个年龄男生的放肆大胆，混账起来什么都干得出，张骏不是纯洁男生，他肯定知道很多种方法来得到他想要得到的，绝不会比我知道的溜出家的方法少，但他什么脑筋都没动，只给了我最单纯的笨拙的喜欢。

我微笑着闭上了眼睛，张骏握着我手的力量才算松了，感觉到他动了几下，温软的唇贴在了我手上，温柔地亲来亲去。

我紧张地一动不敢动，心咚咚狂跳，一面是来自身体内自然而然的欢喜，一面却是不知名的害怕，可他只是反反复复地亲着我的手，并没有进一步的举动，我慢慢地放心了，却也不敢睁开眼睛，就一直甜蜜地装睡。

清晨六点多，我从张骏家匆匆赶回家，蹑手蹑脚走进屋，爸爸却半闭着眼睛，迷迷糊糊地从卫生间出来。

我的血液都吓得要逆流，却很镇定地叫："爸爸。"然后镇静地走到冰

箱旁去拿饮料喝，好像刚跑完步的样子。

爸爸睡眼惺忪地看了我一眼，看我穿着运动服，额头冒着汗，自然而然地问："这么早就去跑步了？"

"嗯，我们下半学期要体育达标，我体育差，怕八百米考不过，所以提前练一下。"

我边喝饮料，边走进卧室，关了门，才擦着额头的冷汗，暗呼侥幸。

幸亏妖娆她们的经验丰富，这种大清早撞见父母的事情有人碰到过，我也算有一定心理准备。

张骏的身体素质非常好，一个周末，病就基本上好了。

星期一去上学时，两个人在楼道里碰到，视线相撞时，都既不好意思，又很甜蜜。连着两个晚上，睡在同一个房间，小小的亲吻，亲密的接触，让我们好似拥有了一个所有其他同学都不能拥有的小秘密。

随着他病好的，还有我的心病。不过，我既然不打算告诉他我因为他一个无意的叛逆举动所经历的一切，自然也就不会告诉他我这两周的心情变化。

过去的一切，就让它全过去吧！

两个人的对视

芊芊那么柔弱，梅若鸿那么坚持

吟霜那么美，皓祯那么深情

乐梅那么忠贞，起轩那么惨痛

琼瑶阿姨，你骗走我们多少心甘情愿的眼泪啊

1
目标：省状元

如果时光能倒流，我一定不会骄傲地装作不在乎，我一定会大声告诉你我爱你，我一定会在你伤心时紧紧抱住你，我一定不会只顾自己的感受，不顾你的想法。

可是——可是——

梁静茹唱了《如果有一天》，可是她后来又唱了《没有如果》。

期中考试的成绩公布，我再次大获全胜，不但是第一名，而且比第二名高出二十多分，第二名和第三名只差了一分。

在老师同学眼中，我就像坐了火箭炮，一直嗖嗖地往上蹿，现在他们不仅仅把我看做年级第一，还认为我很有可能成为全省第一。

开家长会时，老校长特意找了我爸妈谈话，表示只要学校和家庭共同努力，很有信心明年能培养出一中的第一个女生理科省状元。我爸妈受宠若惊，信誓旦旦地向老校长承诺，一定全面配合老师的教育。

张骏的成绩有一点进步，年级第二十九名；关荷的成绩却再次下滑，跌到了年级四十多名。

我和林依然去看成绩时，几个高一年级的学生也在看我们的成绩榜，边看边议论我，什么罗琦琦上课经常迟到，从来不听课，不喜欢交作业，什么罗琦琦和高二年级最英俊的花花公子张骏在谈恋爱，整天花天酒地，出入歌厅电影院……

她们说得很夸张，一会儿一阵惊叹，好像我什么都不学，就可以天天拿第一。

我仰头看着成绩榜，一额头的黑线。林依然不停地偷笑。

一个女孩点着张骏的名字给她们看："看到没有？张骏以前都是年级七八十名，自从和罗琦琦在一起后，在她的帮助下，学习才越来越好。"

我再没忍住，立即说："张骏从来没要罗琦琦帮助过他，他是自己学的，他从不问罗琦琦任何学习上的问题。"张骏很骄傲，如果让他听到这些话，肯定会很不舒服。

几个女孩像看神经病一样瞟了我一眼，继续讲自己的八卦，理都没理我，一边讲着八卦，一边离开了。

我这才看见关荷也在人群中看成绩榜，和她打招呼，想和她聊几句，她却立即就走了。虽然她表面上很礼貌，可我能感觉出她内心的不耐烦，但我当时光顾着郁闷谣言了，没去深思她的反应。

期中考试之后，明显感觉到所有老师都开始了题海战术。各门理科几乎每天要做一套卷子，语文、英语也是铺天盖地的卷子。班里很多同学每天光做作业就做到凌晨一两点。我以前是偶尔不交作业，现在开始每天都不交作业，我的原则是要么做，要么不做，绝不浪费时间去敷衍和抄作业。虽然每天都不交作业，可成绩仍然只上升，不下降，老师们都睁一只眼，闭一只眼，不管我，同学们把我传得十分神乎。

在各门课程持续加重的情况下，随着每次小考，有不少同学的成绩上升，也有不少同学的成绩下滑，沈远哲就是成绩下滑最严重的同学之一。

他非常焦虑，来向我寻求帮助。他告诉我，他已经非常努力，可不知道为什么成绩却一直在下滑。为了帮助他，我第一次离开了林依然、杨军，成为沈远哲的同桌。

我观察他的学习方法，的确如他所说，他非常用功，老师布置的所有作业，他都认真完成，但是，他的问题，就是出在太认真了。

我一边研究他各门功课的卷子，一边在老师布置的题海中，针对他的能力，选出我认为有价值的题目，告诉他，宁可花一个晚上把这些题目吃透，别的题目都不做，也不要用一个晚上去忙着完成所有作业。

沈远哲遵照我的吩咐一道道仔细做我勾的题，等他做完后，他以为已经没事了，没想到我还要求他背下来，他很诧异："这是理科，每次的题目都不一样，也需要背吗？"

"我其实是希望你能自己在心中反复琢磨研究每道题目的思维方法，因为万变不离其宗，那么多题目，也许思维方式只用了一个，可是，思维是一个很空的话题，你只能自己去体会，我也没有办法向你传授，所以只能要求你背下来。"

他因为我的要求，一道题目常常需要花以前三四倍的时间，老师的题海作业肯定就无法完成了，不过，他是好学生，不愿意不交作业，只能去抄别的同学的作业。周围的同学都嘲笑沈远哲跟着罗琦琦在堕落。

晚上，不和张骏一块儿回家时，我会卡着合适的时间段叫沈远哲一起走，抽问他一周前做过的习题，反复询问他，你觉得为什么要这么做。

五到七天，是记忆的时段点，在这个时候重复记忆，就可以保证记忆的长期性。反复询问为什么，是为了让他领悟，重点不在解答题目，而在为什么这么解答。

当我和沈远哲偶尔一起回家时，我本来想和张骏打个招呼，却发现他压根儿顾不上留意我，居然和关荷处得十分亲密，每天晚上绕路送关荷回家。

我一气之下，什么都不想说了，专心辅导沈远哲的功课。

一个晚上，我提问完沈远哲问题，心里十分烦闷，就和沈远哲坐在绿化林边的台子上聊天。

紧张的学习，不确定的未来，张骏的过于引人注目，和张骏在一起的压力，还有美丽优秀的关荷……让我不堪重负，第一次，我把对关荷的嫉妒全部倾诉了出来。

我告诉沈远哲，关荷视我为好友，我却一直都在嫉妒她，平时还能克制，可只要牵扯上张骏，我就会失控。有时候只是课间十分钟看到她和张骏说笑，我都会心情低落、嫉妒、悲观、沮丧，各种负面情绪全会出现。

沈远哲问我："你有没有和张骏谈过？"

"我不会告诉他的。"因为我喜欢他，我不想自己如此丑陋的一面暴露在他面前。

"你不用这么自责，嫉妒别人挺正常，只不过你嫉妒的对象恰好是自己的好朋友，可你并没有做任何伤害关荷的事情。"

在和沈远哲的交谈中，我的心情慢慢变得好了一点。

估计沈远哲第一次遇到女生对他如此坦白，所以他很好奇地问我："你为什么会这么信任我？还有你为什么会这么帮我？刚上高一时，我就觉得你很帮我，不管我提议什么，你都全力支持。你看着大大咧咧，很外向，很随和，实际上固执倔强，很内向，很敏感，你让大家觉得你很容易走近，实际上没有几个人能真正成为你的朋友。"

我笑着摇头："你真不记得我了吗？我们初中的时候说过话的。"

他皱着眉头想了会儿，非常肯定地说："没有，如果我们说过话，我肯定不会忘记。"

"凡事不要如此绝对，再想想！"

"我听说过你的名字，知道你才思敏捷，演讲好，辩论好，在市里拿过奖，还上过电视，是咱们年级的名人，可我们从没有过交集。"

我哈哈大笑："名人？你说的是臭名远扬吧？"

沈远哲仍在很辛苦地想："我真不记得我们讲过话。"

我提醒他："初一的时候，在（1）班的教室，有一个女孩趴在桌子上哭泣。"

他仍然想不起来，我微笑着说："我当时被聚宝盆赶到教室后面的垃圾堆坐，难受得趴在桌子上哭，你也许是去（2）班看你妹妹，听到哭泣声就走了进来，很耐心地安慰我，陪我说话，说了将近四十分钟，直到我不哭了，你才离开。"

"我因为小时候生过一场大病，上学晚，年龄比你们都大，从小就喜欢'多管闲事'地充当知心大哥的角色，可我不记得和你说过话。"他显然已经相信了我所说的话，却怎么都无法把我从他的记忆中凸显出来，我和无数个他曾经开导安慰过的人混杂在了一起，没有留下任何特别的记忆。他很是惊异："没想到我们那么早就说过话。"

我也觉得很奇妙。同一个时间、同一个空间，经历同一事情的两个人，却有截然不同的记忆，一个清清楚楚，一个完全不记得。

我说："于你而言，那天只是陪一个陌生人说了几句话而已，不记得很正常；于我而言，却是黑暗世界中的一缕阳光，即使我们高中不在一个班，不会变成朋友，我也会永远记住你、感激你。"

他说："你把我想得太好了。"

"我有吗？"

"我是个功利心很重的人。"

"看得出来。"

他犹豫了一下，才说："我做事情并不光明磊落。"

"你说的是学生会主席竞选的事情吧？本就是各逞心机，无毒不丈夫的事情。初三的时候，我就看出来你不是那么'阳光善良'了。"我像对哥们儿一样，拍了一下他的肩膀，笑着说，"我的世界从来没有黑白分明过，我只知道谁对我好，我就对谁好，你就别一副好像欺骗了我感情的样子了。"

沈远哲扶了下鼻梁上的眼镜笑起来，第一次，我有了我们是朋友的感觉。

第二天放学，我去找张骏，想告诉他我多了个哥们儿——沈远哲。我不好意思直接在教室门口等他，所以，一直站在楼梯拐弯的角落里等着他。可直到同学们已差不多全部走光时，张骏仍然没出来。

我走到他们班去查看，看见张骏坐在最后一排的桌子上，关荷站在张骏身边，侧靠着窗台，两人低声聊着天。当时，教室里大部分的灯已经关了，只留了讲台上的一盏。张骏和关荷周围，光线十分昏暗，关荷脸上的愁绪，张骏脸上的温柔，被映照得异常动人。

我站在教室外的阴暗处，默默看了他们很久，盼着张骏能发现我，却没有任何心有灵犀的事情发生，张骏的视线甚至从没有从关荷脸上移开。

我转身，慢慢地走出了楼道。

连着两天，我都没理会张骏，他也没在我眼前冒个泡泡，反倒每天放学后不辞辛苦地绕路送关荷回家。

周五的早晨，做完广播体操，走进教学楼时，看见张骏和甄公子几个哥们儿站在楼道里，说说笑笑地商量着什么。

看到我，贾公子说："哎呀，说曹操，曹操到，张骏，赶紧去和你家的公主陛下请示。"

张骏笑着问我："甄公子说今天晚上请客，我们一致同意让他大出血，你有什么想去的地方？"

我冷冷看了他一眼，没理他，径直走了过去。

"琦琦，琦琦。"

张骏连叫了两声，我都没有回头，身后的笑闹声立即冷场。

我本以为他中午会来找我，可他不但没来找我，反而又和关荷站在一起，不停地说着话。

下午，沈远哲问我："我有两张电影票，你去看电影吗？"

我立即赌气地答应了，就让张骏去好好陪他的关荷吧！

电影院里人还不少，我们只能坐在最边上，是吴奇隆和杨采妮的《梁祝》，刚开始我笑得前仰后合，差点把肚子笑破，后来却被虐得心都在抖，只觉得内心弥漫的悲伤一波一波地冲上来，强忍了半天，终于没忍住，开始哭得稀里哗啦。

沈远哲递给我面巾纸，我就一把鼻涕，一把眼泪，毫无形象地哭起来。

电影放完后，我仍旧不停地掉着眼泪，其实，我都不知道我在哭什么，到底是电影，还是满腹的委屈。沈远哲不敢说话，只好傻坐在一边。

"罗琦琦，张骏在那边。"

沈远哲突然拽了我一下，我泪眼迷蒙地抬起头，看见了表情怪异的甄公子、贾公子，脸色铁青的张骏。他眼中有被伤害到的痛苦，不知所措的茫然。

我站了起来，惊异地问："你怎么也来看电影了？"

沈远哲笑着打招呼："张骏。"

张骏脸上的怒色隐去，笑嘻嘻地向沈远哲走来，好像要打招呼的样子，但下一瞬间，就看张骏已经一手压着沈远哲的肩膀，一手狠狠砸在沈远哲的小腹上，沈远哲下意识地抵挡，可张骏从小打架打到大，他哪里是张骏的对手。张骏两三下就把沈远哲打翻在了地上，沈远哲脸上全是血，张骏还要抬脚踹。他嘴边笑嘻嘻的，眼中却满是狠厉，那一刻，我怕的不是沈远哲被伤到，而是张骏失手重伤了沈远哲，他好不容易步入正轨的生活就会毁于一旦。

我恐惧地大声尖叫起来："张骏！住手！"

尖锐的声音在空荡荡的电影院回响，张骏停住，抬头盯了我一眼，扬长而去。甄公子他们鄙夷地瞪了我一眼后，追着张骏而去。

我不停地对沈远哲说："对不起，对不起，我送你去医院。"

沈远哲扶着椅子，摇摇晃晃地站起来："没什么，流了点鼻血、皮擦破了而已，张骏大概误会了，你去和他解释一下。"

我没有吭声，我去和他解释？为什么？就因为我没和他打招呼就跑出来看电影？他不是黑社会老大，我也不是他圈养的金丝雀。

晚上，我躺在床上翻来覆去都睡不着，一会儿伤心，一会儿气恼。

正在辗转反侧，听到楼下一群喝醉酒的人又吵又嚷，声音透着熟悉。

我一骨碌爬了起来，掀开窗帘的一角往下看，昏黄的路灯下，果然是张骏他们，一个个都喝得醉醺醺。

他们一边喝酒，一边对着我的窗户高唱刘德华的《忘情水》："曾经年少爱追梦，一心只想往前飞，行遍千山和万水，一路走来不能回，蓦然回首情已远，身不由己在天边才明白爱恨情仇，最伤最痛是后悔，如果你不曾心碎，你不会懂得我伤悲。当我眼中有泪，别问我是为谁，就让我忘了这一切，啊，给我一杯忘情水……"

这首歌早已经被街头的大小音响店播得恶俗无比，可今夜，倚靠于黑暗中，在一群男生声嘶力竭的乱吼乱叫中，我竟然听得情难自禁、哀思百转。

如果，那一年我是二十七岁，也许我可以跑下楼，紧紧抱住他，那么我的自尊、他的骄傲都会变得不重要，可是，那一年我只有十七岁，所以我只能躲在窗帘后面，一面听着歌，一面害怕爸爸妈妈被吵醒。

他们唱完歌，仍不肯离去，隐隐约约的说话声传来。

"叫她下来，叫她下来。"

"让她说清楚。"

我怕得心提到嗓子眼，生怕他们醉酒中，像刚才唱歌一样嚷嚷我的名字，不过，幸好，他们冲着电线杆砸了几个啤酒瓶子后，彼此扶着，一边大声唱着《忘情水》，一边歪歪斜斜地离开了。

刚才他们没有走时，我紧张得不停暗暗祈求他们快点离去，可等他们走了，我又说不出的惆怅难过。大概冥冥中，我也明白，我们彼此错过了一次可以放下骄傲、敞开心扉的机会。

第二天早上，吃早饭时，爸爸和妈妈一边吃饭，一边骂昨天晚上耍酒疯的流氓，我听着听着，扑哧一声竟笑了出来。

匆匆吃完早饭，我就躲进了卧室给张骏打电话，接电话的人是他家的阿姨，一听我的声音就说："张骏还在睡觉，我这就去给你叫。"

没有像往常，即使在睡觉，他也会很快拿起电话，过了很久，他的声音才在电话那头响起："你有什么事？"

声音很冷漠，我差点就要挂电话，但还是说："我……我没什么事。"

"没什么事，那我去睡觉了。"

他说完话，却不挂电话，我绷着声音说："那你睡吧！"立即挂了电话。

正在心里暗暗发誓，以后再不主动给他电话，电话铃突然大响，我立即接了电话，带着期盼："喂？"

"是我。"

"嗯。"

"你真没事吗？"

我不说话，却也不挂电话。

他沉默了一会儿，问："你是不是喜欢沈远哲？"

"什么？当然没有！"

"那你知不知道他喜欢你？"

"不管谁传的谣言，那都是假的！"

"这事还需要别人的谣言吗？夏令营的时候，我就看出来他喜欢你了，你对他也怪怪的，所以我才和他一起住，盯着点他。"

难怪我一直觉得怪，当时张骏和沈远哲好得同出同进，可一转眼，他就和沈远哲变成了点头之交。

"你肯定多心了，沈远哲那个人对谁都很好，他一半是有心，一半是自

然，是个喜欢处处留路的人……"

张骏不耐烦地打断我："我问你，你现在是不是和他坐同桌？"

"是。"

"你是不是和他一块儿放学回家？"

"是。"

"这些我先都忍了，你周末当着我一群哥们儿的面拒绝了我，却跑去和他看电影，你把我当什么？"

那是因为你先和关荷进进出出，我才一时赌气答应和沈远哲出去玩。

他问："你究竟喜不喜欢我？"

"你觉得呢？"我对他现在还要问这个问题，很生气，如果不喜欢他，我哪里会有这么多烦恼？

他说："我给你两个选择，要么我，要么沈远哲。你是选沈远哲，还是选我？"

我难受得不行："沈远哲是我的朋友，你是我的男朋友，一个是友谊，一个是爱情，两者根本没有冲突。如果我让你选我和甄公子，你会乐意吗？"

"你和谁做朋友都行，就是不能和沈远哲，他妈的，他明知道你有男朋友，还叫你出去看电影，他打的什么心思，别以为我不知道！和老子玩阴的，还早呢！你若心里还在乎我，就立即换座位，不许和沈远哲坐同桌，不许和他一块儿回家，也不许和他说话！"

我说不出来话，张骏说："这个周末我都不会联系你，我们都好好想想，如果星期一，你还继续和沈远哲坐同桌，我就明白了。"他说完，砰的一声挂了电话。

星期一，我继续和沈远哲同桌。

马上就要化学小考，这场考试对沈远哲很重要，我必须让他重新捡起对自己的信心，没有信心，在人人拼命努力的高三，他也许就会被彻底淘汰。

张骏不再理我，即使在楼道里擦肩而过，他都不看我一眼。

好几次，我想去找他，想和他解释清楚他真的误会了沈远哲，却总是看到他和关荷在一起，再加上一个阴魂不散的黄薇，我就疲惫得什么话都不想再说，既然他有没有我都过得很快乐，我也没必要硬凑到他跟前去。

周四，化学试卷发了下来，沈远哲考得很不错，他向我表示感谢，我说："朋友之间，不用这么客气，以后你功课上有什么问题，随时都可以来问我。"

周五，我搬回了原来的位置，和林依然、杨军继续组合我们的三角关系。对我的归来，杨军用上课时抽掉我的凳子，让我再次摔坐到地上，表达了热烈欢迎，林依然则丝毫没客气地让我交代为什么我化学越学越好。

我很庆幸我有他们这般的对手，也很骄傲我有他们这般的朋友。因为他们，原本残酷的竞争变得有趣温馨。

下午，开完班会放学后，我一个人拎着书包，百无聊赖地走着。

往常这个时候，张骏已经迫不及待地计划好晚上做什么，我也早习惯了和他一起消磨时光。以前很想他不要那么黏人，可现在有了大把时间，却突然发现一点也不想自己待着，满脑子都是他。

我不想回家，走到河边坐下，默默地看着河水发呆。

不知道张骏现在在干什么，不管干什么，他总是不会寂寞的。

忽地，一颗石头打到了我面前，水花溅了我一头一脸。

我一边擦脸，一边侧头看，张骏笑嘻嘻地站在桥头："你晚上去干什么？我已经买好电影票了，我们去看电影吧！"

我瞪着他，他怎么能这么若无其事，就好像什么都没有发生过？我这一个星期的内外煎熬，他有没有体谅一二？

我扭过了头，当做完全看不到他。

他接二连三地开始扔石头，水花不停地溅起，我的头发和身子都湿了，我却赌气地就是当做什么都没有发生，一动不动地看着远处。

他一边丢石头，一边嬉皮笑脸地说："你究竟去不去？你若不去，我就一直扔下去了，这里的石头可是无穷无尽的。"

我还是坐如石雕，坚决不理他。

突然之间，再没有石头飞来，笼罩在眼前的水花消失了，也再没有他的声音，天地忽然变得太宁静，只有流水哗哗。

我开始心慌，却仍不肯回头。

时间越来越长，我已经不仅仅是心慌，而是害怕，他究竟还在不在？难道他又生气了？难道他又走了？

终于，我没忍住地回头。

夏日的夕阳早染红了小桥，晚风吹起波光粼粼，他衣袂飘飘，倚栏而立。一切都美如画，可他脸上却挂着毫不搭调的狡笑，为自己诡计得逞而得意："你还是回头了嘛！"

我气得站起来就走，他赶忙翻下栏杆来追我："琦琦，算是我错了，我向你道歉。"

"那天是我不对，我不该动手打人。"

"我保证以后再不干涉你交朋友的自由，也保证不再动手打人。"

我不说话，只是快步走。他想帮我拿书包，我就是不让他拿。

"琦琦，你真要为了沈远哲和我分手吗？"

我的脚步慢了下来，他见机，立即去提我的书包，我不再拒绝，任由他拿了过去。

他放下心来，一边笑，一边说："晚上，我在桥头等你，你几点能吃完晚饭？或者，你和你妈撒个谎，别在家里吃了，咱们去夜市上吃。"

我说不出来话，我可不像他，收放自如，一会儿冷战，一会儿和好，我的神经还真是调整不过来。

"琦琦，别再生气了，我都说了全算我的错，你就说句话吧！"

"我得在家吃晚饭，不过，我会少吃点，应付一下我爸妈，就出来。"

他笑着打了个响指："我的琦琦就是聪明！"

谈笑中，两个人又是和好如初、甜甜蜜蜜。

我以为这只是一个和以前一样的小争执，和好后就一切都过去了，却没听明白，他自始至终一直在说的是"算是我的错"。他因为喜欢，因为怕失去，暂时抛弃了自尊，可男儿的自尊就像弹簧，也许会被外界的压力压下去，但终有一日会弹起来，并且弹得比以前更高。

2
模拟考试

什么是命运？有两句英文名言说得很透彻：

Men heap together the mistakes of their lives,

and create a monster they call destiny.

——人们将生命中的错误聚集到一起，创造出一个恶魔，叫命运。

It is a mistake to try to look too far ahead.

The chain of destiny can only be grasped one link at a time.

——过于为未来担忧是错误的，命运的链条上，

我们唯一能抓住的只有现在。

因为高三要分快慢班，依据标准就是期末考试，所以高二的期末考试至关重要。

以前考试的试卷都是一百分，从现在开始，一切以高考为基准，试卷从一百分变成了一百五十分。

为了让我们适应改变，为期末考试做好准备，学校举行了一次模拟考试。

模拟考试的成绩下来，我依旧是第一，物理、化学两门课都差不多是满分。张骏是年级三十多名，关荷只考了年级五十多名。

自从我的成绩越来越好后，张骏从不在我面前提学习，可我知道他很用功。即使生病，仍会看英语，我偶尔去他家玩，常发现厚厚一叠做满了习题的草稿纸。我十分了解那种辛苦付出，却收获不到成果的痛苦。

张骏的情绪很低落，我想着法子逗他开心，可他仍然郁郁寡欢，每天都没精打采，好似完全失去了自信。

周末的时候，他来找我去唱歌，我提议我们去河边散步。

走在河边时，我开始给他讲我学习英语的经历，我才讲了一小半，他突然不耐烦地生气了，冲着我说："你满脑子除了学习，还有没有别的东西？

你以为每个人都和你一样，除了学习还是学习吗？"

我呆住，一时间又是委屈，又是生气，我全心全意要帮他，甚至和他分享我最痛苦的一段经历，他却对我一腔怨恨。

我压住自己的委屈，转身就走："你心情不好，我先走了。"

他抓住我，长期累积的委屈和不满让他情绪失控："自从我们在一起，你总是说生气就生气，动不动就不和我说话，想和我分手，不管究竟是不是我错，都非要我先认错，你才肯继续在一起，我有时候都不明白，既然你压根儿不喜欢我，你干吗要和我在一起？"

"我哪里不喜欢你了？"

"别的女生都希望男朋友陪着，男朋友不送她们回家，她们会生气，可你却不希望我陪你，我每天陪你回家，你反倒不开心；别的女生都很乐意和男朋友多一点相处时间，可我每次请你出去玩，你总是推三阻四不愿意去；你也从来不在意我和别的女生在一起，不管我怎么和她们玩，你都没反应，就好像我压根儿和你没什么关系。你放在心上的只有学习，根本不在乎我做了什么，我在你心里的位置，也许还不如你学习的一半重要。"

我用力打开他的手，冷冷地说："你觉得其他女生好，那你就去找其他女生。"

他在我身后说："你放心，这一次，我绝不会去打扰你、妨碍你，你去专心做你的省状元。"

我挺着笔直的背脊，大步大步地走着，直到我的身影消失在他的视线中。

我非常难过，不明白为什么我那么诚心诚意地为他好，他却丝毫不接受。我十分委屈，怨怪着他的不领情。

直到很多年之后，我才明白，当时，我没有错，他也没有错。我们只错在年龄太小，还不懂得体会对方的爱。

当时的我，只知道我喜欢他，希望他好，所以迫不及待地想帮助他，却用错了方法。

当时的张骏，是一个很骄傲、很好面子的男生。他想照顾我，而不是被我照顾。他已经为了足够优秀在默默努力，压力很大，也很紧张，他需要知道的是我对他的感情，而不是我在学习上多么出色。可是，他当时的年龄，让他只能看到我的嘴巴在不停地谈论学习，不能看到我的心只是希望他能自信快乐飞扬。

我不去找张骏，张骏也不来找我。我们开始了冷战。

期末考试前，我们进行了最后一次体育达标考试，传闻中，如果成绩不过，拿不到高中毕业证，也没有资格参加高考。

我除了仰卧起坐考得比较好以外，别的成绩都惨不忍睹，如果八百米再不达标，我就……我就也不知道自己该怎么办了。

考八百米的那天，清晨下了场小雨，空气湿润凉爽，我们班男生集体恭喜我："老天在帮助你，你一定能过。"

我愁眉苦脸地说："借大家吉言。"

考试的时候，我们班男生全在操场边给我加油，可我仍然是最后一个，而且脚如灌铅，越来越慢，他们都不能相信地哀叹："才第一圈！"

"罗琦琦，前面有一百万等着你。"

"罗琦琦，后面有色狼追你，呜——呜——快跑呀！"

"罗琦琦，后面一群老虎马上就要扑倒你了，不跑就没命了，嗷——嗷——"

……

年轻的体育老师蒙了，什么时候操场成了非洲大草原？笑着命令我们班男生都闭嘴。

男生各种各样加油的方式都不能让我跑得更快。本来我还在坚持，希望自己能快一点，可看到不知何时站在人群中的张骏时，我全身的力气全泄了，有自暴自弃的想法。

跑完第一圈时，老师看着秒表摇头："两分三十秒。"

我们班男生全急了，杨军和马力他们都狂叫："罗琦琦，你怎么这么孬呀？"

正当我艰难地跋涉第二圈时，张骏突然跑到了我身边，牵起我的手，带着我往前跑。他的手强壮有力，我只感觉自己虽然大喘气，可速度越来越快。

我们班男生的叫声，从"罗琦琦，加油"，变成了"张骏，加油！张骏，加油"！

操场上所有的喧闹都消失了，我好像飞翔在风中，眼前一片模糊，想起了很多年前，那个风雨如晦、冰雹满天的日子，他牵起我的手，却拿走了我的心。

这么多年的日子，竟然是辛酸大半，甘甜只一点点，如果再来一次，我可愿意？我是不是宁可不让他牵我的手？

等发现张骏拖着我停下时，我已经稀里糊涂地跑到了终点。

体育老师倒是没有说我们违规，装作什么都没看见，掐完秒表，遗憾地说："一共四分二十秒，不能达标。"

我们班男生都围着老师求："老师，过了吧，过了吧，我们用第二圈的速度乘以二，第一圈不算。"

"要不下周再考一次，让张骏从头牵着罗琦琦跑，可那样多麻烦呀！"

"罗琦琦肯定不能不参加高考，她自己乐意，学校还不乐意呢！"

"老师，您就给大家一个面子了，我们一定对您感恩戴德。"

体育老师被大家求烦了，大笔一挥，改了成绩，嘴上没说，只是把成绩放到张骏眼前，让张骏看了一眼，立即就走。

我们班男生还打算跟到办公室去求，张骏说："过了。"

男生都跳起来欢呼，马力开我和张骏的玩笑："自打你们牵手后，操场边一下就多了两倍的人，大家都在看你们，你们这也太高调了，小心班主任找你们谈话。"

我偷偷地看张骏，张骏却是看都没看我一眼，提脚就走。

我呆了呆，忙跑去追他。他不理我，我轻声哀求："你和我说句话。"

我不停地和他说着话，他却只是冷着脸，一句话不说。我也说不下去了，可又不肯放弃，只能小步跑着，紧紧地跟着他。

我跟了他一路，他一路都不理我。

我一直跟着他上了楼，他就要进教室，我拽住他的衣角，他不得已停住了脚步，回头看着我，似乎在等我说些什么，他们班的同学都好奇地抬起头，从窗户里凝视着我们，众目睽睽下，我觉得很是难堪，忙放开了张骏，他好像有些失望，却什么都没说，只头也不回地走进了教室。

我没精打采地回到教室，一走进教室，就趴到了桌子上，因为鼻子一阵阵发酸，眼泪直在眼眶里打转。

杨军问："和好了？"

我摇头。

"分手了？"

我摇头。

眼泪无声无息地落在了衣袖上。

杨军问："你想出去走走吗？"

等眼角的泪痕全被衣袖洇去时，等我的声音不会泄露自己的软弱时，我抬起了头，笑着说："我不想上课了。"

杨军爽快地说："没问题啊，我骑车带你去乡下玩。"

我和杨军收拾好书包就逃课了，丝毫没考虑下节课要物理测验。

我知道沉溺于悲伤于事无补，如果我注定要失去张骏，我不能再失去学习。可那天，我无法控制自己的悲伤，一点书都看不进去，只想放纵。

晚上我也没睡好，一直在做梦，时梦时醒，梦里梦外都是张骏的身影，我在梦里一直在哭。

第二天早上，闹钟一响，我就强迫自己起床看书，堕落发泄的时间已经结束，看不进去也要看。人之所以被称为有智慧的高级生物，就是因为我们有智慧，可以用理智克制不正确的行为。

在张骏和我的持续冷战中，迎来了期末考试。

我依旧是遥遥领先的第一名；张骏却考得一塌糊涂，年级一百八十多名；而关荷是年级六十多名。

当我顺着榜上的成绩依次看下去时，突然意识到，关荷已经很久没有进过年级前二十名了，即使是杨军、林依然他们都会因为成绩下滑而焦虑，何况关荷呢？关荷肩膀上不仅仅负担着自己，还有她妈妈全部的希望。

我打电话约关荷出来，她笑着说："罗琦琦同学，不是每个人都和你一样聪明，不管发生什么都能稳坐年级第一，我得努力学习。"

她很礼貌，可我总觉得她的语气带着嘲讽，话里有话，我说："我知道现在功课很紧，可正因为功课紧，才更需要适时的放松，晚上陪我去滑一次旱冰，自从上个暑假之后，我们已经很久没一起玩过了。"

也许她想起了上个暑假，我每周教她滑旱冰的日子，犹豫了一会儿，终于答应了我的请求。

旱冰场里人很多，我们俩的心思都不在滑旱冰上，滑了一小会儿，就坐到一边休息着。

两人聊天的话题很空泛，我几次把话题转到学习上，关荷都开着我的玩笑，把话题转开。

眼看着要到还旱冰鞋的时间了，我硬着头皮，决定开门见山："关荷，刚开始看到你成绩下滑，我以为是正常的波动，一直没在意过，最近才发现已经好几次考试都这样了，发生了什么事情吗？"

关荷笑着说："成绩下滑的人又不止我一个，大概我们比较笨吧，不能适应越来越紧张的高三学习。"

"我不了解别人，可我知道你不是，你很聪明。"

关荷愣了一下，笑说："哎呀，在你面前，我可不敢承认自己聪明，你就别再打趣我了！"

"从你转学到我们班的第一天，我就在留意你，你在我心中一直是最聪明、最优秀的女生，我不相信你是因为笨才成绩下滑。"

关荷不相信地问："你留意我？"

"我没有骗你，我真的从小学就开始留意你，羡慕你的优秀，渴望自己能像你一样，甚至暗暗希望老天把我变成你。你知道吗？我的小学毕业纪念册上，只请了一个人留言，就是你。上初中的时候，我还经常翻阅，每次看到你写的字，就特别难过，不明白一个人怎么可以优秀到连写一个普通的毕业留言，都写得那么漂亮。"

关荷吃惊地盯着我。

我苦笑着叹了口气："你从小到大一直都很优秀，肯定不能理解我的行为。"

关荷盯了我一会儿，低下了头，轻声说："我早就不优秀了。"

"学习成绩只是优秀的一个标准，不是全部标准，我觉得你最优秀的地方在你为人处世的姿态，落落大方、不卑不亢、从容不迫、温和真诚，这些东西融合成了你独特的气质，我一直渴望拥有你的气质。"

关荷沉默了很久，终于把自己的心打开了一点："我从高一就开始努力学习，为了学习，我几乎放弃了一切，却越努力成绩越倒退。"

"你是不是给自己压力太大了？"

"我能没压力吗？你很清楚我们家是什么情况，我妈全指望着我呢！高一的时候，每次看到我的考试成绩，不管我考第几，她都不会高兴，只会不停地数落我不是第一。我现在成绩一直在下滑，她不数落我不是第一了，她开始骂我一点都不争气，对不起她，更对不起地下的爸爸。"关荷的眼中，泪花闪闪，不想我看到，侧着头，装模作样地用纸巾擦汗，实际擦的是眼泪。

"你妈也太逼你了！"我才意识到我很幸运，我爸妈从来没为学习说过我，"你得学会控制压力，人生不能没有压力，没有压力就没有动力，可也不能压力太大，太大的压力会压垮一个人。你别什么事情都一个人扛着，你得让你妈妈知道你已经非常非常努力，让她不要再逼你，很多时候欲速则不达。"

关荷不吭声，我完全不知道自己有没有说到点子上。关荷比林依然、杨军成熟懂事很多，可正因为她的成熟懂事，她非常善于隐藏自己的心思，和她沟通反倒很困难。

关荷忽然笑着说："好不容易出来玩一趟，别老谈烦人的学习。你和张骏究竟怎么样了？我听说你们分手了，真的吗？"

我的心悬了起来，立即紧张地问："张骏告诉你的？"

"不是，不是，张骏什么都没说。你们很久没在一起了，张骏每天都郁郁寡欢，成绩又下滑得那么厉害，大家就胡乱猜测了。"

"我们前段时间，吵了一次架。"

"原来这样啊！"关荷看着我脸色，小心翼翼地问，"琦琦，你还喜欢张骏吗？"

我没好意思回答她，只是点了点头。

关荷的眼神很复杂，问："你们为什么吵架？"

"非常可笑，竟然是为了学习。他的成绩没能如愿提高，我多说了两句话，他就觉得我心里只在乎学习，压根儿不在乎他。"

关荷的眼神越发复杂起来，微笑着说："我们回去吧，再晚我妈又该说我了。"

高三的学生似乎已经没有过暑假的资格，只放了两周假，就开始上课，双休也取消，周六照常上课，只能周日休息。

分了快慢班，张骏分到（4）班，和关荷同班，班主任是他姐夫的同学，我分到（6）班，和林依然、杨军、沈远哲、童云珠同班，甄公子和贾公子都分到了（8）班，拥有我们学校最王牌的毕业班班主任——连续十年升学率位居全校第一。

我们班是拥有年级前二十名最多的班级，也就是好学生比重最打的班级，可老师配置据说最差，化学老师从没带过毕业班，数学老师是邋遢鬼，也是第一次带毕业班，唯一有突破的就是英语老师，一个琴棋书画样样俱全的老才子，气度儒雅，言谈有致，据说是我们学校最好的英文老师。上完他的第一堂课，我掩面长叹恨不相逢高一时。可我们学校就是如此古怪，各科最优秀的老师全都只带高三毕业班，他们从来不带高一、高二。我很不认可这种做法，但这就是现实，优秀的老师也更愿意带高三，因为福利奖金非同寻常的优渥，荣誉也更直观。

趁着暑假，学校请了前几届考进清华北大复旦这些名牌大学的师兄师姐们给高三学生做报告，介绍他们的学习经验，分享他们的大学生活。同时欢迎大家踊跃提问，可以讨教学习方法，也可以问大学的专业和学习生活。

气氛很热烈，同学们似乎有无数问题想知道，哪个学校好，哪些专业热门，哪个专业容易找工作，哪个城市不排外……

当校长请陈劲讲话时，更是掀起了一个高潮。

"陈劲在香港中文大学交流了一年，又刚从欧洲回来，下面请他给师弟师妹们谈谈他上大学后的感悟。"

在大家的热烈掌声中，陈劲穿着白色的衬衣、灰色的休闲裤，笑着走上大讲堂，气质风度已和当年迥然不同，外露的锋芒全部转化为了内敛的自信，再加上建筑也算半个艺术类专业，令他的举手投足间有一种很随意的优雅和从容。

他的发言很简短，简单介绍了一下自己，就让我们随意提问。杨军问了一个永远没有答案的问题："清华好，还是北大好？"

他开玩笑地说："清华的食堂比北大好很多，你们就是为了吃得好，也应该来清华。"又笑看了一眼台下坐着的北大同学说，"当然，人不能只为物质而活，还要有精神追求，北大有未名湖，如果谈恋爱的话，还是北大更胜一筹。"

同学们都哄堂大笑。

他又应大家的要求谈了一下香港中文大学，截然不同的教学方式，全英语的授课让同学们都听得又是好奇又是羡慕，有人举手问他："去欧洲的大学做交流学生难吗？"

"不算容易，有很多人报名竞争；也不算难，因为事在人为。"

我笑想，他是学建筑的，欧洲的古老建筑肯定不容错过，再不容易也要争取。

关荷举手，问了一个很女孩的问题："巴黎和电视上像吗？浪漫吗？"

"不只巴黎，威尼斯、希腊也很美，很适合情人去，这次是学习之旅，我非常希望将来能有一次爱之旅的欧洲之行。"

同学们又哄堂大笑，连校长和老师都没有反感地笑了。笑声中，我们都有一种自己已经成人，不再是小孩子的感觉。

同学们又问了他很多问题，他都幽默机智地回答了。

结束时，校长问他最想和师弟师妹们说什么。

陈劲想了想说："我曾经和你们是一级，我认识你们中的一些人，也了解你们中的一些人，我想说外面的世界很精彩，请勇敢地飞翔出来！"

在大家的热烈掌声中，交流活动结束。同学们仍不肯离去，各自围着自己感兴趣学校的师兄师姐求教。

我双手插在牛仔裙的兜袋里，走出了大讲堂，一边踢踏着步子，一边仰头望着远处。

蓝天清澈，白云悠然，阳光明媚，世界很精彩，可我的精彩在哪里？张骏吗？他肯做我的精彩吗？

"罗琦琦。"

我回头，陈劲快步走着过来："嘿！"

"嘿！"

他和我肩并肩，沉默地走在学校的林荫大道上。因为是暑假，校园很空旷寂静，显得天特别高，风特别轻，给人一种世界很辽阔的感觉。

他笑问："想好上清华，还是北大了吗？"

"大概哪个都不上。"

"为什么？"

我不想回答，只笑了笑。张骏迄今为止最好的成绩是年级二十九，这个成绩清华北大都不可能，而我已经决定要和他上一所学校。

"你如果既不想上清华，又不想上北大，你干吗那么用功？"

"我不知道。"

"你不可能不知道，是不想告诉我吗？如果这样，那就当我没问过。"

他的以退为进起了作用，我认真想了一会儿，说："我从高一就开始认真学习，刚开始是为了别人，好像是替别人实现心愿，可慢慢地，我自己开始享受学习过程的辛苦和收获成功的喜悦，学习让我改变了很多。"

陈劲凝神听着："哪些改变？"

"外人看着只是一个女孩从学习不好变成了年级第一，可我自己知道，我的性格有更大的变化。我现在站在任何人面前都很自信，比如，以前，如果看到你，我就会下意识地觉得你所做的事情我不可能做到，我会告诉自己，你和我不是一个世界的人，可现在，我不会这么想。不管你取得多大的成就，我会自然而然地觉得，只要我努力，我也能做到，如果我没做到，只是我不想或我没努力。"

陈劲说："我们从出生起，就在不停地重复着付出和收获的过程，在这个过程中，逐渐形成了两种人。一种人通过辛苦地付出收获成功，长此以往，越来越愿意努力，越来越成功，所以他的世界是乐观的；另一种人想要成功，却又懒惰于付出，只能收获失败，长此以往，越来越不肯努力，越来越失败，所以他的世界是悲观的。学习看着简单枯燥，可毕竟占据了生命的十几年，在付出与收获的过程中形成的积极乐观勤奋的性格远比成绩好本身对人生影响大。"

"嗯。"我点头，"在我小的时候，当我想起未来，我会很迷茫，很没自信，我不知道我将会变成什么样子的人，我的人生会怎么样，现在，我仍会困惑，但是，我不害怕未来，因为我知道只要我努力，我可以掌握自己的人生，可以变成自己想要变成的人。"

陈劲笑起来："你也说刚开始只是为了别人在好好学习，后来，不知不觉中变成了为自己，你享受着付出努力和收获成功，动机的改变已经表示了理想的改变，其实，上不上清华、北大根本不重要，那只是刹那的荣耀，重要的是你想要什么样的人生。"

我没说话，却已经完全认同了他的说法，当我读着刘墉、三毛，醉心于他们笔下的异国他乡，自然而然地想着自己也要去走一趟世界时，我就知道我已经不再是那个甘心于守在这个城市过一生的女孩。

我们已经走到林荫道的尽头，都停了脚步，回看向红色的大讲堂。

道路两边的白杨树高耸入云，天瓦蓝，云洁白，树翠绿，有同学三五成群地走着，年轻的眉眼，飞扬的笑声。

陈劲问："看到了吗？"

我明白他指的不仅仅是眼前的一幕，而是指我们前方正年轻精彩的世界，我点点头："看到了。"

张骏、关荷、黄薇有说有笑地走过来，快到我们近前时，才看到站在拐角处的我和陈劲。

刚看过蓝天和白云，我的心很柔软，也很干净，微笑地凝视着他们。

关荷好奇地打量着我和陈劲，眼中隐有羡慕，黄薇却是不屑地转过了

头，可她的不屑满是底气不足。

陈劲向张骏打招呼，张骏笑着停下脚步，和陈劲客套了几句，却没有看过我一眼。

一瞬间，刚才和陈劲谈话时的积极明媚就被一扫而空，我觉得好累，虽然外人看着我的成绩没受任何影响，似乎我在这段感情中是没有用心付出的一方，可短短几周我的体重从九十一斤变成了八十三斤。心身的疲惫只有我自己知道。

等张骏他们走了，我和陈劲道别："多谢你。"

"不客气，希望明年九月我能在清华园请你吃饭。"

我笑了笑，朝教学楼走去。

一边是学习任务越来越重的高三，一边是我和张骏的持续冷战。

林依然和杨军都对我小心翼翼，同情之心表露无遗，我却要打起精神强装毫不在乎。

心头的压抑无处发泄，额头嘴角都是包，我的身体已经先于我的心理崩溃。

过度的疲惫让我只想要一个结果，不管这个结果是好是坏。

我决定把决定权交给张骏。

放学后，我去找张骏，他不肯理我。

我叫了几次他的名字，他都不肯停步，我只能在他的身后说："如果你想分手，我们就分手吧。"

他猛地停住步子，回头看我。

我说："现在这个样子不明不白的很没意思，不如把话说清楚，以后各走各的路，如果你想分手，我们就分手。"

过了好半晌，他声音很喑哑地问："你喜欢上了别人？"

"不是。"

他看着我，不说话。

我勉强地笑了笑："既然你没意见，那我们分手吧！再见！"

我大步向校外走去，脚步很坚定，心里却很茫然痛苦。我想逼自己放弃，可我心里仍舍不得放弃，所以，我只能把一切都交给他去决定。

他的决定会是什么？

第一天，我在焦急中等待，他没有任何回应。

第二天，我被焦急煎熬，他仍然没有出现。

第三天，我想去找他，告诉他，我后悔了，我不想分手。可是，毕竟还有一点骄傲，所以用理智克制着自己。

在我和张骏分手的一个星期后，张骏终于出现在我眼前。

清晨，我一出家门，就看见他在楼下等着，我痛苦煎熬的心终于安定了。一切的痛苦不安焦灼悲伤都烟消云散了，原来不管我理智上怎么控制自己的喜怒，我心上的喜怒却全是由他控制。

可是这种把自己的喜怒哀乐交给另一个人掌管的做法，对吗？他随时可以推开我。

他说："我不想分手，我想和好，可以吗？"

"我有一个条件。"

"我答应。"张骏问都没问，就答应了下来。

"不管我们之间发生什么事情，你都不要放弃学习。男人不应该拿颓废当伤心。"

张骏有些诧异，有些失望地看着我："我答应。"

"伤心是伤心，颓废是颓废，伤心是因为过去，颓废毁灭的却是未来，永远不要拿颓废当伤心，用未来为过去陪葬。"

张骏对我的话不置可否，只问："那我们和好了？"

我默默点了下头，心里却没有高兴的感觉，只有劫后余生的疲惫。这一次，我赌赢了，可下一次呢？

我好像变成了两个人，我在感情的世界里爱他，却在理智的世界里疏远他。

这世界上，每件事情都有一个时点，这个时点之前事情会朝一个方向发展，这个时点之后事情就要朝另一个方向发展。

很多年后，我常常想，如果在他过生日的那天，他没有选择那天来坦白过去，而是让我来坦白对他的感情；如果在他醉酒的那天晚上，我能跑下楼

　　去见他；如果在跑完八百米的那天，他愿意和我说句话，是不是一切都会不一样？

　　可是，没有这么多如果。

　　张骏对我也和以前不一样，我总觉得他似乎对这次的和好并不开心。

　　在我们的日常相处中，他有勉为其难的让步，有小心翼翼的迁就，还有虚张声势的快乐。

　　也许，我在他的世界中也有很多个如果，可是，现实中没有那么多如果，这就是命运。

　　很多年后，我坐在纽约街头的咖啡馆看书时，突然看到这么一句话：

　　"Men heap together the mistakes of their lives, and create a monster they call destiny."

　　人们将生命中的错误聚集到一起，创造出一个恶魔，叫命运。

**TIME
PACKAGE**
時光包裹

第6章

那盛大的告别

17岁的雨季里遇见你

你无邪的笑容陪伴了我很多年

现在，我们都已经长大

你仍是那张不老的容颜

1
永远记住的初吻

世界那么大，我却偏偏遇见你；
世界那么小，我却偏偏丢了你。
世界那么大，我却总是无法忘记你；
世界那么小，我却总是无法再遇见你。

周三的下午，上完课，班主任叫我去她办公室一趟。

我隐约明白她想谈什么，果然，她讲述着前几届早恋的学生，用他们成绩下滑、高考失败的经历教育我早恋绝对不正确。又用同是女性的角度，特意强调女生更感情用事，不管心理上，还是身体上，早恋对女生的伤害会远远大于男生。

她苦口婆心地说了一小时，我一直沉默。

刚走出办公室，我就立即把她说过的所有话都遗忘进了垃圾桶，不是她说的没有道理，而是，她所说的大道理，我比她更明白，她太低估了我的心智。

张骏也被班主任找去谈话，肯定也在劝诫他分手，但我们都当做什么事情也没有发生过，甚至都不屑于交流这个问题。

老师，对我和张骏而言，十分烦人，却构不成任何威慑力。

我和张骏依旧我行我素地"早恋"着。我有年级第一的光环，张骏是班级前四名，班主任和他姐夫又认识，老师们采用的教育方式都比较温柔，可依旧不胜其扰，每周都要被请去办公室谈话。我都想告诉老师，如果我的学习被影响了，不是因为早恋，而是因为你们。

期中考试的成绩下来，我是年级第一，张骏是年级二十八名。

我松了口气，这下子老师应该不会再在我们耳边念叨早恋影响学习了吧？

周六的晚上，张骏约我去河边散步。

秋色已经渡染了河岸两边的白杨树林，一眼望去，金黄一片，有一种沉甸甸的辉煌。

我们坐在桥上，静看着桥下的河水流过。

张骏将一个旧铁皮饼干盒子交给我，我打开看，里面装着很多漂亮的石头。

我疑惑地看他，他微笑着说："迟到的生日礼物。"

我没忍住，抿着唇角笑起来："我以为你今年忘记了。"

他说："我不会忘记。"

"为什么有这么多石头？你不是说一年只送我一颗吗？"

他抓起了几块石头，又任它们从指间掉下去，发出叮叮当当的声音："这些年，我喜欢你的时候就会捡石头，不想喜欢你的时候就把捡的石头都扔掉。还记得初中的时候，有一次看到你和许小波跳舞，我当天晚上就跑到这里，把所有的石头都丢了，边扔石头，边对自己说，绝对再不喜欢你。"

过去的画面浮现在了脑海里，清晰得犹如昨天才发生，却一晃已是三年多。

我苦笑着说："那天晚上，我就在桥下。"

"嗯？"他没听懂。

"你丢石头的那天晚上，我就坐在那里一直看着你，你离开后，我才回的家，因为回家太晚，被我爸给臭骂了一顿。"我指着桥墩旁的阴影，当时我坐的地方。

他侧头看着我，脸上的表情似悲似喜，很古怪，估计我也比他好不了多少，从桥下到桥上，我们用了七百多个日子才走到。

他低头看着河水说："我一直都觉得你很讨厌我，可后来你帮我藏枪，我就想着你不可能为谁都做这些事情，你不肯给我枪时，我表面上着急，心里却很高兴，觉得你好像很关心我，否则不会去查什么私藏枪支的定罪条例。后来你拿问题套我，我就想，你会不会是有一点喜欢我，可你和许小波一直在一起。我就拿问题也去套你，你说不喜欢许小波，我特高兴。后来，我被关在警局里审讯，每次特难熬的时候，想到你，就觉得又是害怕，又是高兴。"

那个时候，难受的不仅仅是他，我低声说："我每次看到你和别人在一起，就特难受。那天我和小波跳舞时穿的裙子是红色，就是因为你……那谁老是穿红色的裙子。"

"你当时为什么不肯理我？"张骏猛地揉了几下我的头，又狠狠地握住我的胳膊，非常用力，非常用力，用力到我很疼，我也知道，他就是要让我感受到这股疼。

我沉默地，喜悦地感受着他给我的疼痛。他叹了口气，放开了我。

他的眼神那么哀伤，我心里发酸，靠在他的肩膀上，第一次，非常温柔，非常卑微地说："我们以后不要再吵架了，如果你不想我和沈远哲来往，我会和他疏远的。"

他凝视着我，哀伤却温柔地笑了："琦琦，如果你一直不变，该多好。"

我以为他讲的是我的感情，低垂着眼睛，羞涩地说："我会一直都喜欢你的，永远不会变。"

他忽然低头在我唇上轻轻碰了一下。

我的身体紧绷起来，心里面有紧张有期待，闭上了眼睛，却没有转开头，带着暗示的鼓励。

他却一直在犹豫，在紧张，不敢有下一步的举动，我等了很久，他都没有动静，我带着失望转开了头，尴尬羞赧下眼睛依旧闭着。可他又低下头来亲了亲我的脸颊，我顺着他的方向偏头，唇从他脸上滑过，主动地亲吻了几下他的脸颊，在紧张的肌肤挨擦中，两人的唇终于碰到了一起，他试探地轻轻吻了吻我，可又立即离开了，我没有转开头，紧紧地抓着他的胳膊，他好似突然下定了决心，猛地一低头，终于真正地吻上了我，用舌尖轻轻撬开了我的唇。

因为我的笨拙，这个吻并不像小说中描写得那么动人，两个人时常舌头碰到牙齿，牙齿碰着牙齿，可我们依旧很投入。

当他结束之后，我依旧紧闭着眼睛，全身没有任何力气，软软地倚靠着他。他紧紧握着我的手，说："琦琦，对不起，我一直都是个很坏的人。"

我把脸埋在他脖子里，小声哼哼："嗯，你是个大坏蛋，可是，我喜欢大坏蛋。"

张骏喃喃自问："他们说女生会永远记住自己的初吻，不知道是不是真的。"

我笑着说："十年后，你来问我好了。"

他沉默地看着我，笑了笑，却笑得飘忽不定。

深秋的晚风带着丝丝凉意，他把外套脱下，披在我肩头。

我缩在他的衣服里，沉默地握着他的手，心情是很久未有的安宁。觉得以前的争吵都很无聊，别的一切都变得不重要，我只知道我很喜欢他，只要他也喜欢我，我就会很快乐。

他也一直沉默地坐着，紧紧握着我的手，让我觉得特别温馨。

他突然问我："你想好将来读什么专业了吗？"

"这段时间，光忙着吵架生气了，哪里有时间想这个？难道你有时间考虑这些？"我半是撒娇，半是埋怨。

"我想了很多，尤其是关于你的未来。"

"什么？说来听听。"

他猛地抱了一下我，笑着说："今天晚上不说这些，好吗？"

明明是你自己提起的话题啊，我笑着，满心的欢喜下，只有对他的爱，轻轻点头："好。"

他握着我的手，抬头看着天，笑着说："给你讲个笑话。"

在他的笑话中，我笑了又笑，而他一直看着我。

从周一到周五，张骏都没有来找过我，和我一块儿回家。

自从上周末，两个人在桥边谈过后，我的心态变得平和，不再那么患得患失，也就没在意这些细节。

周六的白天正常上课，张骏还是没来找我，我只好放学后去找他。

他和黄薇坐在教学楼下的喷水池边说笑，黄薇对我视而不见，我也装作没看见她，只对张骏说："晚上几点钟见？"

张骏默默地看了我一会儿："你没见到童云珠吗？"

"怎么了？她找我吗？"

张骏摇摇头，又沉默了很久："我今天晚上有事。"

在黄薇面前，我不想表现出任何失望的情绪，我笑着点点头："好，那我先走了。"

一边走一边开始生气，生气了几分钟后，又提醒自己，上周末刚说过不乱生气的，心情慢慢平复下来，也许张骏就是有重要的事情，只是一时粗心忘了告诉我。

童云珠气喘吁吁地追上来，将一封信交给我："怎么刚一放学你就不见人影了？这是张骏托我转交的，让我放学后给你。"

我很是奇怪，他从没有给我写过信，怎么突然给了我一封信？

顾不上回家，只想先找个安静的地方，不受打扰地看完信。一口气跑到河边，把书包往地上一扔，就打开了信。

罗琦琦

刚看到开头，我的心就一沉，不能相信地又看了一遍。

罗琦琦：

本来想上周就和你说，可我实在不知道怎么开口，只能写信。

小学的时候，我一直对你很愧疚，每次看到沉默的你，就会想为你做点什么。那时候的你，真像一只小兔子，还是那种最容易受惊的兔子，每次和你在一起，我都会特别紧张，特别小心翼翼，生怕把你吓跑了。

小学的回忆并不美丽，可因为有高老师，所有的不愉快都变得无关紧要。从来没有一个老师像高老师对我那么好，在每个大人都认为我不可救药时，只有高老师肯夸奖我，如果没有高老师，我肯定会坏得彻头彻尾，直到烂死在街头。五年级的暑假，每天去听高老师讲课，再和你一块儿回家。没有烟酒、没有打架，还要做很多习题，明明一点都不好玩，可是，我就是很高兴，每天都很高兴，特盼着上学。

有一次，我们俩在河里玩水，我躺在大石头上睡觉，你用凉帽给我遮太阳，我就故意装睡，看你究竟能举多久，你居然真一直举着，搞得我实在不好意思再装睡。你还记得吗？肯定是忘了。你那时候可真傻，干什么都傻乎乎的，话也不会说，只要我和高老师都看着你，你就会结巴，明明会做的题目，都说不出来。

上初中后，朋友越来越多，老师们对我也不错，可不知道为什么，我总会想起五年级的那个暑假，想起我们一起听高老师讲课，想起你很迅速地解出题目，却结结巴巴怎么讲都讲不清楚，还要我在旁边帮你解说。我一边说，你就一边不停地点头，也不怕脖子酸。还会想起你举着凉帽给我遮太阳的傻样子。

我后来常想如果我们没有上同一所中学，也许那只会变成一段异常美好的回忆，你也只会成为我带着抱歉和快乐的回忆，可是，我们在一所学校，我每天都可以看到你，还有歌厅、舞厅，不管我到哪里，总是能碰到你。

我担心你和许小波混在一起变坏，担心傻傻的你应付不了那帮流氓痞子，心疼你倔强地用最愚蠢的方式和聚宝盆作对。可你一直没变坏，不但没变坏，还越变越好。从和人说话时总是低着头，到站在几千人面前，演讲得奖；从紧张时结巴得连话都说不清楚，到代表学校参加辩论赛。你每一次演讲辩论比赛，我都去听过；你出的板报，我也去看过，我还特意录下了电视新闻中有你的片段。看着你一点点变得更自信、更开心，我衷心为你喜悦。

我一直以为这些都是因为我曾做过对不起你的事情，因为愧疚，所以格外希望你能过得好。当我突然发现我在嫉妒许小波时，我才明白我已经喜欢上了你，我竟然都不知道这是什么时候发生的事情。

高一的时候，你在隔壁班，我几乎每天每时都能看到你。你从来视纪律为零，总是喜欢迟到。大家都已经在教室里坐好，你才踩着预备铃声走向教室。我利用班长的权力，霸占了视线最好的位置。我很喜欢看那个时候的你，梳着高高的马尾巴，走起路来，目不斜视，高昂着头，一大步又一大步，马尾巴在脑后快乐地摇晃着。你全身上下都散发着自信，像一个

斗士，不管前面有什么，你都会昂着头大步地跨过去。每次看到你，就会觉得自己好像都有了很多力气。

你经常因为迟到被各科老师训话，可依旧我行我素，有一次你又迟到了，老师没让你进教室，我看到你专心致志地欣赏着窗户外的风景，还用指头蘸着水，在窗玻璃上画画，显然非常享受被老师赶出教室，连看你的人都会觉得高兴，我当时甚至暗暗地想，最好你能被老师经常罚站，我就能经常上课时看到你。

那时候，我每天都想告诉你我喜欢你，可是一想到我暗中偷偷护送你回家时，你大声叫的名字是"小波"，一想到宋鹏向你表白时，你当众把情书拍回宋鹏面前，我就胆小了。

因为夏令营，我终于有机会真正靠近你。我耍了无数花招才追到你，和你在一起的每一天，我都惊喜万分、忐忑万分，我总是害怕自己不够优秀、不能让你足够喜欢。

大概因为从小就认识，我心里一直有一个小小的你，我总是企图保护你、照顾你，可你已经长大了，不仅长大了，而且比一般人更坚强、更优秀，我在你面前只是一个平凡普通的男生，你根本不需要我的保护和照顾。

刚和你在一起时，我曾欣喜若狂地暗暗发誓，我一定要让你永远快乐，可现在我发现我没有做到，我也再没有能力做到。

我曾经很爱你，但是那些感情，已经在无数琐碎的矛盾和一次又一次的吵架中被消耗殆尽。

我考虑了很久，觉得分手是对你也是对我最好的结局。你将来肯定会遇见一个优秀的男生，他会让你永远都昂着头、大步地往前走。

张骏

我没有掉眼泪，也感觉不到难受。我不相信这是真的。

我把信随意往口袋里一塞，拎着书包，平静地回了家，却是放下书包，和妈妈撒了个谎，就又走出了家门。

我去张骏家找他，给甄公子打电话询问他的下落，去他常去的地方找他，我根本不知道自己在想什么，只知道我要见他。

找了整整一个晚上，找遍了家、学校、旱冰场、K歌厅、舞厅……都没有找到他。

我走到他家楼下，坐在花坛边的台子上，等着他。

已经晚上十一点多，他仍然没有回家，我依旧等着，丝毫不去考虑父母会如何处理我的晚归，直到十二点多，昏黄的路灯下才出现了熟悉的人影。

他双手插在裤兜里，低着头，慢慢走着。

"张骏。"

他回身，怔怔地看着我，绝没有想到十二点多了，我还在这里。

我走到他面前，不想哭，只能努力微笑："我看过你的信了，我想知道你是认真的吗？"

他缓慢地点了下头："认真的。"

"真的没有任何挽救的机会了吗？"我自己都佩服自己，竟然还能把话说得这么有逻辑。

"还有半年就要高考，你专心学习吧，不要再勉强自己迁就我。"

"我喜欢你，你知道吗？不管做什么都是我愿意，我没有勉强自己。"

他沉默了一下，眼睛看着别处说："可是我已经不喜欢你了。"他好像怕我不相信，又说，"和你在一起很不快乐，时间长了，再多的喜欢都会被消耗完。"

我痛苦得喘不过气来，就好像心里面一座一直在小心翼翼维护的房子在轰隆隆地倒塌，好似整颗心都要碎成粉末，脸上却奇异地笑起来，也许是为了不让眼泪掉下，也许只是这么多年习惯性的反应，越是受伤时，越是要用微笑掩盖。

他说："我送你回家。"

我们默默地走着，经过熟悉的小桥时，我在台阶上绊了一下，他扶住了我，身体的接触，让我突然之间，再顾不上什么自尊骄傲，抓着他的手，近乎哀求地问他："我们能不分手吗？不管什么，我都愿意改，你告诉我，我一定会改。"

他默默地凝视着我，眼中好似有留恋，可就在我以为他会同意时，他抽

出了手："你现在脑子一时转不过来，今天晚上好好睡一觉，明天就会知道没什么大不了。"

我的骄傲和理智已经不允许我再说什么，可我的脆弱和感情却不愿意，我用力抓着他逐渐离去的指尖，希冀着他能心软，可他的力量更大、更决绝。终于，他用力抽出了手，远离了我。

他在前面走着，我在后面走着，两人之间保持着一个疏远的距离。

我忽然想起他给我讲述的他戒烟的故事。他从小学二年级就开始抽烟，一直抽到初三，烟瘾相当大，一天至少要抽一包。高一时，他决定要当一个正常的学生，开始戒烟。很难受，周围的朋友还时常故意诱惑他，给他发烟，但是他说既然决定了，就一定要坚持，熬过最难受的日子，一切就会好起来，果然，熬过最难受的几周后，他对抽烟再没有任何欲望。

我想这一次，他也下定了决心，要把我戒掉。

走到我家楼下，我迟迟不肯上楼，一直站着，他却转身就要离去："我回家了。"这是他第一次没有目送我上楼，没有微笑着叮嘱我给他打电话。

我为自己的恋恋不舍感觉羞耻，立即咚咚地跑进楼门，可刚冲到二楼，想到这是他最后一次送我回家，从此后，他再不会出现在我的生活里，我就心如刀割，弯着身子，痛得几乎不能呼吸，所有的自尊都不算什么了，又向楼下冲去。

他已经走远，路灯下，他的身影变得异常轻薄。

"张骏！"

我所有的感情都融于撕心裂肺的大叫声中，我多么希望他能明白这一刻我有多么伤心，我有多希望他能回头。

他好像压根儿没有听到我叫他，依旧走着。可是我知道他听到了，因为他的脚步停了停。

我一直盯着他，他一直没有回头。

他的身影消失很久后，我才失魂落魄地爬上楼，爸妈非常生气，质问我去了哪里，我直接冲进卧室，反锁上了门。

爸爸妈妈不停地骂我，可一切都似乎与我隔着一层。我的身子坐在这里，灵魂却不知道在何处。

渐渐地，声音都安静了，只有我，坐于黑暗中。

等我想起来看表时，已经凌晨三点。

我没洗脸、没刷牙，直接躺倒，却怎么都睡不着，想到从明天起，张骏就和我再没有任何关系，我难受得如同被人凌迟，觉得恶心反胃，似乎马上就要吐，跑到卫生间，可是压根儿没有吃晚饭，怎么都吐不出来，只是蹲在地上干哕。

一夜折腾，根本没有闭眼，很快就六点半了，闹钟一如往日，没有丝毫感情地响着，提醒着我应该背诵英文了。

我好像终于在倒塌的世界中找到了一点能做的事情，拿出英文书，把自己关在阳台上，扯着嗓子吼，疯狂地念着英文，可脑子里究竟有没有记住，根本不清楚。

妈妈起床后，本来想接着教训我昨天晚上的夜归，可发现我已经在阳台上刻苦学习，她就什么话都没有再说。

妈妈做了鸡蛋饼，热了牛奶。我没有任何胃口，妈妈问我："怎么了？早饭一定要吃，要不然一天都会没力气。"

我不想让她看出异样，端起了碗，强迫着自己开始吃早饭。

妹妹一边吃早饭，一边和妈妈讨价还价着这个月究竟该给她多少零花钱。我脑袋一片空白，耳边嗡嗡地响着，听不清楚她们在说什么，可妈妈问我话，我却能如常对答。

妈妈问我："你今天下午还出去找同学吗？"往常的周末，我都要去见张骏。

猝不及防间，我的眼泪就掉了下来，连掩饰的时间都没有，我立即低下头，将碗半举到脸边，假装在喝牛奶，用碗挡住脸，可我清晰地看到自己的眼泪一颗颗掉进了牛奶里，在平滑的乳白色上，滴打出一圈圈的涟漪。

恍惚中，我听到一个声音平静地说"不出去"，遥远陌生得完全不像是自己的声音。

一整天，我都捧着书，孜孜不倦地学习，可从早上六点半到晚上十点，我总共看的书加起来，只有一页。

晚上，我躺在床上，告诉自己，这世界上谁离开谁都照样活，我现在痛不欲生，一年后，我就会完全不记得现在的痛苦，十年后，当人家提起张骏的名字，我会思索半天才记起他是谁。

一切都会过去，一切都会过去！

在一遍遍的自我劝解中，好不容易挨到天明去上学。

杨军看到我时，惊讶地问："你是不是熬通宵用功了？脸色怎么这么难看？"

"嗯，做题做到三四点。"

杨军大受刺激，立即开始用功。

我知道，要不了多久我和张骏分手的消息就会传遍整个学校，很多双眼睛会看着我，我的自尊不允许自己因为失恋而颓废，一整天，我都逼着自己看书学习，即使效率低得几乎没有效率。

张骏"甩"了我后，他的红颜知己黄薇每天都陪他回家。

我一直知道黄薇喜欢他，张骏却很迟钝，他总认为黄薇和他是纯洁的友谊。我不知道他现在和黄薇究竟是什么关系，可他们出双入对是事实，所有同学都开始说张骏的新女朋友是黄薇。

我一直以来的恐惧实现，我成了张骏的前女友之一，所有人都将同情和幸灾乐祸的目光投向了我。

我努力地装作不在乎，在班里，我变得异常活泼，和杨军恶作剧不断、打闹不停，每天都笑口常开，唯恐别人不知道我高兴。

沈远哲放学后经常陪我回家，陪我聊天，偶尔还会接我一块儿上学，如此明目张胆地出双入对，很快关于我和他的流言就如火如荼，我不但没有避嫌，反倒用频率更高地和沈远哲一起回家、一起上学来让这个流言更加活灵活现。

林依然每个周末都约我去图书馆一块儿学习，杨军帮我整理难题攻略，假借要和我比赛，陪着我一块儿做作业，后来，沈远哲也加入了我们的周末学习小组。

我很欣慰，在这个最难挨的时间段，我身边还有友谊，他们没有提过任何问题，却用各种方式的陪伴做了一个朋友所能做到的极限。

学校在大礼堂召开无聊乏味的学习经验介绍。我向陈劲学习，用一分钟完成了三分钟的任务。到现在，我才明白，不是陈劲不想说真话，而是老师不高兴我们介绍什么上课没必要全听、作业没必要都做。

散会后，我很快就走出了大讲堂，到教学楼外时，被高二的年级第一叫住，向我求教几个学习上的困惑。我没有丝毫心情，可忽然想起了陈劲，于是站住，耐心听他讲他的疑惑，再给予最中肯的回答。

渐渐地，我身边旁听的人越来越多，汇集成了一个小圈子，还有师弟买了饮料给我。

我正在耐心解答，看到张骏和黄薇并肩而来，大概黄薇的笑容太刺眼，于是我也明媚地笑着，还和张骏挥挥手，轻松地打了个招呼，他却蓦然色变，狠狠盯了我一眼，快步离开。

我依旧笑得阳光明媚，愉快地回答师弟师妹们的问题，等解答完问题，我保持微笑，走进了教学楼，站在楼道窗户旁的童云珠寒着脸问："你喜欢过张骏吗？"

我笑了笑，没说话。我一直都知道爱的反面不是恨，而是视他如普通人，我一向善于伪装。

我十分不快乐，十分痛苦，可我不能让别人知道我很痛苦。

我很庆幸心灵被一具皮囊包裹，所以，我们可以心灵归心灵、肉身归肉身地过着每一天的日子。

那段时间，我都不敢回忆，每次回忆起来，只有痛苦，每天到底干了什么，都想不起来。似乎，每天去上学时，都需要深吸一口气，感觉我不是去上学，而是去打仗。

就那么浑浑噩噩地到了期末。

期末考试的成绩公布后，我竟然仍是年级第一，我自己都不相信。林依然、杨军、沈远哲都知道，这两个月，我全部的精力都在坚强地装高兴，在学习上并没有投入多少精力。可学习大概就如开火车，只要上了轨道，一切

自然而然地就会前进。

我虽然不知道我怎么拿的第一，但是，我很高兴我仍然是年级第一。年级第一的成绩能明确无误地告诉所有人，罗琦琦没有受伤害！罗琦琦压根儿不在乎张骏不喜欢她了！

这就是做雄鹰的好处，所有人都以为你是强者，受伤这种情绪不会与你共存。

高三的人已经没有权利过寒假，学校宣布只过年放假，别的时间照常上课，所以考完试后，我们仍旧上课。

寒假的时候，我没有去给高老师拜年，只写了一封贺卡，邮寄给她。因为不知道怎么面对，不知道怎么解释。

我开始数着日子盼望高考，希望快点结束这里的生活，我竟然又一次像小学的时候，只想往前逃，原来这么多年过去，我仍然是那个遇见事情只想逃避的人。

过完年，高考进入倒计时，教室后面竖起了红色的阿拉伯数字大牌子，每天老师都会亲手更换数字，提醒大家距离7月7日又少了一天。

在高考的巨大压力下，同学们都在埋头苦读，人人脸上都蒙着一层灰色，希望就在前方，可眼前的痛苦是要用肉身一日日去挨。

我开始真正接受我和张骏已经分开的事实，我变得很沉默，不再大声地和杨军打闹，也不再笑口常开。不过，在压抑的高考前，人人都变得沉默和不快乐，我的变化显得分外正常。

一日日过去，张骏好像消失了一样，我已经很久没有见到他。

上初中时，我们进出教室完全走不同的楼梯，都时常会"偶遇"，可如今我们日日走同一个楼梯上下楼，却从未碰到。今昔对比，我才明白他当日的有心，今日的无情。

夜深人静时，我常常想我究竟是怎么弄丢了他。不用等到十年后蓦然回首，我都知道自己肯定做错了很多事情，可我不知道自己到底哪里错了。

难道我不应该好好学习？难道我应该只谈恋爱，不读书？难道我不应该做一个坚强独立的女孩？难道我不该自尊自爱？难道我应该用消极颓废表达对他的重视？难道我应该痛哭流涕，割腕跳楼地去挽留他？

我的痛苦没有办法告诉任何人，我只能全部倾诉给日记。在我的日记本上充斥着各种各样的幻想，幻想着几年后，我和张骏仍能在一起。我幻想着各种各样重逢的版本，把它们写在日记本上。

我甚至用这些幻想来鼓励自己认真学习，努力改掉身上的缺点，我告诉自己只有这样，我才能在将来的某一天，足够优秀地走到他面前去，让他再次喜欢上我。

在对未来的希望中，眼前的日子不再那么绝望，我也不再那么难过。

我学得非常轻松，和被题海淹没的同学比较，我简直像另一个世界的人，每天按时睡觉，从不熬夜。

同学们觉得我很神奇，上课不听讲，几乎不做作业，可竟然能稳坐第一，连我妹妹都特想不通。我告诉她，高中三年的关键是高一和高二，所有的知识都已经在高一和高二学完，高三只是一个系统化、条理化的过程，如果在高一、高二就把所有知识都真正吃透、刻进脑海里，高三当然不用费力。

妹妹正在上高一，我说的话很有深意，可她完全没听进去。

在煎熬中，终于到了六月份。

两次模拟考试，我稳居第一。关荷在年级前二十名，张骏的成绩稳定在了年级三十名左右。

最后一次模拟考试结束后，除了高三的学生，学校已经都放假。老师讲完考卷，我们也会放假。剩下的一周时间，学校的图书馆和教室对高三学生开放，让我们自由复习，准备高考。

一周，我就翻了翻英语，其余什么都懒得碰，杨军实在看不下去，把我揪到图书馆，逼着我做了一些他勾出的习题。

我没有任何心理负担地上了考场，非常轻松地答完了所有科目。我家对门的阿姨发现我两门考试之间的中午竟然还守着电视看，直到距离考试四十多分钟，才跑着去学校，她目瞪口呆。

7月10号早上，考完最后一门，大家正式解放。

走出考场的一刹那，不管结果如何，人人脸上都有劫后余生的庆幸表情。

整整一年的题海题山，起早贪黑，一切终于完结！

晚上，学校为我们举行毕业联欢会，之前大家都在为高考拼搏，不可能像小学、初中毕业那样，专门准备表演节目，可高三的毕业明显比其他两个年级的毕业更重要，学校只能在硬件上下足工夫。

今年负责此事的教导主任选择了露天，在所有的树上都挂上小灯泡，又架起了大的投影屏幕。

当夜幕降临，晚风轻送，无数个小灯泡都亮起时，气氛变得浪漫而伤感。

原定计划是高中部的两名音乐老师当主持，可女老师临时有急事不能来，所以只能从学生里现找。教导主任急得蹦蹦跳，向沈远哲求助，沈远哲推荐了我。男主持李老师来邀请我帮他主持晚会，我想都没有想就拒绝了，一个瞬间后，却又改变了主意。

从小学开始，我和张骏一直在一个学校，今夜，是我们同校的最后一夜。我希望他只要记得这场毕业晚会，就会记住我。

我现在的愿望已经卑微到，只是希望他不要忘记我。

音乐老师帮我挑选了一条素白的蓬蓬裙，腰身被勒得非常细，裙裾不长，刚到膝盖，却坠有无数亮片，走动起来，如有星芒闪烁，戴上配套的水钻发箍，完全是所有女孩都渴望的公主装扮。

音乐老师穿的是白衬衣、黑西裤，当我们并肩走向灯光闪耀的会场时，所有的老师同学都已经坐好。

老校长带头热烈地鼓掌，老师也开始鼓掌，四周渐渐发出雷鸣般的掌声，庆贺着苦难的高三真正结束。

我带着自认为最美的微笑，向大家宣布今夜的晚会正式开始。

"所有的节目都来自大家，任何同学有想表演的节目都可以去找沈远哲，他会登记下大家的要求，然后由我和李老师协商安排。今天晚上，我们敬爱的教导主任虽然在场，可我们不用理会他了，主题是否健康积极向上，不属于今天晚上。"

大家都笑，李老师说："今晚的第一个节目是钢琴独奏，表演者就是在下，请同学们利用这个时间考虑一下自己想表演的节目。"

李老师坐到钢琴边，开始弹奏，是激昂的《毕业歌》。

同学们陆续来拿字条，思考商量着要表演的节目。

我笑坐在沈远哲旁边，和他低声聊着天，视线却没忍住地搜索着张骏。终于，看到了他，他没有坐在自己班级的座位区，而是和甄公子、贾公子跨坐在花坛的栏杆上，说说笑笑。恰好与我和沈远哲是面对面。

等李老师弹奏完一曲《毕业歌》，才刚有同学交字条，却已经来不及准备道具，沈远哲问我："要不要让李老师再弹奏一曲？"

我笑和他说："那样就太沉闷了，看我的。"

我拿着话筒，一边向会场中心走，一边笑着说："如果现在举行一个投票，选举大家最恨的老师，不知道大家会投谁？每个人的选择肯定各有倾向，但是有一个老师一定榜上有名。大家猜猜是谁？"

同学们都笑，在座的老师也笑，毕竟晚会刚开始，气氛还不热烈，同学们仍没摆脱做学生的束缚，所以只是笑，却没有人真正敢说出来。我笑着冲教导主任敬礼："主任，祝贺您，您正是得票最高的老师。"

大家哄然大笑，我说："作为我们最恨的老师，我作为本届毕业生的代表想邀请老师为我们即兴表演一个节目。"

话筒被递到教导主任手里，他拿着话筒，不停地咳嗽清嗓子，却没有说表演什么。

我开始高声大叫："一二三四五，我们等得好辛苦；一二三四五六，我们等得好难受……"

我笑着挥手，示意大家和我一起说。这是高一刚入学，我们就学会的口号，全年级无人不晓、无人不会，又是起哄向来严厉的教导主任，大家立即齐心合力地加入进来。

可当大家都开始叫时，我却有些走神，真的已经三年了吗？似乎被马力嘲笑还在昨天，似乎才刚和宋鹏斗过气，那真的已经是上千个日子之外了

吗？？

"一二三四五六七，我们等得好着急；一二三四五六七八九，老师你到底有没有？"

全场五百来人的吼叫声可非同小可，教导主任忙说："有了，有了，我给大家唱首张信哲的《过火》。"

"哇！"我惊叫，冲同学们做了个不可置信的表情，表示是严重超标的歌曲，同学们都笑。

> 是否对你承诺了太多
>
> 还是我原本给的就不够
>
> 你始终有千万种理由
>
> 我一直都跟随你的感受
>
> 让你疯让你去放纵
>
> 以为你有天会感动
>
> 关于流言我装作无动于衷

教导主任边走边唱，把满场同学都震了，因为他的声音简直和张信哲的一模一样。

我没有任何意外，因为教导主任和沈远哲私交甚好，我听沈远哲提过他唱张信哲的歌唱得非常好，要不然，我也不敢随便拿他开涮来活跃气氛。

我坐在黑暗中，借着夜色，毫无顾忌地凝望着对面，张骏仍然坐在那里，身影隐约可辨，可他的面容，我却怎么努力，也看不清。

他究竟有没有看到我？

我知道他现在压根儿不会留意我，但是，没关系，我走到最明亮的舞台中央，让你一眼看到。

我每一次上场，都在随意中深藏着思考，使出浑身解数，制造一个又一个精彩，却并不是为了同学，只是为了那隐藏于角落里的一个人。

我对着全场展现精彩，只是为了让他看我一眼，只是为了让他记住我。

他能明白我的心思吗？

我不希望他明白，我只希望他能记住我今夜的美丽，我知道我今夜很美丽，因为我使用了所有的智慧和对他全部的爱在美丽。我把我所有的青春年华，凝聚在今晚，为他绽放。

关荷来登记节目，我开她玩笑："美女要重出江湖了？"三年间，关荷真的没有参加过任何和文艺有关的活动，她的同学几乎都不知道她拉得一手好二胡，有一副好嗓子。

她只朝我笑着点了点头，平静淡然，如对最普通的同学。她告诉沈远哲："我的节目是《在我生命中的每一天》。"

我特意把关荷的节目留给自己来报幕。

四周的小彩灯闪烁不停，同学们的面容模糊不清，当我走向舞台中央时，忽然想起了初三的文艺会演，关荷邀请我与她一起表演节目，那时我们还很亲密。我不知道是从什么时候开始，我们开始变得陌生。

"在每个人的成长中，都会有一些重要的人留下浓墨重彩的篇章。在我的生命中也有一个这样的人，她的出现曾让我觉得是生命中最大的灾难，我嫉妒过她，羡慕过她，可就在对她的嫉妒羡慕中，我不停地追赶着她，希望自己变得好一点、再好一点。我曾经为这种追赶无比痛苦，现在才终于明白，我今天能站在这里，离不开她。因为她的出现，我才成为今天的我，我要谢谢她。《在我生命中的每一天》，表演者：关荷。"

关荷从黑暗中走来，走向明亮的舞台中央；我从舞台上走下，走向黑暗。在光与暗的交界处，两人擦肩而过，我看着她，她却微笑地看着台下。

我不知道她究竟有没有听明白我的话，不过，那并不重要，重要的是我终于放下了心结。我不再羡慕别人，我开始喜欢自己。

关荷朝台下鞠躬，微笑着说："在一中六年，我有过欢笑，也有过哭泣；有过骄傲，也有过自卑；犯过错误，也纠正过错误，也许我没有父母期盼的优秀，可我已经尽力，我对自己没有遗憾。我把这首歌送给所有给予过我帮助和关爱的老师同学，谢谢你们，《在我生命中的每一天》。"

看时光飞逝

我祈祷明天

每个小小梦想能够慢慢实现

我是如此平凡却又如此幸运

我要说声谢谢你

在我生命中的每一天

看时光飞逝

我回首从前

曾经是莽撞少年

曾经度日如年

我是如此平凡却又如此幸运

我要说声谢谢你

在我生命中的每一天

晚会接近尾声，气氛越来越伤感，很多女生唱歌时，都泣不成声。

时间已经差不多，必须要告别了。

李老师悄悄叮嘱了我几句，由我为最后一个节目报幕。

"最后一个节目是大合唱，歌曲名称，《送别》，表演者，全体老师。"

所有老师都走到了舞台中央，一排排站好。

李老师弹奏起了弘一法师的《送别》。

长亭外，古道边

芳草碧连天

晚风拂柳笛声残

夕阳山外山

天之涯，地之角

知交半零落

一觚浊酒尽余欢

今宵别梦寒

和蔼可亲的老校长、白发苍苍的地理老师、白面书生的政治老师、曾经爱脸红的英语老师，邋邋遢遢数学老师、讲课糊涂的物理老师、刻板严肃的教导主任……

我的眼睛潮湿了，我相信这一刻，所有同学的眼睛都会有点发酸。

三年，最青春绚烂的三年！高一，我们无忧无虑的军训，流着汗唱军歌；高二，分文理科、快慢班时，焦灼痛苦；高三，无边无际的题海，我们三更眠、五更起。

我们曾一起踢正步，一起罚站，一起逃课，一起骂老师，一起玩闹，一起学习……

不管我们爱也好，恨也罢，高中三年都在我们生命中留下了最不可磨灭的印记。

老校长在歌声中，和大家告别："毕业是一个终点，更是一个起点。拼搏的高三结束了，拼搏的人生却才刚刚开始。我谨代表全体老师，给所有同学临别赠语，'天行健，君子以自强不息；地势坤，君子以厚德载物'！"

老师们陆续离去，我按照李老师事先的盼咐，告诉大家："下面是学校留给大家的舞会时间，老校长说只要还有一个同学愿意跳，音乐就会为他响奏。"

刚开始，同学们还你看我、我看你，不好意思上场，很快就有大胆的男生带着女朋友入场，不少地下情曝了光，惹得很多男生嗷嗷地起哄。

很多同学不会跳，会跳的教不会跳的，彩灯闪烁的露天舞池里到处都是或优美或笨拙的身影。

杨军跳坐到我旁边的桌子上，凝视着正在跳舞的童云珠发呆。

我说："你要是想，就去请她跳一支舞。"

杨军神色黯然："我不会跳舞。"

我走过去，拍了拍童云珠的肩膀："你去请杨军跳支舞吧！"

童云珠愣了愣，立即说："好的。"

她过来邀请杨军，杨军扭捏着说："我不会跳。"

童云珠落落大方地笑着说："所以，你的第一支舞才需要一个会跳的舞伴。"她向他伸出了手，我搡了杨军一下，杨军涨红着脸，握住了童云珠的手。

在舞曲声中，同学们开始三三两两地离开。

我藏匿在黑暗中，四处搜寻着张骏的身影，却看不见他。这就是他选择的告别方式吗？

舞台上火树银花、星光会聚，却是为别离而璀璨。

在温柔伤感的乐曲声中，我走向了校门。

再见了，一中！

再见了，我的青春！

2
金榜题名时

就在这个十字路口，年轻的你我挥手道别。

我们以为挥别的只是一段爱情，却不知道挥别的是我们的青春，

我们以为遗忘的只是一段欢笑与哀愁，

却不知道遗忘的是我们的梦想和激情。

考完试的日子是无所事事的寂寞。

当我习惯性地泡茶，想背诵英文时，才发现不用了。一个几乎做了三年的习惯，突然不用做了时，没有轻松，反倒有些失落。

我去报名参加了暑假绘画班，这一次，我是为自己而学。这个世界因为色彩而美丽，我希望自己有一双更善于捕捉色彩的眼睛。

在高考放榜前几天，我接到了北大负责招生的老师的电话，恭喜我考出了好成绩，邀请我填报北大。我晕晕乎乎地和他聊完，等挂了电话，才反应

过来，忘记问他我究竟考得如何了。

我爸爸妈妈开始兴奋，毕竟北大招生的老师亲自打电话，已经证明了我的成绩。

我给班主任打电话，班主任半是高兴半是惋惜地说："你是一中第一，全省第五，和省状元差了不到十分。"

我爸爸妈妈一边激动，一边还对对方强调做人要低调，在正式放榜前别对外嚷嚷。

第二天，清华的招生老师也打来了电话，邀请我进清华，当他听闻北大的老师已经联系过我，立即非常热情地向我介绍清华的保研政策，强调北大不具有这些优势。

这边清华的电话刚放没多久，那边北大的电话又来了。

爸爸妈妈乐得眉飞色舞，真把到底上清华，还是上北大当作了一个命题，很严肃认真地思考，特意打长途给我在某重点大学担任副校长的二姨夫，研究我该进清华还是北大。

我觉得他们的心态，有点像嫁女儿，清华北大两个金龟婿让他们左右为难，不过他们的为难是带着矫情和幸福的故作为难。

高考发榜日，关荷的妈妈打电话约我妈妈一块儿去看榜，我妈妈明明已经知道我的成绩也非要去，我不想阻拦，因为这一刻是他们养育我多年应该享受的一刻，但是告诉他们，见到关荷的妈妈，请言语谨慎。

因为我们的母亲俨然已经是闺中密友，我和关荷也就顺理成章地一块儿去看榜。

我们到时，校门口已经全是人，我妈妈拖着关荷的妈妈乐呵呵地往人群里挤。

我和关荷坐在一旁的花坛台子上，看着校门口拥挤的人群发呆，只偶尔交谈一两句。

榜单还没出来，我是全省第五的消息已经传开，很多同学来找我求证消息，恭喜我。

关荷一直微笑着和大家说话，不过，我知道她的神经已经绷到极致。

我叹息，最恐惧的时间就是结果揭晓前的等待。

终于，学校的大门打开，老师出来贴榜单。

校门前刹那就乱了，所有的家长都往前挤，反倒我们这些考生心情复杂地站在外面，既想知道成绩，又恐惧知道成绩。但是，不管想还是不想，所有同学都陆陆续续知道了成绩。

有的同学痛哭失声，家长陪着一起哭，也有的同学喜不自禁，笑得合不拢嘴。

我坐在花坛深处，既置身事外，又感同身受。高中三年，不仅仅是学生一个人的艰辛，还有家长的无数心血。

关荷突然从人群中冲出来，笑颜如花，我放下心来，她的成绩肯定不错。

"多少名？"

关荷喜悦地说："年级十一名。"

我的心刚放下，就看见林依然脸色灰暗地和妈妈挤出人群，我的心又悬了上去。我走过去，想问却不敢问。

"年级一百三十六名。"林依然眼睛里已经泪花滚滚，却仍尽力微笑着。

自从高一开始，不管大考小考，林依然从未失手，我之前担忧过杨军，也担忧过关荷，却从未担忧过她。

我不知道该怎么安慰她，这个高二没有出过前十名，高三没有出过前五名的聪慧女孩竟然只考了一百三十多名。三年来，一千多个日子，我坐在她身后，见证着她的勤奋努力，整整三年的辛苦，却在一瞬间化为乌有。

中国的高考很残酷，不仅仅是指它竞争的激烈，而是它只看最终一刻结果的残酷，不像国外，申请大学需要看综合表现，而中国，不管以前的成绩有多辉煌，这一刻没有成功，就一切都被否认。

我很难过，林依然反过来安慰我："没有关系，仍然在重点本科线以上，仍然能报一所重点大学。"

林依然的妈妈非常难受，一句话都不想说。林依然和我匆匆说了几句话，就带着妈妈离去了。

我坐在花坛的角落里，凝望着远处的蓝天。

这个世界总是有很多不能用逻辑去解释的东西，也丝毫没有公平性。

杨军兴高采烈，在人群中跳来跳去，四处大声问："见到罗琦琦了吗？罗琦琦在哪里？有谁见到罗琦琦了？"

关荷叫住他，和他说了几句话后，他的脸色暗淡下来，找到我，郁闷地说："林依然怎么会考砸呢？她的心理素质比你和我都好，定力也强，我们俩那么闹腾，她都能充耳不闻。"

没有人能知道答案，所以高考才是一个残酷的游戏。

"你怎么样？想好报考哪个学校了吗？"

"年级第七，我决定上复旦大学了，你呢？决定了吗？清华还是北大？"

"清华。"

"那我将来去北京玩，就投奔你了。"

我笑："别来骚扰我，找别人去。"

杨军翻白眼："你这人！"他默默坐了会儿，突然叹气，"希望童云珠能报上海的大学。"

"童云珠考得如何？"

"超水平发挥，竟然上了重点本科线。张骏考得也不错，好像是年级二十多，还是三十多，人挤了，我没来得及仔细看就被人挤出来了，不过，你也不用关心了，清华有的是年轻才俊，你就忘记过去，勇敢向前吧！"

他是只会说我，对自己就完全没辙。我问："沈远哲呢？"

"那不就是他嘛，要我去帮你问问吗？"

"嗯。"

杨军像猴子一样，一下就蹿没影子了，过了一会儿，竟然带着沈远哲和他的妹妹一块儿过来。

沈远思和我打招呼："怎么躲在这里？外面好多家长都在议论你，想看看你长什么样子呢。"

我吐吐舌头："相见不如想象。"

兄妹两人的表情都很正常，沈远哲的发挥应该很正常，杨军很快就多嘴地证实了我的猜测。

沈远思已经毕业，分配到本市的设计院工作，很不错的单位。我还没有打听，她就主动告诉我，林岚去了电视台，福利待遇都不错。

一起聊了一会儿后，沈远哲和妹妹离去，杨军也蹦蹦跳跳地走了，他们的事情还有很多，确定学校、确定专业、填报志愿，不像我，已经啥事没有了。

过了中午后，校门口的人渐渐少了，我妈妈和关荷的妈妈也不见了，估计都心满意足地回家了。

我一个人缩坐在花坛深处，抱着膝盖发呆。

关荷不知道去哪里转悠了一圈，到下午六点多的时候，竟然又跑了回来，笑嘻嘻地坐到我旁边。

"你怎么还躲在这里？不会是为没有拿下省状元在遗憾吧？"

我苦笑，"我在回忆一些以前的事情，等一个朋友。"

"张骏？"

我没吭声，关荷立即闭嘴。

已经日薄西山，校门口变得冷清，只有陆陆续续来看一眼热闹的人。

关荷问我："你不饿吗？要不要回家？"

"你先回去吧，我还想在这里坐一会儿。"

关荷摇摇头："我还在激动中，回家也待不住，还是陪着你吧。"

我没有吭声，视线凝视着校门口。

夕阳的余晖映照着庄严美丽的校门，两边的树木翠绿中泛着金红，三三两两的人站在校门口看榜，不停地有人来，不停地有人去，却一直没有我在等的人。

我在这里坐了一天，连中饭都没吃，小波却一直没有出现。

高一时，我就曾无数次幻想过这一刻，幻想着我高考考得特好，把小波狠狠地震一震，我想看到他惊讶意外的表情，我想得意扬扬地走到他面前，我想两个人开怀大笑，从此又可以朝夕相伴，无数次沮丧失望时，这曾是我前进的动力。

那时的我以为好好学习，大家就能永远在一起，可现在才明白，当我选择好好学习时，我已经走上了一条和他永无交集的路，而他在三年前就已知道。

三年前，我曾期待着看他的高考成绩，三年后，难道他就不想看我的成绩吗？

我一直很确定地相信他会来，他一定会来看我的成绩，这是我们的成功啊！

可是一天的等待令我不确信了，三年的时间，我变了，他也变了，他有自己的精彩，而我只不过是过去的回忆。

夕阳的余晖渐渐收拢，天色慢慢昏暗，学校门口的灯亮了，校门口已再没有人。

关荷小声问："回家吗？天已经全黑了，他肯定早就知道成绩，大概不会来看榜了。"

我微笑着说："再过一会儿。"

我走到红榜前，仰头去看。

大红榜，密密麻麻的人名。在最上面，用闪亮的金粉写着：罗琦琦。

我满意地笑了，很好，无比耀眼，一眼就能看到，这是我三年的努力所得，这就是我想要小波看到的，他是我唯一想分享这份荣耀的人，可是，他去了哪里？那个最应该看到这份荣耀的人去了哪里？

我默默地凝视着自己的名字，几分钟后，视线往下滑，停在了另一个名字上。

张骏。

我在红榜前站了很久，直到天黑透，才对关荷说："我们走吧。"

两人边走边说话，谈论着这个同学、那个同学的成绩，我嘴里如常地说着话，脑海里却翻来覆去都是：小波没有来看榜，他忘记了，他全忘记了！

在我自己察觉到之前，眼泪已经滚滚落下，因为关荷在旁边，我很想控制，却一点都控制不住，简直哭得大雨滂沱，而关荷以为我是因为张骏，十分尴尬，装作没有察觉，一眼都不看我。

我用力地去抹，眼泪却更汹涌地流出，我索性不再抑制，任由眼泪疯狂地掉着。

三年前，我失去他时，虽然难过，但还有美好的希望。在岁月的迷宫里，我们只是暂时失散了，没关系，我会在岁月迷宫的出口等你，而我也坚信他会在那里，他是我的小波啊！他怎么可能不等我呢？

三年后，我终于艰辛地走到了迷宫的出口，才发现我们的出口竟然不是同一个，而回首来路，我们都已经找不到回去的路。

其实，我知道，我们早已经走上了不同的道路，越往前走，距离只会越来越遥远，不管他看不看榜，都不能改变这个事实，可是，我不甘心，他怎么可以忘记？我就是不甘心！我就是自私地不想他忘记我！

但是，他忘记了！

到这一刻，我才真正明白，我永远失去了他！那个我以为不管世界多黑暗，都会陪着我去看清楚的人。

3
似水流年

新的流入，旧的流走，怎么抓也抓不住。
似水流年，原来就是这个意思。

我选择了清华的经管学院，志愿是我爸帮我填写的，录取自然毫无悬念。

关荷去了杭州，她爸爸的老家，她妈妈和她应该都很满意。录取通知书刚到，她和妈妈就离开了。

她离开的第二天，我收到她的一封信，看邮戳是前一天寄出的。我爸把信转交给我的时候，笑着说："真是一帮孩子！有什么话不能当面说？昨天你不是才去她家和她道别吗？"

我爸说错了，正因为我们不是孩子了，所以我们才开始拐弯抹角，当面一套，背地一套了。

　　不知道为什么，我不是太想看这封信，因为信本身就意味着不能对人言。

　　最终，我还是拆开了信。

琦琦：

　　当你收到这封信的时候，我已经离开，而且我知道，我永远不会再回来。

　　琦琦，请允许我这么叫你，我的朋友，我的敌人。

　　记得高三第一学期，我考得最差的一次，我妈妈骂我不争气，让她和爸爸失望，说是早知道我这么不争气，她何必为我牺牲那么多。我当时痛苦得都想自杀，你却跑来告诉我你一直很羡慕我，我当时一点都不相信，因为明明是我一直在羡慕你。

　　你现在有没有很震惊的感觉？那就是我当时的感觉！

　　你给我一个震惊，我还你一个震惊，我们扯平！

　　从小，妈妈就告诉我要努力、要很优秀，因为她为我牺牲很多，她所做的一切都是为了我。我在她的鞭策下，一直努力地做着优秀的孩子。

　　小学咱俩虽然在一个班，可你好像很安静，我对你没什么印象，只记得你和张骏是高老师的得意门生，数学学得很好。上初中后，看着你一次次在演讲和辩论比赛中得奖，我有些意外，很难把巧口善言的你和我的小学同学联系到一起。我听说你在外面混，有一堆社会上的朋友，大概出于对自己不了解世界的好奇，我有时候也会小小地羡慕一下你。

　　初三的时候，我们分到了一个班，坦率地说，我是欣喜郁闷交杂，你竟然是班级第一，我是班级第二。我当时很不服气，开始刻意接近你，不是有一句话叫"想打倒一个人就先了解一个人吗"？我就是这句话的忠实执行者。在我的努力下，你终于接纳了我作为你的朋友。你活得很放肆，压根儿不在乎老师同学是否喜欢你，看着冷漠难近，实际却是真性情的人，骄傲的我第一次开始欣赏一个女孩。

　　你的第一名只昙花一现，你后来的成绩一直都比我差，可我并没有为自己骄傲，因为我知道你根本没有参与这场竞赛，这只是我一个人的角

力。这个时候，我是真心欣赏你，喜欢你，如果没有后来，该多好！我的记忆会永远停留在这个最美丽的时刻。

进入高中后，我感觉到你变了，学习于你而言，不再无所谓。你虽然和我不在一个班，可每一次考试，我都把你作为敌人。

你节节攀升，直到最高。

看着一个不如自己的人，一点点超越自己，直到自己无法追赶的距离，我从不肯承认，到不得不承认我的确不如你，这个过程很痛苦。在这个痛苦过程中，朋友的砝码越来越轻，敌人的砝码越来越重。我开始疯狂地嫉妒你，嫉妒你学习比我好，嫉妒张骏喜欢你，嫉妒你压根儿不在乎，嫉妒所有人都关注你，所有老师都拼命对你好，连曾经喜欢我的小学同学都只谈论你、忽视我。

嫉妒令我做了很多不光彩的事情。刚开始只是小动作，比如，在张骏的生日聚会上，我故意让你在我之后去唱歌，只因为我了解你唱歌不如我。可张骏让原本的尴尬变得浪漫，原来你现在才是所有人聚焦的焦点，压根儿没有人关心关荷是什么样，我的嫉妒心让我越走越远，我开始把目标对准了张骏。

对于你的优秀，感受到压力的不仅仅是我，还有张骏。你太崇拜、信仰张骏，反倒忽略了他也会自卑、软弱。

我向他倾诉着学习上的压力，失败的挫折感，他感同身受地安慰我，全心全意地开解我，我甚至告诉了他我父亲的事情，在他的天平上扔下了重重的同情砝码，激发起他的保护欲。

我还把你说过的话告诉他，说你压根儿不相信爱情，认为爱情只是幻觉。我一再在他面前说你最重视的只有学习，你绝不会让任何人影响到你的学习。

我有意无意地做着破坏者，可当时，我还不承认，我告诉自己我和张骏只是互相关心的好朋友，我告诉他的也全是实话。现在我不再想为自己辩解，我的确曾不择手段地想破坏你们。

最终，在他的坚持和你的坦诚面前，我知难而退，我的骄傲让我不屑于做黄薇那样的女孩，其实，在我华丽的纱衣下，比她更不堪。我甚至不是因为喜欢张骏，只是单纯地想让你尝到失败的感觉，因为我讨厌你！

当我纠缠于成功失败时，其实我已经失败了，可是我身在局中，早已迷路。当你告诉我你从小就一直羡慕我，不仅仅是我的学习，还有我为人处世的态度，我突然就觉得自己很愚蠢。我怎么可以因为失败的学习，再去做一个失败的人？如果爸爸地下有灵，他一定在为我感到羞耻！

我开始疏远你，更疏远张骏，我也在妈妈骂我不争气时，哭着和她大吵，告诉她我已经被她逼得想自杀。高三后面的日子，我过得很单纯、很宁静，我甚至不去看成绩榜单，我只问自己，有没有每天都尽力了？只要尽力了，我就安心睡觉。

张骏最后和你分手了，你和他都闭口不谈，我无法知道原因，我不知道自己在这个过程中扮演了多重的分量，我很抱歉！

我不想虚情假意地说请原谅我，让我们继续做好朋友吧！我知道那不可能！一切发生过的事情就是发生了，与其辛苦地原谅，不如干脆地遗忘，就让我们从此形同陌路，各自珍重，各自努力吧！

虽然你并不需要我的祝福，不过，还是祝福你拥有最精彩的人生！

关荷

我把信反反复复看了三遍，非常难受，却没有生气愤怒的感觉，她压根儿不用请求我的原谅，因为，我们都不是天使。她只知道我羡慕过她，却不知道我也曾疯狂地嫉妒过她。

我也忍不住地想，如果没有关荷，我和张骏是不是不会分手？我没有答案。因为如果没有关荷，我就不会是现在的我，那我和张骏也许根本就不会在一起。

爸爸办了去北戴河的公费疗养，妈妈请了年假，他们决定带着我和妹妹先一起回妈妈的老家，给外公上坟，谢谢他保佑我顺利考入大学，再一起去北京，送我入学兼旅游。

爸爸和妈妈把我和妹妹召集到一起，说是要开家庭会。我纳闷不解，最近的大事就是我要上大学，可这有什么好商量的？

爸爸告诉我和妹妹："这两年，我和你妈妈一直在活动关系想调回西安，前段时间接到老同学的电话，我的工作已经基本落实，是一家福利待遇都很好的单位，给我的职称也很好。你妈的工作还有点问题，不过，我和你妈妈商量了一下，怕错过这个机会，以后的单位就没这么好了，所以决定我先调过去，等我过去后，再帮着你妈妈活动，肯定机会更多。"

我和妹妹面面相觑，消息太大，也太意外，我们都没有思想准备。

妈妈说："我们一直没和你们说，是怕事情没成功，反倒会扰乱你们学习的心思。琦琦要去北京读书，这事对琦琦影响不大。我和你爸的主要顾虑就是暖暖，害怕暖暖会因为这事影响到学习。我们商量后，决定让你爸爸先去西安，我可以在这边陪暖暖读书，等暖暖高考后，再往西安调，不过西安毕竟是省会城市，有很多挺好的大学，如果暖暖能早点过去读书，也挺好。暖暖，你自己怎么想？是想留在这边读高中，还是尽量早点转学到西安？"

妹妹犹豫着，妈妈又说："琦琦从小独立坚强，人又聪明，我和你爸爸不想限制她的发展，随着她去闯荡，暖暖从小好吃懒做，脑子不够机灵，依赖父母习惯了，我和你爸爸想你在西安读大学，父母就近，有什么事情都可以照顾上。"

爸爸妈妈和妹妹激烈地商量着，究竟是留在这里读书好，还是去西安读书好。

我微笑着想，原来这就是聪明、独立、坚强的结果，没有人觉得需要问你的感受，也没有人觉得需要为你操心，因为你很聪明、很独立、很坚强。似乎亦舒说过一句话，男人爱一个女人时会觉得她又小又笨又可怜，需要事事操心；不爱一个女人时，就觉得她又聪明又强悍，根本无须自己关心。这句话其实不仅仅适用于男女之间的感情，还适用于一切爱与被爱的关系。

妹妹的性格乐天活泼，反正天塌下来有父母撑着，虽然有些舍不得这边，可更贪图新鲜，很快就决定了尽早转学去西安读高中。爸爸妈妈很开心，三个人聊着未来的美好生活，如果妹妹学习成绩好，可以上西安交大；如果成绩不好，就努力争取上陕西师范。

我开始整理自己的东西。

我现在最不想记得的就是张骏和小波，非常迫切地想把和他们有关的一切全部忘掉，他们早已经离去，我也没有必要再念念不忘。可是，真让我把所有和他们有关的东西全部扔掉，我又狠不下心。

我把所有和张骏有关的东西，他送我的礼物，小学毕业的毕业合影，全部装进一个大牛皮信封里，再放进纸箱子；把那些和小波有关的一切，长城上捡的松果，崂山上捡的石头，墙上挂的地图，和他在一起时画的荷花，他送给我的小虎队磁带也全扔进了纸箱子，还有晓菲送我的东西，关荷写给我的那封信，小学毕业留言册……

所有的一切，我想忘记的一切全被我封存入了箱子，好似这样就可以把所有的不愉快都压到岁月底下，不再伤痛。

我把箱子交给妹妹："你能帮我保存吗？如果将来搬家的时候，我不在家，这些东西就由你负责帮我搬到西安。"

妹妹看到箱子被挂历纸封得密密实实，贴满了透明胶，每个透明胶下都有我签名的封条，她很不乐意："哼！你既然不相信我，为什么要交给我保存？"

"你本来就喜欢偷听我的电话，偷看我的东西，我交给你保存，但不想你偷看我的东西。你能不能答应？我能不能相信你一次？"

妹妹犹豫了一下说："不看就不看，你的破东西不就那些书嘛！不过，作为我替你保管东西的报酬，你工作后，要给我零花钱。"

"没问题。"

有了金钱的许诺，妹妹非常认真，把箱子慎重地放到了自己的床下。

我环视着这个屋子，有什么是我想带走的？

书架上，静静立着外公抄写的《倚天屠龙记》。我将它们抽出，用一个塑料袋仔细包好。这是我最初，也是最美好的记忆，我会带着它们离开，走向未知的未来。不管遇见任何困难，只要看到它们，我就会记得，我曾被人深深疼爱过。

我借口累了，早早就上了床。

睡得很不安稳，做了一夜乱七八糟的梦，清晨六点就在淅淅沥沥的雨声中醒了。

我披了件外套出门，没有打伞，漫步在小雨中。

走到河边，凝视着河水滔滔，又穿过小桥，穿过绿化林带、居民楼区，到了张骏家附近。

不敢走近，只站在远处眺望。

他家门前的喇叭花开得正好，白色的，粉色的，紫色的，错杂着铺叠成绚烂的一片。

在刻意与不刻意之间，已经很久没有他的消息了。他去了什么大学，哪座城市，什么专业，我都没有去打听。一切太具体的东西都代表着思念，消泯了这一切，思念没有了附着点，也许就会淡化、消失。

他卧室的窗户，窗帘密密地拉着，看不出来里面有没有人。

也许他仍在那个屋子里，也许他已经离开。

雨丝虽然很细，站得时间久了，头发和外套也变得湿漉漉的，眼镜上更是迷蒙着一层水雾，什么都看不清楚，索性摘了眼镜。

慢慢地往回走，经过桥旁时，驻足凝望。

从地上捡了很多石头，一块又一块地丢向水里。

正要抬手扔出最后一块石头，看到一个穿着黑色运动背心的男生沿着河道跑步而来，我的手停在半空。

虽然没戴眼镜，可他的身影我不会认错。

他也看见了我，慢慢地停住了脚步。

大概知道这是我们最后一次见面，所以，我没有移开目光，反倒直直凝视着他。

他穿过纷飞的细雨，走向我，又不想太接近，停在了一个彼此看得见、却又看不太清的距离。

他的头发湿漉漉的，细蒙蒙的小水珠附在发梢，有一层晶莹的光。

我突然想起了那个把大黑伞尽量倾斜给我的男孩，我的身子一点没湿，他的头发却带着水珠。

迷蒙的哀伤就如这细雨，看着无痕，却铺天盖地、无所不在。

我用力把手中的石头丢出去，转身离去。

叫我，请叫我，你只需轻轻唤一声我的名字，我就会立即回头奔向你。

可是，一直没有任何声音。

沿着小时候上完补习课，和张骏放学的路，我去了第四小学。

校门口的牌子和以前一模一样，白色的牌匾、黑色的大字。

隔着校门的栏杆，望着里面，五彩的花坛，白色的教学楼，大玻璃窗，蓝色的窗帘，一切都一模一样。

似乎眼睛一闭，就能看见胳膊上戴着三条红杠的大队长，站在校门口，严肃地检查着每一个进校门的同学有没有戴红领巾。

瘦小的我，背着书包，畏缩地低着头，跟在同学身后，唯恐别人留意到我。

可是，我竟然这么大了。

我沿着校门前的街道，一直往前走着，这里曾经很热闹，右边有一个菜市场，左边店铺林立，高二时菜市场被拆除，改成了一个露天广场，店铺也越来越少。

当我看到被推倒一半的游戏机房，既觉得意外，又觉得正常。

游戏机房前面曾是一片水泥地，小波和乌贼亲手铺的，如今堆满了碎裂的砖头，难辨本来面目。

我突然想起了那株葡萄，立即冲进断壁残垣里，弯着身子，在砖头下四处翻找着，只看见一排丢弃的枯藤和竹竿，没有发现任何类似葡萄主根的东西。

我蹲在地上，看着自己满手的泥污，忽地笑起来，小波带走了葡萄！虽然不是因为我，也许只是为了乌贼，但那也是属于我的葡萄。

笑着笑着，却想落泪，葡萄藤架下的吵闹追逐声还宛然在耳畔，眼前却只有碎泥断砖。

我蹲在砖头地里发呆，工人们来上班，惊异地看着我，我这才惊觉已经九点多了。

赶紧起来，匆匆往家里跑，妈妈看到我，紧张的神色一松，埋怨我："大清早的你去哪里了？我们要赶火车。"

我不吭声，立即去洗手。

水龙头哗哗地流着，在下水口处形成了一个旋转的水涡，褐色的泥水带着过去的气息，眷念地打着圈，却被干净的新水冲得快速流走，越来越淡，渐渐消失。

似水流年，原来就是这个意思，新的流入，旧的流走，怎么抓也抓不住。

请相信，那些偷偷溜走的时光，催老了我们的容颜，却丰盈了我们的人生。

请相信，我们历经世事后的沧桑容颜，不仅仅让我们学会了冷漠的自我保护，还让我们学会了仁慈地体谅他人。

请相信，这世上有东西会比时间更永恒，那就是我们爱别人，爱自己的心。

请相信，青春的可贵并不是因为那些年轻时光，而是那颗盈满了勇敢和热情的心，不怕受伤，不怕付出，不怕去爱，不怕去梦想。

请相信，青春的逝去并不可怕，可怕的是失去了勇敢地热爱生活的心。

宽恕的美丽

　　篮球场上，男生们正在拼抢，被阳光晒成古铜的肤色散发着蓬勃的生命力，就连偶尔爆出的脏话也让人想微笑，这是青春特有的姿态。

　　篮球场边，有三五成群的女生，随着场上奔跑的身姿，一会儿大叫，一会儿鼓掌。

　　罗琦琦看着她们微笑，她们是否会也撒谎？明明关心的是他，却为另一个人喝彩。只是送一瓶饮料，却搞得像间谍工作，绞尽脑汁避开所有人的注意。

　　篮球滚到罗琦琦脚下，有男生大步跑来追球。罗琦琦弯身捡球时，忽然间想起来这一幕曾经发生过，惊人的相似令她觉得当她直起身把篮球送出去时，看见的会是张骏，两人在一递一拿之间，她明白他是故意打飞的球，他也知道她明白了，眼神偷偷地甜蜜着，好似拥有天下最幸福的秘密。

　　可是，不是！

　　没有那个不看球，却一直看她的少年。同样的场地，同样的喧哗，同样的篮球，却已经隔着十年的悠悠光阴。

　　她把篮球递给陌生的少年，少年笑了笑，表示感谢，又大步跑着返回球场。

　　罗琦琦默默地离开了篮球场，走出了校园。

　　出校门时，年轻的门卫同罗琦琦打招呼："下班了？今天走得挺早。"

"是啊，早点回去买菜做饭。"

罗琦琦站在校门外，看着大街上熙攘的车流人潮，想到上一次站在这里已是十年前，忽然间有无限心酸，是因为那些逝去的人，还是因为那些逝去的光阴？她不知道。

回过头去看，夕阳正照到校门上，同学们三三两两地出出进进，两个穿着高中校服的女孩推着自行车走出校门，边说边笑，商量着晚上在哪里见面。

罗琦琦一直凝视着她们，直到她们远去。

她们是真心要好，还是表面亲密？她们可会又彼此欣赏，又彼此嫉妒？十年之后，她们在回首自己的青春时，想起对方时是温馨的，还是苦涩的？

琦琦拦了辆计程车回宾馆，一进门就给杨军打电话。

杨军问："你什么时候到北京啊？依然已经给你收拾好屋子了，就等着你入住，和你彻夜长谈。"

"过几天就过去，我想麻烦你件事。"

"说！"

"我知道你和高中同学的联系比较紧密，你能帮我查查关荷的联系方式吗？"

"没问题，她是(4)的吧？我有不少(4)的哥们儿，我帮你查一下。查到后打给你。"

琦琦没有手机，为了等电话不敢出去吃饭，就叫了晚餐到房间，边看电视边等电话。

三个多小时后，十一点多，杨军的电话才到。

"关荷高中毕业后，就很少和高中同学联系了，我问了好几个同学，同学又问同学，只查到一个她的电子邮件地址，还不知道能不能用，你先发一封信试一试，如果不行，我再帮你想办法。"

"多谢。"

"别假客气了，你好好玩，多拍几张照片，等到北京后我们再聊。"

"嗯。"

挂了电话，琦琦立即打开电脑，登录了邮箱，却一直看着电子邮件的屏幕发呆。

当时年少，意气飞扬，只顾着向前看，并没有仔细体会关荷的心思，其实她写那封信，是抱着深深的愧疚在请求原谅，只是因为太骄傲，把自己先放在了不被原谅的位置，好像这样就可以不用在乎琦琦是否原谅她。但真的可以不在乎吗？如果不在乎，何必高考放榜那天一直陪着琦琦？又何必写那封信剖析自己的心迹？

琦琦的没有回信，在琦琦而言只是一种想抛弃过去不愉快的洒脱，可对关荷而言呢？

琦琦不知道关荷是否还会想起以前的事情，如果她还记得，那么当她听到《又见炊烟》时，看到别人滑旱冰时，只怕回忆都带着苦涩，可在当时，她们曾想把那作为最美好的记忆刻在脑海里，是可以温柔地讲给女儿听的美丽故事。

琦琦开始敲字。

关荷：

我是罗琦琦，这是一份迟到了很多年的信。也许已经没有必要，可如果我不做，我无法心安。

当年张骏和我提出分手后，我看似满不在乎，用大声的笑闹把悲伤强行压下去，其实，我心里对他有自己都没有察觉到的恨意，恨他辜负了我的感情，恨他不喜欢我了，恨他许的诺言都变成了谎言，所以，我会故意在他面前若无其事地笑，故意和沈远哲一起回家，故意让别人误会我和沈远哲在谈恋爱。用行动告诉他，谁在乎你是否喜欢我？没有你，我更快乐，没有你，也有别人来关心我。

但是，被强行压制的悲伤因为从没有释放过，随着时间慢慢发酵，我越想忘记反倒越无法忘记，只是我没有勇气回头，只能往前走。

这几天我在老家，坐在我们曾经一起读书的校园里回想这些过去的事情，我发现我的怨气和悲伤反倒在慢慢平复。

　　我和张骏的分手，的确和你有关，但是，也和你无关。也许十年前，我说这句话，你不会理解，可现在我想你应该明白我的意思。年少时的爱恋，十分真挚，但真挚下是笨拙，因为不成熟的笨拙导致了伤害与被伤害。年龄越大，会越来越成熟地处理爱情，但那些初恋所特有的真挚和笨拙只有一次，所以，随着岁月流逝，所有的伤害都会被渐渐遗忘，只有美好被记住。

　　这几天我越回忆越肯定张骏曾全心全意地爱过我，能被他那样爱过，我很幸运。失去他，是因为我当年也曾笨拙地爱着他，我的骄傲、自卑、敏感、倔强伤害到了他，不是因为你。

　　关荷，你无须把我和张骏分手的原因归咎到自己身上，请原谅自己。

　　我还想告诉你个秘密。我当年不仅仅是羡慕欣赏你，我也曾非常嫉妒你，我也有过很多的阴暗心理，虽然没有造成大的伤害，本质上和你没什么分别。

　　我们都不是天使，都不完美，可我们依旧要喜欢爱护这个缺点多多的自己。

　　衷心希望你过得幸福快乐，因为，你是我心中一个最特别的存在，永远！

罗琦琦

　　点了发送按钮后，琦琦对着屏幕微笑，只希望当关荷收到这封信时，也能对着屏幕会心一笑。从此后，能在想起过去时，即使有惆怅，也只是惆怅那似水流年。

　　琦琦非常安稳地睡了一觉。

　　第二天起床后，她开始查询高老师的联系方式。

　　上大学的时候，她还给高老师寄过贺年卡，后来，也不知道怎么就失去了联系。

　　拿到高老师的联系方式并不困难。她上高中时，高老师的丈夫就已经是技校的副校长，现在肯定官职更大了，查平头百姓不容易，可查当官的很容易。

一切都如她所料，没有太多困难，她就拿到了高老师丈夫的办公室电话。

她拨通了电话号码："请问是王处长吗？"

"我就是。"

"您好，我叫罗琦琦，是高老师的学生……"

她的话没说完，对方就爽朗地笑起来："罗琦琦，市高考状元，后来上了清华的？"

"是我。"

"高惠肯定要高兴死，我给你她的手机号，你直接和她联系。"

"好的，谢谢您。"

罗琦琦默默坐了一会儿，沉淀了一下心情，才拨通了高老师的电话，本来还紧张于该如何问候，没想到，高老师直接叫着说："琦琦，是你吗？老王跟我说你回来了。"

"高老师，是我。"罗琦琦的鼻子直发酸，像是在外漂泊多年的游子，终于听到了故乡的声音。

"琦琦……"高老师确认了是她，反倒不知道该说什么，沉默了一会儿才说，"我看来电显示是市内座机，你在哪里？"

"我在宾馆。"

琦琦报上了宾馆的名字和地址，和高老师商量后，决定在附近的西餐厅见面，可以先喝点咖啡聊天，再一起吃晚饭。

琦琦提前半个小时赶到西餐厅，没坐多久，一个短发女子走了进来，身材已经发福，笑容却十分明朗。

罗琦琦立即站起来，因为发自内心的尊敬，反倒一点都挂不出习惯性的微笑，紧张得如同小女孩。

高老师也和原来一样，先从头到脚把罗琦琦检查了一边，像是要检查她有没有涂红指甲，偷戴首饰。

　　高老师让琦琦坐，皱着眉头说："怎么这么瘦？你每天吃的是什么？我听说你出国了，外国的东西是不是不好吃？你身体好吗？有没有经常锻炼身体？"

　　罗琦琦笑着，精明强悍的罗琦琦在高老师眼里只是一个不会照顾自己的臭小孩。

　　她轻声询问着高老师的近况。

　　高老师生过孩子后，身体不好，就从教育第一线退了下来，如今在教务处工作。有一个六岁的儿子，正在学钢琴，高老师每天的主要工作就是和儿子斗智斗勇，让儿子多练会儿琴。

　　琦琦听得很开心，知道自己这辈子最感激、最尊敬的人过得幸福就是最大的开心。

　　琦琦和高老师一直聊到晚上九点多，才依依不舍地分别。

　　在离开时，她非常郑重地告诉高老师："谢谢您，高老师，如果没有您，我的命运会截然不同。"这是琦琦第一次亲口说出对高老师的感激，在十年后，她才懂得一个道理，心里想的必须要说出来，人家才会知道。

　　高老师很不习惯这种直白，不好意思地岔开了话题，但是，能看得出来，她心里非常激动高兴。有学生对她终身感激，有学生因为她而命运改变，这也许才是她教师生涯中最荣耀的桂冠。

　　琦琦非常高兴自己亲口把心里的感激告诉了高老师。

　　回到宾馆后，琦琦第一件事情就是查邮箱。

　　没有关荷的回信，不知道是还没检查邮箱，还是邮箱已经作废，她有些淡淡的失望，但转念间又想，只要自己有心，肯定能联系到关荷，并不着急这一时。

　　洗过澡后，琦琦把纸箱子抱到床上，看着它发呆，里面有她少年时所有的欢笑与哭泣。

　　十年之前，她在伤痛下，怀着怨恨封存了一切，恨不得一辈子都不要想起，也坚信在前面的路上，一定能碰到更优秀精彩的人，十年之后，经过时间的沉淀，她开始明白，这些是她这生这世所拥有过的最美丽的东西。

小波早已经忘记了她，张骏早已经不再爱她，但是，他们曾经很珍惜地对待过她，这才最重要。

不知道昨天晚上什么时候睡着的，早上醒来时，罗琦琦发现自己竟然在箱子旁边睡了一觉，不禁哑然失笑。

戴上隐形眼镜，化上淡妆。大花的吊带裙，米色的宽沿凉帽，最舒适的凉拖，一只亚热带风情的米色编制手袋，罗琦琦看看镜子里的自己，满意地点点头，施施然地出了门。

她像逛街一样逛到她和小波消磨了无数日子的歌厅，完全在意料之内，歌厅已经不见。连着周围的店铺全部被拆了，统一规划成了一条小吃街。

罗琦琦边走边看，时不时买点小吃，一直逛到最后面。

出了步行街，有很多计程车司机蹲在路边，问她要车吗。她客气地摇摇头，沿着三分熟悉，七分陌生的道路，走着，逛着。

中间迷了次路，不过她绕来绕去，还是绕了出来，两个多小时后，走到了以前舞厅的所在地。

已经面目全非，早找不到当日的"在水一方"。

因为一切都在意料之内，罗琦琦并没有太失望，随着人流，慢慢地逛着，微笑地打量着每个角落，可是心底深处总是有一丝挥之不去的惆怅。古人哀叹物是人非，却不知道最大的悲哀是物非人非，现代人常常连一点可供凭吊的回忆都难以存在。

"在水一方"四个大字，在她完全没有防备的情况下，突然就跳进了她的眼帘。

那一刻，她的呼吸几乎停止。

一瞬后，她才又恢复正常。只是店名一样而已。眼前的"在水一方"是一家装修古色古香的书吧，不是纸醉金迷的舞厅。可是，她却忍不住拉开玻璃门，掀开竹帘，走进了书店。

一室清凉，和外面是截然不同的世界。

不知道是时间原因，还是生意本来就不好，店里的顾客不多，两个店员也有一种懒洋洋的闲适，看到她进来，只笑了笑。

罗琦琦一边看着架子上的书，一边走着，书吧的装修风格特别有中国园林的曲径通幽，利用书架和书自然地把空间分隔成了一个个私密的小位置，除了随处点缀着的绿色植物，再没有其他装饰。

不像一般以文艺书籍居多的书吧，这个店里有许多金融管理方面的书籍，连枯燥的微观经济学都有。

最令罗琦琦意外的是，书店的最里面，竟然隔出一处四四方方的空间，放着一个台球桌。此时天顶上垂下的吊灯都没有开，一片幽暗寂静，好像另外一个世界。

她走过去，拿起台球杆，在手里无意识地摆弄着，过去的回忆潮水般涌入脑海。

侍者打开了开关，台球桌上的灯亮了，打断了罗琦琦脑海里的画面，女孩微笑着说："您若需要什么，请随时叫我。"

"帮我拿一杯龙井茶，可以吗？"

"好的。"

罗琦琦弯下身子，瞄准了一会儿后，啪的一下，将杆击出，所有的球在桌面上散开。小波教给她的技艺，她并未生疏。

她打了一会儿球后，侍者端着绿茶过来，放到角落里的高脚圆桌上："您的茶在这里，请慢用。"

罗琦琦轻声问："你们老板叫什么名字，你知道吗？"

女孩抱歉地笑笑："不知道，日常管理的是王姐，真正的老板是王姐老公的朋友，偶尔会来打球。"

"他长什么样子？"

"三十来岁吧，不算很高，一米七八左右，看上去很斯文……"女孩笑着说："唉，我也说不清楚了，反正挺精神的一个人。"

"他背上有没有文身？夏天的时候，即使穿着衣服，如果注意看，也能看到一点。"

女孩凝神想了一会儿，"哦，有，不过看不清楚是什么。"

"你有他的联系方式吗？"

女孩憨厚地笑："我怎么可能有？"

"那王姐在吗？"

"她不在。"

"你知道她大概什么时候会来吗？"

"她一般早上过来，不过有时候我们下班后，翟哥——就王姐的老公，会来玩台球。"

翟哥？乌贼姓翟。琦琦愣了一会儿，突然想起妖娆姓王，可乌贼和妖娆的本名是什么？她竟然已经完全想不起来，原来这时光也把她变得面目全非了。

女孩说："要不您明天来吧，王姐一般早上都会来转一圈。"

罗琦琦笑着点了点头："谢谢你。"

弯下身子继续打着台球，边打边纳闷地想，为什么是书店？难道这么多年过去后，小波依然不能释怀于自己没有上过大学？

一幅画面，几句对话突然跳出。

在李哥的办公室，小波第一次叮咛她，做事不能冲动，要珍惜自己。他笑着问她："琦琦，你将来想做什么吗？"

"嗯……嗯……我喜欢看书，也许可以开个小书店，看看书，赚点钱，足够养活自己就可以了。"

在明白过来的一瞬间，琦琦只觉得眼前好像有千万朵火红的花一路高歌着次第开放，整个世界都被点亮了，整个身体都好似要被喜悦炸裂。

他没有忘记！他没有忘记！

猝不及防间，一滴又一滴的水滴掉落到台球桌上，印出一个个深绿的渍印。罗琦琦双手撑在台球桌旁，低着头，任由泪水肆意地落下，却边哭边咧着嘴笑，他还记得我，小波还记得我！

小波从来都没有忘记过她！

她代替他实现了一个梦，所以他就也代替她实现一个梦。她带着他的梦想去飞翔，而他守着她的梦想在这里静静等候。

可是，小波啊，你为什么不肯告诉我？为什么让我在多年前哭泣着离去？

罗琦琦提起手袋，走到柜台前结账。

"我能给王姐留个言吗？麻烦你们尽快转交给她。"

收银员把零钱递给罗琦琦："没问题，我会打电话告诉王姐。"

罗琦琦拿起笔，在留言纸上写下：

> 美丽温馨的小书店，像一个少年时的梦。做梦的人在红尘颠簸中都已经忘记了自己想过什么，却没有料到，蓦然回首时，梦已经实现。
>
> 小波，明天我会在河边等你，不见不散。
>
> 琦琦

已经递给收银员，可她又不放心起来，把留言纸拿回，在下面补充了一句："我说的是不见不散！"

罗琦琦提着手袋走出了书店，随着人潮边走边逛，和刚才是一模一样的陌生景致，她却没有了刚才的惆怅，忍不住地笑了又笑。

这些年来，她去过很多国家，看过很多风景，经历过很多事情，但是，她最想分享这一切的人却不在，一切的精彩都带着一丝遗憾，明天她会告诉他一切，这些年的辛苦与精彩。

一对夫妇从她身侧走过，男子留着非常短的板寸，穿着无袖背心，体形健壮，两只胳膊上的肌肉充满力量地纠结着，背上有大片的刺青，一直延伸到胳膊上。

他的肩膀上扛着一个小男孩，小男孩抓着他的头，大声喊"驾、驾"，男子身边走着一个烫着长卷发的美丽女子，一面大声讲着电话，一面时不时看儿子一眼。

罗琦琦和他们迎面而过，慢慢停住了脚步，他们却从她身边径直走了过去。

琦琦回过头，看着他们走过一家家店铺，停在了"在水一方"前，男子猛地把儿子抛起来，再接住，小孩高兴地哈哈大笑，就在笑声中，男子把孩子夹在胳膊底下，走进了"在水一方"。女子仍然站在店门口，讲着电话。

隔着人群，罗琦琦一直看着她，她的视线好几次都从罗琦琦身上扫过，却停都没有停。

琦琦笑起来，妖娆和乌贼真的在一起了！时光之河中究竟流过什么，已经不重要，当年和妖娆在一起的男子也许是她的亲戚，也许是她绝望时抓住的一根救命稻草，但是，不管怎么样，她最后终究选择了乌贼。

罗琦琦对妖娆笑了笑，转过身子，汇入了人海中，刚才的喜悦却消失不见。

如果在十多年前告诉乌贼和妖娆，他们会和琦琦对面相站却不相识，肯定没有人会相信，可这扰扰攘攘的红尘、忙忙碌碌的人生终究是磨蚀掉了以为不可能忘的记忆，但她能怪他们吗？她不也忘记了他们的名字？这不就是人生？一边行走，一边遗忘。

十年光阴，她对小波的生活一无所知，也许小波早就不关心她做过什么。

"在水一方"肯定和过去有关，却不见得和她有关，也许那只不过是小波对那段逝去光阴的纪念。

只要曾经年少，每个人都会在心底深处为逝去的青春留一点柔软。在沧桑流年的某个间隙，眼中会忽然掠过一缕莫名的黯然，在似曾相识的风景前，心头会蓦然升起一段无名的惆怅。但这些黯然与惆怅，并不意味着他们想和那些记忆中的人重逢。

过去的光阴就是过去的光阴，不可能再回溯，往日的朋友就是往日的朋友，只在记忆里美好。

小波会赶赴她的河边之约吗？

她不知道。

清晨，吃过早饭后，罗琦琦穿上白T恤、牛仔短裤，背起大背包，带着水和面包，徒步走向河边。

上一次，她离开时，以为只要自己愿意，随时就可以回来，却不料在生活的激流中，旧地重游是非常奢侈的事情，这一别就是十年。

走了一个多小时，到了绿化林，每棵树都长得又高又大，记忆中，只是个小树林，如今却像小森林。

琦琦一边走着，一边温柔地抚摸过树干。

很多年前，曾有个穿着白蓝T恤，风华正茂的少年站在这里，等着他心爱的女孩。那个少年已经被时光带走，可它们依旧在这里。

罗琦琦穿过茂密的绿化林，到了河边。

"我回来了。"她在心里默默说。

她放下肩上的双肩包，坐到河边，凝视着河水，这就是她魂牵梦萦的地方。

在无数个午夜梦回，她常常梦到回到了河边，在她的梦里，有张骏、小波、晓菲，关荷，他们还是少年时的样子，大家在一起说说笑笑，快乐地嬉戏。

有时候，她会从梦里笑醒，欢喜盈满心间，却在刹那后意识到，他们早已经离她而去，如那一去不复返的青春。

琦琦默默坐了很久后，从包里拿出那个有自己签名的纸箱子，紧紧地抱在怀里。

十年之前，她毫不犹豫地将它们留在身后，奔向未来，十年之后，她开始明白，她永不能割离那些记忆，不管是痛苦还是欢笑，都是她的财富，她的生命因为它们而丰盈，所以，这一次，她会带着它们走向未来。

她打开了箱子。

首先映入眼帘的是一个不大的透明塑料罐，罐子里装着几瓶已经干涸的指甲油，几个掉色的发夹。

晓菲出事后剪掉了头发，拼命把自己往男孩的样子打扮，把自己不用的指甲油和发夹全送给了她。

琦琦拿起指甲油放在手掌间把玩着。

初二的那个暑假，她天天去看晓菲，两个人在晓菲家的沙发上涂指甲油，晓菲教她如何搭配指甲油和衣服的颜色，还帮她梳头别卡子，两个人唧唧咕咕地说话，约定了将来上一所大学，永远是好朋友。晓菲还嘲笑她没有宏大的理想，不会赚钱，可又说没有关系，她会负责赚钱来照顾她们俩。

罗琦琦对着指甲油轻声说："晓菲，你在哪里？你知不知道我现在已经很厉害了，很会赚钱了，不管你是什么样子，我都有能力照顾好你。"

大学毕业后，罗琦琦放弃了北京的工作机会，去了广州。

在陌生的城市，结交新的朋友，工作之余，她最喜欢做的事情，就是利用各种机会，泡遍广州、深圳、香港的酒吧。酒吧里的歌手们都是南下追寻音乐梦想的年轻人，很多人和王征相似，却不是王征。

罗琦琦白天做着最正经、最严肃的办公室白领，夜里就变成了流连声色场所的夜女郎，她出手大方，广交朋友，聊着各种八卦是非。

在各种各样的小道消息中，她挖掘出了一点点王征的消息，他在酒吧里唱过歌，和人组织过乐队，似乎还真灌制过一张失败的唱片，然后，他就销声匿迹了。

这里的人都是这样，突然之间，冒出来，用着很文艺的假名，玩着音乐，谈着理想，一年年过去，理想越变越淡，酒却越喝越多，一些人会突然顿悟后消失，一些人会从麻醉自己的酒渐渐过渡到毒，一日日腐烂，像鬼魂一样徘徊在城市的黑暗角落里。

王征消失的结局，并不是最差的结局。可是，晓菲呢？

罗琦琦几乎上穷碧落下黄泉，却没有她的任何消息。

她曾凌晨三点站在广州的天桥上，对着整个城市大喊："葛晓菲，你还欠我一次羊肉串！"

一遍遍，喊得声嘶力竭，回答她的是一串问候语，问候了她祖宗三代的女性亲属。

这个城市喧哗热闹，日日夜夜都有声音，可是，就是没有她寻找的声音。

一年多后，她在陈劲的建议下，申请到斯坦福大学的工商管理硕士，离开了广州。

罗琦琦握着指甲油，把头埋在膝盖上。

这个世界有些事情会有答案，可有些事情似乎永远都不会有答案。晓菲会不会成为她生命中永远没有答案的谜题？她不知道，她只知道，她会永远背负着它，直到死亡。

很久之后，琦琦才把指甲油放回了纸箱里，随手从纸箱里又抽取了一件东西。

是一个白色的小塑料袋，摸着软软的，不知道装着什么。

琦琦满是好奇地打开，看见了一条红底白点的小裙子。她猛地一下捂着嘴，震惊地盯着。

她竟然保存着这个？连她自己都忘记了！

她忍不住站起来，把裙子抖开，仔细地看着，这么多年过去，这条裙子竟然依然像新的一样。她把裙子放在自己身上比着，好像还算合身。

琦琦忍不住脚底下踩了几个舞步，如果小波肯见她，她一定会穿上这条裙子，请他跳一支舞。

下意识地，她抬头看向河岸，已经是下午，小波仍没有出现。

他会来吗？不知道。

琦琦一会儿有无数个理由觉得小波一定会来，一会儿又有无数个理由觉得小波一定不会来。

昨夜她曾为这个问题无限焦虑，现在却开始平静，来与不来是小波的选择，等待与不等待是她的选择，她所能做的只能是尽力后的无遗憾。

琦琦把裙子叠好，用塑料袋包上，放回纸箱里，闭上眼睛，在箱子里摸着。

这一次拿起的会是哪一段记忆？

一个褐色的大牛皮信封。

这个琦琦倒是记得，里面装着和张骏有关的东西，但究竟有些什么，她却记不太清楚了。

长城的门票，颐和园的门票，青岛蛇馆的门票……故宫的门票上写着学生票，颐和园的门票才十五块，现在只怕五十块都不够。

几张电影票，没有年份，只有日期，有蓝色的，粉色的，黄色的，每一种颜色都是两张，座位号连在一起。这应该是她和张骏去看过的电影的电影票。

琦琦拿着电影票，翻来覆去地看，却一点都想不起来与这个电影票相关联的电影是什么。她也回忆不起，他们在电影院里都说了什么、做了什么。

一张小学毕业时的合影，张骏顶着一个刺猬头，站在最后一排的中间，冲着镜头，咧着嘴傻笑。女生们在前面两排，她缩在最旁边，脸上一丝笑容没有，眼睛没有看镜头，而是盯着地面，只能看到半张脸。

琦琦看得笑起来，这个别扭的小傻妞真是她吗？却很快意识到，这竟然是她和张骏唯一的一张合影。夏令营时，有很多照相机会，她固执别扭地全部拒绝了。有两三次集体合影，可底片在邢老师那里，回学校后，邢老师一忙就全忘了，压根儿没冲洗给他们，她当时也没在意。

罗琦琦握着相片，难受无比，她和张骏最快乐的时光就是在青岛，可竟然因为她的别扭和固执，一张相片都没留下。为什么当年的她可以那么敏感倔强又固执呢？

　　一张圣诞贺卡，估计为了照顾她，里面没有任何牵涉情爱的字眼，就是祝福她圣诞快乐，可是在大贺卡的里面夹着一个小小的桃心贺卡，上面用英文写着："I'll love you forever！！！！！！"写字的人应该是觉得光写字还不能够表达自己的感情，又连着用了六个感叹号。也许非常幼稚，却满是真挚。

　　罗琦琦怔怔地看着，十一年前，她收到这张贺卡，可是，竟然是十一年后，她才第一次看懂了这个小贺卡的心思和那几个感叹号。当年收到时，估计她只是甜甜蜜蜜地看完，却压根儿没真正读懂送卡人的细致体贴。那个少年想写很多情话，却又担心她怕被父母发现，所以就用了一个大贺卡写着祝福语，再用一个可以取掉的小贺卡写着情话。市面上买不到那么小的贺卡，他肯定先要挑一张上面印着桃心的大贺卡，再用剪刀把桃心小心地剪出来。

　　琦琦眼前浮现出一个少年，全神贯注地剪着贺卡，小心翼翼地把小贺卡粘贴到大贺卡上，再用白纸吸干净胶水，不能弄脏任何一个地方，因为这是送给他心爱的女孩的礼物……

　　在她的生命里，曾有一个少年这么深爱过她。

　　那个少年曾对她吟唱："无求什么无寻什么，突破天地，但求夜深奔波以后能望见你。平凡亦可平淡亦可，自有天地，但求日出山清早到后能望见你。名是什么财是什么，是好滋味，但如在生，朝朝每夜能望见你，那更加的好过。当身边的一切如风是你让我找到根蒂，不愿离开只愿留低情是永不枯萎……"

　　那个少年会为了她神魂颠倒，考试考得乱七八糟，毫不在乎自己的将来；那个少年会因为她，吃醋到大打出手，丝毫不考虑自己的前途；那个少年觉得她比自己更重要，愿意为了她努力改变自己。

　　可是，他的感情终究被她的自卑、骄傲、任性、笨拙、倔强消磨光了。

　　罗琦琦的眼睛慢慢湿润了，她开始明白为什么这么多年过去她依然忘不掉张骏——那个早已经不爱她的人。她忘不掉的也许不是张骏，而是，曾有一个人那么爱过她。她耿耿于怀的也许不是张骏不爱她了，而是，再没有一个男人像张骏那么爱她了。

太阳慢慢地向西边挪去，罗琦琦坐在河边，拾取着一段又一段的回忆——那些美丽或不美丽的一瞬又一瞬，有肆意飞扬的欢笑，也有压抑痛苦的哭泣。

但漫漫时光，终将也必将把所有的痛苦和欢笑都凝聚成回忆中最美的星辰，温柔地照拂着我们的生命。

因为他们的驻足、回眸，我们的花季才没有成为一个人的寂寞哼唱，因为他们的陪伴、微笑，我们的花季才奏出了最绚烂的乐章。

那些曾陪着我们哭泣欢笑的人的确已经远去，也许此生再无相见之日。

可是，他们留下的那些爱与关怀却永不会逝去。

在我们蓦然回首的刹那，他们就在那里，依旧年轻的眉眼，镌刻着我们的青春，而我们依旧年轻的眉眼，也永远镌刻在他们的青春里。

流年

张骏最近又被女朋友甩了。

这位女朋友很漂亮，可有一个不太好的毛病，喜欢追问他的情史。她将他的情史调查得一清二楚，一共六位前女友，每一位都仔细盘问过，只除了一个，原因很简单，因为另外五位都是主动提出和张骏分手，只有这一位，是张骏提出的分手。按照女朋友的逻辑，既然是你主动甩的人家，自然是真没感情了，可其他五位不一样，谁知道你是否余情未了，有没有可能死灰复燃？年代久远的倒罢了，尤其这前一任、前二任很可疑。

所以下面的对话堂堂上演

"你哪个女朋友最好看？"

"你最喜欢哪个女朋友？"

张骏并不喜欢回答这些问题，但当女人啰唆时，上帝都会哭泣，与其被她啰唆得不得安歇，不如老老实实地一句句回答过去。

"最漂亮的女朋友……我想想……好像就坐在我对面。"

"最喜欢的？没有最喜欢的，只有唯一喜欢的，就是你。"

他就像哄小孩一样哄着她。女朋友并没有经历过刻骨铭心的感情，还不懂得生命中最不舍的那一页一定藏得最深。

他对她一直很好，日子过得很安稳。

但是，某一天，女朋友不知道从哪里听说被他甩掉的那个女孩是清华的，立即生了兴趣，反复追问那个女孩是什么样子。

他想尽快敷衍过去，可女朋友不知道为什么，突然急了，非要他说一句那个女孩的坏话，要说出那个女孩令他讨厌的缺点，否则就和他分手。

他低着头想了好久，疲惫涌上心头，抬起头对女朋友说："对我而言，她唯一的缺点就是不爱我。"

女朋友愣愣地看了他好一会儿，很平静地说："我们分手吧！"

他说："好！"

他们分手了，可张骏依旧出钱出力地帮女朋友把工作解决了。

又帮着找房子、搬家，所有事情安排妥当后，他才功成身退。

女朋友很感慨，"难怪你的前女友们都把你夸得天上地下无，却又都不肯做你的女朋友。"

张骏笑着说："是我没福气。"

女朋友看到他的衣襟上蹭了点墙灰，想伸手去帮他掸掉，张骏却是立即后退了一步，女朋友倒也没什么，自嘲地笑了笑，收回了手："她为什么不喜欢你？"

张骏玩着车钥匙，弄得叮叮当当响，一脸笑意，"谁？谁不喜欢我？我以为大家都喜欢我！"

女朋友没再说话，送他下楼，挥手和他道别。

张骏上了车，无意识地哼着张学友的歌，一手打方向盘，一手打开了车内的CD，一听是蔡依林的歌，懒得换碟片，随手就又关掉，打开了收音机。

主持人播报着交通路况，他一边开车，一边调着频道，音响里一会儿男声，一会儿女声，高兴悲伤都在刹那间流转过，就像这千疮百孔的人生。

终于调到有歌的频道，又恰好是前奏，他停住了。

很温润好听的女中音，音乐也算舒缓悦耳，在车厢小小的空间中缓缓倾诉着，第一句歌词就吸引住了张骏的注意力。

想问你是不是还记得我名字

当人海涨潮又退潮几次
那些年那些事 那一段疯狂热烈浪漫日子
啊 恍如隔世

你来过一下子
我想念一辈子
这样不理智 是怎么回事
才快乐一阵子
为什么 我却坚持那一定是
我最难忘的事

越过高山和海洋 喜悦和哀伤
不是不孤单
幸好曾有你温暖的心房
还亮着你留下的光
你闪耀 下了
我晕眩一辈子
真像个傻子 真不好意思
可是我在当时
真以为你拥抱我的方式
是承诺的暗示

经过人来和人往 期盼和失望
我依然还孤单
幸好曾为你流泪的眼眶
还亮着爱来过的光

> 这些年这些事 一下子一辈子
> 你都度过了怎样的日子
> 请答应一件事
> 如果说我能再见你一次
> 请让我看到的还是
> 你那灿烂的样子

在歌声中，张骏脸上的笑意慢慢地褪去，视线专注地盯着前方，眼中有隐约的哀伤。

年轻的时候，他曾全心全意地爱过一个女孩，但那个女孩并不爱他，或者也不能说完全不爱，应该说不算很爱。

那个时候，两人都年轻，时不时就会有争执，一点点小事，琦琦就会不理他。他爱得非常卑微，用一次次的妥协挽留她，只希望她有朝一日能被感动，能低头时看到他双手捧到她面前的心。

可是，没有！

她的前面太过绚烂，她顾不上低头，只想往前飞。

那一次，在期末考试前，他们发生了最大的一次争执，谁都不和谁说话，冷战着。其实，他并不想和她冷战，他只是很幼稚地希望这一次她能来和他说一声"我错了，我们和好吧"，他很幼稚地用这种方式想看到她难以捕捉的心，想看到她在乎他。

在焦灼的等待中，他等来的全是失望，琦琦我行我素地依旧过着自己的日子，对他的离去无动于衷，而他却不争气地每时每刻脑海里都是她。

考试成绩出来后，他的成绩一塌糊涂，而她不但遥遥领先，还把第二名甩得越来越远，身边所有的哥们儿都劝他分手，这个女孩压根儿不在乎他。

可是，他舍不得，即使明知道她不在乎他，他依旧舍不得分手。

学校请了往届的优秀毕业生来做讲座，琦琦就坐在他侧前方不远处。台上面讲什么，他一句都没听，一直在看她。

她双眼明亮，凝视着台上的清华北大生们，时而沉思，时而微笑，他有些难过，他并不是那些优秀的男生，能吸引住她凝视的目光。

自从高二的寒假，高老师询问琦琦想上清华还是北大时，他就觉得压力滚滚而来，开始困惑这段感情的出路究竟在哪里？

当时，他告诉自己只要两个人相爱，他愿意拼尽全力去努力，一定可以克服一切困难在一起。

而今天，他凝视着琦琦，明明近在咫尺，却觉得她距离他越来越遥远，两人之间似乎横亘着一个他无论如何努力都无法跨越的鸿沟。

浓重的悲伤弥漫在他的心间，他做了一件很幼稚的事情，在心里给自己说：如果这个时候，她侧头看我一眼，那么就证明我们的缘分还在，我待会儿就去找她，向她赔礼道歉，告诉她不管她打算飞向哪里，我都会尽自己的全部努力追随。

可是，没有！

将近两个小时的会，琦琦没有向他的方向看一眼，就好像在她的生命中，从没有他这么一个人的存在。

他在心里对自己笑着说，看，老天说你们没缘分！告诉你不要不自量力了！放弃吧！

大会散场后，她像以往一样，快速地消失在人群中，似乎压根儿想不起自己还有一个男朋友。

他的心已经沉到最底端，可是骄傲让他必须保持笑容。

和黄薇、关荷说说笑笑，若无其事地走出了礼堂，心里却依旧在想着她。

一个拐弯，她蓦然出现在他面前，可是，在她的身边站着一个神采飞扬、气势如虹的少年——曾经的省状元、现在的清华高材生，陈劲。

他们两人低声谈笑，眉眼间有一模一样的自信，一模一样的坚定。

那一瞬间，他突然想到一个贴切的词形容他们：比翼齐飞。

琦琦需要的应该是这样的男生，能陪着她搏击长空。

他努力地装着不在乎，装着无所谓，可是，他心底深处很明白他有多么彷徨，他甚至没有勇气去面对琦琦，只能匆匆逃离。

就在他最彷徨时，琦琦和他提出了分手。

他告诉自己，这是最好的结果，你们的确不适合，可每个夜晚，他总会想起她，从小到大，她的身影刻满了他每一页的记忆，想着要把这些记忆撕去，就好像要把他的整个青春年华都撕去，那种毁灭般的痛苦令他难以接受失去她。

理智一遍遍告诉自己，琦琦和他在一起并不快乐，她总是在犹豫、挣扎、生气，与其两个人在一起痛苦，不如只一个人痛苦。

可是不管理智分析了多少，感情却总是疼痛难当，他舍不得放手！

经过痛苦的挣扎，他决定给自己最后一次机会，他努力学习，如果期中考试成绩进入年级前十名，他还有希望陪琦琦一起走进未来的人生，那么他就绝不放手，可如果付出全部努力后，仍然远远地落在她后面，那就放手吧！

不能拥有她，至少可以给她祝福，任由她无牵无挂地飞翔。

给了自己最后的机会后，他站在了她面前，卑微地请求她回到他身边。

她说的第一句话竟然是暗暗谴责他期末考试成绩考得太差，没有自制力控制自己。

那一刻他很失望于她的理智清醒，可也同时佩服她的理智清醒，这个女孩，让他爱恨交织。

琦琦回到了他身边，他拼尽全力努力着，为考试，更为了他和琦琦的未来。

每一次看到她，他的心中都欢喜与忧伤同时翻涌，也许期中考试完，他就要彻底放开她，也许这就是这辈子他最后拥有她的时间。

因为每一天都是最后一天，他努力让自己快乐，也努力让她快乐，小心翼翼地呵护着他们的每一天。

琦琦看着他的目光却还是藏着许多忧愁，也许她又在心里思考着前途和爱情的抉择。

他知道她不想为爱情放弃任何东西，关荷说琦琦十分瞧不起《安娜·卡列尼娜》中安娜的爱情，女人绝不能把爱情放在首位，他因为这句话，把这本书连翻了三遍。

尽了最大的努力后，期中考试的成绩连前二十名都没有进。

考试成绩下来的那天，他一个人在学校的荷塘边坐了一晚上，也许琦琦是他所有的青春华年，失去她就意味着失去了过往一切的快乐回忆，但他必须要放弃。

在小桥边，他本想和她分手，却没有办法控制自己，吻了她。

他想问琦琦，你会永远记得我吗？

琦琦却说，十年之后你来问我。

他多么想十年之后能有机会问她，可是，十年之后在她身边的会是另一个男生。

他没有勇气当面提出分手，只能在信里提出分手。

那天晚上，他痛苦得无处发泄，他想去喝酒，想去打架，可他知道琦琦会鄙视他这个样子。

他只能理智地控制。

偷偷翻进了第四小学，溜进了空无一人的教室，坐在他们曾经坐过的座位上，在黑暗中任由自己被悲痛浸没。

那个傻傻的小琦琦，那个坏坏的小张骏……

她曾经很执拗地举着凉帽，为他遮太阳，几个小时都不换姿势。

她曾一看他看她，说话就结结巴巴。

她穿着新裙子来学校，却躲在众人身后，沿着墙根儿走路，他说了句"你的裙子挺好看"，她没有高兴，反倒好像自己做了什么丢人的事情，脸涨得通红，一声不吭地快步走开，好几天都不理会他，吓得他再不敢在她面前乱说话。

他看完警匪片后，和她说，咱们创造一个只属于我们的暗号。她抿着嘴角不吭声，大概觉得他很无聊。他兴冲冲地把自己的姓拆成了"长弓"，把她的名字拆成了"夕四"，告诉她，将来咱俩对暗号，你就说"夕四呼叫长弓，夕四呼叫长弓"，我就说"长弓在，长弓在"。他让她叫他"长弓"，她光笑，却抿着嘴角不出声。

她从家里带了一大包妈妈做的牛肉干，他问她"你吃独食啊？有没有我的份？"她飞快地瞟了他一眼，没有说话，拿出两张白纸，把牛肉干仔细分成了两堆，他想去拿，她却猛地握住了他的手，不许他拿，还没等他反应过来，她又立即缩回了手，头低得好像要贴到桌子上，两只小手忙忙碌碌的，飞快拿出一张白纸，从两堆里分了一堆更多的牛肉干，"这是给高老师的，刚忘记了。"她声音小得和小蚊子哼哼一样，他贴过去问"你说什么，我怎么什么都没听到，就听到一只蚊子在哼哼，哼哼哼哼，她究竟在哼什么？"她头一扭，看着窗外，再不说话。一整堂课，无论他干什么、说什么，她眼睛瞄都不瞄他，可是等他吃完自己的牛肉干，她却把自己的牛肉干推过来，眼睛盯着题目，哼哼着说："给你了，我牙有点疼，嚼不动。"

上初中后，虽然不在一个班，可经常会碰到她，每次看到她，就像是照镜子，让他忍不住审视一下自己。

看到她学习成绩上去了，就觉得自己也不能太差，毕竟都是高老师的弟子，一块儿竞赛得奖的同学，所以一边混，一边把成绩维持着。

看到她虽然出入舞厅歌厅，却不放纵不跟风，总是拿着本书，旁若无人地干自己的事情，他就觉得即使所有人都以嗑过药为酷，他也不能沾染。

琦琦有一种我行我素的勇气，不管周围的女孩多妖娆缤纷诱惑，她都能穿着一身最土、最难看的衣服坦然地走过，丝毫不理会周围的人怎么看，每次看到这样的她，都会像兜头一盆子冷水，把他脑袋里乱七八糟的想法全浇没了。

初中三年，如果没有一个琦琦时刻在一旁提醒他，也许他成绩早就跟不上了，也许他早就一个冲动跟着周围的人一起混了。

上高中后，发现琦琦在隔壁班时，他觉得天助他也。

军训时，琦琦把脸晒伤了，他去咨询童云珠该怎么办，然后送防晒霜给她，可她竟然傻乎乎地把东西拍回给宋鹏，气得他只能苦笑。

他生病时，琦琦会偷偷溜出家，来陪他。那时，可真快乐，可以握着她的手，和她一直说话，还可以亲她。他知道她胆子小戒心重，所以总是小心翼翼地不超过她的底线，只敢亲亲她的手和脸颊，连嘴巴都不敢碰，可那些隐秘的欲望折磨得他在深夜难以入睡，他安慰自己，没关系，反正有一辈子呢!

一辈子? 连明天都没有了!

张骏趴在桌子上，眼泪无声地掉了出来。

黑暗的教室里，只有他一个人，不必再装坚强，也不必介意男人不该哭，所以，他任由伤心全部涌到了眼睛里。

他在教室里一直待到深夜才回家。

脑海里依旧是盘旋不去的过去，琦琦竟然像个奇迹一样出现在他面前。

他很恍惚，好似时光并未流逝，他仍是可以坐在琦琦身旁做功课的张骏。他多想能凑到她面前，笑着逗她，"我和你开玩笑的，咱俩去河里捡石头吧! "

可眼前的琦琦眉眼间充满了理智的克制，表情十分冷静，说起话来语调清晰，逻辑严密，丝毫不像是在闹分手的男女恋人。

他知道这样的琦琦睡一觉就会想明白，并且理智地接受分手。

他送她回家，想到这是最后一次，他心如刀绞，只能一遍遍告诉自己，爱她就不要再拖着她。

短短一段路，他几乎用尽了自己全部的理智，一到楼下，他立即转身就走，不敢逗留片刻，他怕自己反悔。

"张骏! "

他听到了琦琦的叫声，但是，他不能回头，更不敢回头!

分手成了他感情的一个分水岭。

在这之前，他虽然怨怪过琦琦不够爱他，可是，他知道这是没有办法勉强的事情，他并不恨她。

在这之后，他却慢慢开始恨她。

他们分手后，他仍在努力克制着自己对她的思念，每次看到她，都会觉得胸口发闷，而她立即就若无其事了，每天和同学打打闹闹，笑得神采飞扬，学习更是丝毫不受影响。

他开始和黄薇一起上学一起放学，他很清楚那些流言，却幼稚地希望流言传到琦琦的耳朵里，他甚至卑鄙地利用着黄薇，一次又一次好似无意地和琦琦偶遇，让她看到他和黄薇在一起，他只是想在她眼睛里寻找到一点点在乎他的痕迹，可是，没有！琦琦永远都兴高采烈，神采奕奕。

他曾经以为自己那么努力地付出后，无论如何她也会为他的离去稍稍难过，就算不是为了他们的爱情，他们之间还有从小到大的记忆，难道她就从来没有珍惜过他们之间的感情吗？难道她就一点都不为失去他难过吗？

可她没有！

她和沈远哲一块儿上学放学，有说有笑，每一次看到他们，他看似毫不在乎，心里却难受得好似要炸裂，他忍不住怀疑，琦琦真的喜欢过他吗？也许，对罗琦琦而言，除了自己的学习和前途，走在身边的男孩是谁并不重要。

琦琦的生活一切照常，依旧次次考试拿着第一，她笑嘻嘻地对别人说："张骏和我是分手了，不过我们仍然是朋友。"

她是那么理智懂事又大方，可是他却失望之极，原来自己在她心中比他以为的分量轻得多。

令他最伤心的一幕发生在他们分手的一周后。

学校举行介绍学习经验的大会，琦琦站在整个高中部的学生面前，介绍自己的学习经验，别人都是拿着稿子在念，她却空着手，丝毫没有准备地就上了台，满不在乎下带着几丝不耐烦，简简单单地谈完，就走回了座位。琦琦的样子很像当年的陈劲，因为心中有既定的目标，对外在的荣誉总是毫不在乎。

他在台下看着她，有心酸，也有骄傲。

开完大会后，她被一群高二的学弟学妹簇拥着，这个时候，她却没了那份不耐烦，神情异样的耐心。他从旁边经过，远远地看到她时，就心口胀痛，视线甚至都不能停留在她的脸上，只能尽量面无表情地看着别处，可她笑得兴高采烈，冲他挥挥手，亲切地叫他，"张骏！"就好似他是一个极其普通的同学，他们之间什么事情都没有。

他的心像被匕首狠狠地戳了一下。

她视他们之间的过往完全不存在！

她理智大方，有风度，那么好吧，就让他来做幼稚小气、没风度的人。

他伤极生怒，不管别人如何看他，如何笑话他，他决定和她绝交了，罗琦琦出现的场合，他一定回避，从此永不相见！任何人在他面前只要提到罗琦琦，他一定翻脸，所有的朋友都知道了他的禁忌，决口不提罗琦琦，他的举动毫无颜面地告诉所有朋友，是，我是受伤了！只为了能远离她。

从此，一直到高三毕业，他再没有见过罗琦琦，也再没有听到过罗琦琦的消息。他用全部的努力把她严严实实地封锁在他的世界之外。

这一次，他下定决心，要彻彻底底忘记她！

从那之后，直到考上大学，离开故乡，他只见过罗琦琦两面。

一次是毕业联欢晚会，罗琦琦被临时拉去做主持人，他一直低着头，拒绝去看她，一直和同学说着话，拒绝去听她的声音，晚会刚开始没多久，他就趁着大家没注意悄悄离开了。罗琦琦那天晚上究竟做了什么，说了什么，与他无关！他甚至连她穿什么衣服都没看清楚。

最后一次是录取通知书下来后，清晨他去跑步锻炼，回来的路上碰到了她，他本来想转身就走，可是，细雨迷蒙中，她站在桥上，一块又一块地扔着石头，脸上有隐约的哀伤，他突然之间就挪不动步子了，甚至萌生了一种错觉，觉得罗琦琦是在为他伤心。

可是，他再次自作多情了，罗琦琦只是默默看了他一会儿，什么话都没有说就转身离去了。

他凝视着她的背影慢慢消失在烟雨中，想着从此后，她就彻底走出了他的生命，她的世界他将再也无法触碰，他所能做的竟然只能是希望她永远幸福，有一个优秀的男孩能陪着她飞翔。

原来那么努力地恨，只因为是爱。

非常难过，可是他不会后悔爱过这个女孩，恨过这个女孩。

张骏回到家里，思绪仍不安宁。

回忆的闸门被打开，就像是放出了被囚禁的洪水猛兽，再不能由他自己控制。

打开电脑，上网去搜歌，他想知道那首歌叫什么名字。

刘若英的《光》。

他点击了一下播放按钮，歌声响起，因为音响好，听来比刚才更动人心魄。

> 想问你是不是还记得我名字
>
> 当人海涨潮又退潮几次
>
> 那些年那些事
>
> 那一段疯狂热烈浪漫日子
>
> 啊　恍如隔世
>
> 你来过一下子
>
> 我想念一辈子
>
> 这样不理智是怎么回事
>
> 才快乐一阵子
>
> 为什么我却坚持
>
> 那一定是我最难忘的事

张骏靠着躺椅，默默聆听。

他一直坚信自己遗忘了，可其实他一直将那段记忆藏在最深处，任凭时光荏苒，岁月的灰尘将它重重掩埋，但，它一直都在那里。

这么多年后，他第一次问自己为什么，为什么不能忘记？

也许不仅仅是因为那段岁月镌刻着他青春的欢笑和哀愁，年少的真挚和笨拙。

　　虽然他当年为了追赶上她的步伐，非常累，可正是她让他第一次懂得了为获取成功去努力拼搏，如果没有她，也许他的高考成绩根本不会那么好，不能从容地选择自己喜欢的学校和专业；也是她让他懂得了去追逐梦想，实现梦想，一个小小的女孩都能为梦想百折不挠，他一个大男儿岂能做不到？所以他才会拒绝接手父亲的生意，坚持做自己想做的园林景观设计，才会在一次次失败后毫不言弃地再次努力，才会享受到努力付出后收获成功的喜悦，才会真正理解什么是成就感。

　　她在他心中留下的光，让他的人生变得更精彩。

　　爱她，令自己变得更好！

　　手机短信的提示音响了一下。

　　他没有心情理会，可对方非常固执，不停地发短信，重复到第六遍时，他拿起了手机，是一个陌生的号码。

　　"请问是张骏吗？"

　　连着六条一模一样的消息。

　　他回复过去，"是，你是谁？"

　　"我是关荷，希望你还记得我，我有点事情告诉你。"

　　张骏太过意外，"当然记得，我不习惯发短信，现在就给你打过去。"

　　电话还没有拨通，新的短信又到了，"那你一定也还记得罗琦琦了？"

　　张骏不知道怎么回复这条信息，更不知道要不要给关荷打电话，他茫然地看向前方，电脑的音响正在播放"你来过一下子，我想念一辈子"。

　　关荷显然并不需要他的回答，新的短信又到了，"高二你过生日那天，琦琦送了一瓶幸运星给你，你看过里面的话了吗？"

　　这个时候，他反倒没有胆量拨通电话，似乎这样，才能把自己保护在一个安全的距离内，他发了条短信过去，"什么意思？"

　　"那就是没有了。如果你还没有把它们丢掉，去拆开幸运星看一眼。"

　　他还没理解她的意思，又是一条新的信息，"如果你已经扔了，就当我什么都没有说过。"

　　"你到底是什么意思？"

"我的意思很清楚。"

张骏握着手机发了很久的呆，突地一跳而起，匆匆走进卧室。

他从柜子最下层取出一个黑色的老式小行李箱，拉链上锁着一个小锁，钥匙在很多年前就被他从窗户里扔掉了。这些年他从没有打开过，却在买了房子后，立即就把它从老家搬运过来。

他去找了一截铁丝，盘腿坐在地板上开始开锁。

已经很多年没有干过这种勾当，手势早已经生疏，不过这个锁很容易撬，折腾了一会儿就打开了。

箱子里面塞满了杂七杂八的东西，他还记得是琦琦和他笑着打招呼的那天，他从学校回来，想立即把所有和罗琦琦有关的东西全扔掉，用一个大纸箱兜着，都走到垃圾桶前了，却没有扔，又原封不动地抱了回来，找了个行李箱，把东西一股脑全塞进去，锁了起来。

他开始一件一件地往外拿。

十几只恐龙，是从北京天文馆购买的，本来想留作纪念，逗琦琦玩用，可琦琦很不喜欢收他的礼物，他压根儿没敢送。

一个首饰盒子，里面是琦琦没要的那条桃心金项链，关荷从垃圾桶里捡回，还给了他。

张骏苦笑了一下，命运在最开始已经暗示了结局，他却一直执迷不悟。

一本精美的相册，里面是他和琦琦在青岛的无数相片。琦琦不肯照相，他只能让甄公子和贾公子两个人尽量偷拍，所有的相片都背着琦琦的视线，看着虽然有点怪异，却有偷拍特有的自然。他当时装相册的时候，还甜蜜地想着等他们结婚后去青岛度蜜月时拿出来，吓死她！

张骏只翻开看了一眼，立即把相册合上，放到一边。

终于，他发现了玻璃瓶，里面装着她送他的幸运星，可他并没有幸运过。

打开玻璃瓶，抓起一把幸运星细看着，忽然间他明白了关荷的意思——

他挑了一颗绿色的幸运星，小心翼翼地打开。

拆到一半时，就看到字条上有小小的字，他呼吸急促起来，但控制着自己，慢慢地将字条拉平。

"听说你向关荷表白了，我决定不理你了。我以为只要不理你，就可以不喜欢你。"

张骏立即再打开一颗幸运星。

"我站乒乓球台时，最害怕的就是看到你，你没有出现，我很高兴。"

"我演讲时，看到了你，明知道不可能，可心里好希望你是来看我的。"

"告诉你个秘密，我不是喜欢捡石头，我只是喜欢和你一起捡石头。"

"你在大石头上睡着了，我用凉帽帮你遮太阳，只要你在睡，我就愿意永远为你遮太阳。"

"告诉你个最大的秘密，我非常嫉妒、非常讨厌你和关荷说话！"

"我不开心的时候、开心的时候都会在纸上写'长弓'，好像你陪着我一起不开心、开心，写满一张纸就扔掉，也没有人知道究竟是什么意思。"

"我第一次对你动心是那个下着冰雹的日子，你说你会保护我。"

张骏没明白这句话，什么意思？琦琦小学时就喜欢他了？他又连着把几张纸条读了一遍，琦琦那个时候不理他是因为误会他喜欢关荷，而不是因为已经知道他偷了那支钢笔。

可是，她为什么要骗他呢？

在突然顿悟的瞬间，就像有一个埋在岁月底下的炸弹在脑袋里轰得一下炸开，沉重的岁月不但没有缩减它的威力，反而令它发酵膨胀，炸出了被岁月挤压到最深处的痛苦。

可痛苦之下却有狂喜。

他的心在狂跳，手在发抖，琦琦啊琦琦，你真的曾经这么爱过我吗？张骏啊张骏，你真是个大傻子，为什么不明白最柔软的角落总是藏得最深？

张骏再也拆不下去，他抓起手机，打给关荷。

十年没有见面，却没有任何心情寒暄，他张口就问："你怎么知道幸运星里面有字？"

关荷十分意外，虽然她的确希望张骏没有扔掉罗琦琦的礼物，但毕竟只是希望，毕竟这些年她也辗转听说过他无数轰轰烈烈的情事。她说："我十一年前就知道，琦琦偷偷告诉过我。"

张骏沉默着，半晌后，他才声音艰涩地问："为什么现在告诉我？为什么不是当年？"

关荷不吭声。

张骏慢慢恢复了理智，问道："为什么突然要告诉我这个？"

"我不知道。也许因为我收到罗琦琦的一封信，突然在想你是否还记得她。"

张骏很想轻描淡写地说"当然记得了，她是我的前女朋友之一嘛"，可是他说不出来。

"既然你还保存着她送你的礼物，我就再告诉你一件事情。罗琦琦回国了，这几天在我们一起长大的地方。"

张骏的心狂跳起来，稳着声音问："有她的电话吗？"

"我只有她的电子邮箱地址，不过，这个世界并不大，罗琦琦有同学，你也有同学，你若有心，肯定能找到她。"

电话里传来几声说话声，关荷说："我要挂电话了。"

张骏说："好的。刚才……抱歉！不管如何，谢谢你让我知道幸运星里有字，那些话对我很重要。"

关荷沉默了一下说："谢谢你们自己吧！如果琦琦已经忘记了你，忘记了我，她不会给我写信，如果你已经忘记了她，已经扔掉了属于你们的记忆，即使我告诉你也没有用。"

关荷说完，就挂断了电话。

张骏呆呆站了一会儿，突然就往外面冲，冲到门口，又返回，把所有东西乱七八糟地塞回箱子，抱着箱子下了楼。

一口气开了八个多小时的车，在清晨时分回到了故乡。

可真回到故乡，他却开始有些迷茫，他究竟想做什么？

告诉琦琦，我误会你了？我不是因为不爱你了才和你分手？我说我的爱已经被你消磨完都是假话？

因为年少的骄傲和笨拙，他们之间的确有一个又一个误会，可是这么多年过去了，这些误会早就不重要了。

他把车停在自己家楼下，默默地坐着。

在拆开幸运星时，漫漫时光被缩短，短得好似他们吵架分手只是昨日，中间的十年都不存在，他不管不顾地往回赶，恍惚地以为站在这个时光的交错点上，就能把那些逝去的光阴追回，把那些年少时犯的错误都纠正，可当冲动散去，他发现，过去的时光已经过去，而未来的时光——没有未来！他们已经无法回头，也无法向前走！

他坐了很久后，点了一支烟，一边吸着烟，一边慢慢地开着车，从一条街道，到另一条街道。

他和琦琦一起读书的四小、一中，他们一起看过电影的电影院，琦琦以前的家，他和琦琦去滑过旱冰的旱冰场……

这些年他回过好几次老家，却每次都来去匆匆，这是第一次故地重游。

随着一个个地点的出现，所有被他刻意封住的记忆像放电影一样，在他脑海里，一幕幕，栩栩如生地放过。

从中午到下午，所有他和琦琦曾去过的地方，张骏都走了一趟，一边恐惧着，一边希冀着，在人群中搜索她的身影，连他自己都不知道，他究竟是希望看见她，还是不希望看见她。

找了一天，他都没有看见琦琦。

他说不清楚心里是什么滋味，只觉得疲惫，浓重的疲惫压得他好像要垮掉。

他把车子停在琦琦以前最喜欢的河边，整个人趴在了方向盘上。

其实，即使找到了又能怎么样？见与不见有什么区别？

谁知道她有没有结婚，有没有男朋友？

即使她仍旧单身，她和他走的是截然不同的人生轨迹，除了一声"你好"，还有什么可说的呢？那些误会抱歉早已被岁月冲刷得不再重要。

他能告诉她什么？这些年来，不管是身体还是心灵，都已经染上了一层又一层洗不去的尘埃。十年的光阴，漫长得足够将他们塑造成两个陌生的人。他已经不是当年不管不顾的少年，红尘的颠簸让他早已经麻木，他连跳下时光河去追她的勇气都没有。

往事是用来回忆的，不是用来追寻的。

他把头在方向盘上重重地磕着，一下又一下，好似这样就能磕掉十年的风尘和沧桑。

张骏在方向盘上趴了很久，直到夕阳将他的玻璃窗映红。

他抬起头看向远处的残破小桥，那里空无一人，只有漫天晚霞绚烂却寂寞地燃烧着。

今天已经要过去了！

而明日，明日又是天涯！

他又点了一支烟，一边吸着烟，一边打开装着幸运星的玻璃瓶。

"我很想问你，究竟是我好还是关荷好，可是我怕失望，更怕你撒谎，所以一直不敢问，更不屑问。"

"其实每次你邀请我出去玩，我都很想去，可是我没钱还请你，只能拒绝，等我将来有钱了，我一定都答应。"

"生日的时候，我许的愿是希望你能永远爱我，你会永远爱我吗？"

张骏不想再看了，打开车门下了车，信步走上路边的土坡，望向河边。

正是夕阳最后的绚烂，晚霞铺了半边天空，河边的树全被映得橙红，河面上波光粼粼，泛着点点的银光，残破的小桥孤零零地横跨在岸上，在河面上投下婉约的倒影。

在河岸对面的倒影下，坐着一个穿白色大T恤、蓝色牛仔短裤的女子。她弯着身低着头，用河水洗着石头，每洗一颗，就直接拽起身上的大T恤擦干，再放到身旁的旧铁皮盒子里。

霞光和波光交相辉映，将女子单薄的身影镀成了温暖模糊的剪影，看不清楚面目，却好似一段遗落在时光之外的温柔的梦。

张骏的身体僵住，指间的烟头滑落，掉在了地上。

琦琦忽地抬起头看向河对岸，张骏立即蹲下，藏到了树丛后，自己都不明白为什么会是这样奇怪幼稚的反应。

琦琦的视线在河岸上慢慢扫了一圈后又低下了头，继续洗着石头。

张骏的眼泪却慢慢涌进了眼眶中，他想控制，却怎么都没有办法控制，把手掌用力按在眼睛上，却没有办法把所有的心酸都压回去，只能让泪水浸湿了他的掌心。

十九岁时，他一个人躲在他们的小学教室里，趴在罗琦琦曾坐过的位置上，为她哭泣，可她永不会知道有一个少年为他流过泪。

二十九岁时，他再次为罗琦琦流泪，罗琦琦可会知道？

十年后，他们又站在了小时候的桥边，又是一个桥下，一个桥上。

可是，他们之间的距离不仅仅是一座桥，还有一个太平洋，以及十年的人世光阴、红尘沧桑。

张骏不再是十九岁时的他，罗琦琦也不再是十七岁时的她。他们都已不是对方记忆中深爱着的那个人，甚至他们都分不清楚，他们究竟眷念的是那个人，还是那段单纯真挚的年少时光。

再相见又如何？这再见的你，已经不是你，似曾相识的容颜只会凸显出那沧桑的流年和岁月。

别离

　　从小到大，许小波和罗琦琦打牌都是一家；大家一起出去玩，琦琦只肯坐小波的破自行车；去餐馆吃饭，琦琦总会霸占小波身边的位置，无论谁来都不让；两人一块儿缩在沙发上看录像，小波带着琦琦看李连杰的《笑傲江湖》，琦琦拉着小波看奥黛丽·赫本的《罗马假日》；两人都喜欢看书，常常一个躺在沙发上、一个坐在台灯前，各看各的，互不搭理，偶尔抬头时看对方一眼，有时候对方一无所觉，有时候视线相撞，相对一笑，继续各看各的书……

　　许小波知道自己和他所有的朋友都有一点点不同，琦琦和他们也有一点点不同，那一点点不同，让他和琦琦总是分外默契，让他一直以为他们是一家。

　　直到那天。

　　他从外地回来，去校门口接琦琦，看到琦琦和一群同学打打闹闹地走出校门。

　　文艺会演刚结束，校门口全是人。琦琦和一个漂亮女生手牵着手，非常亲密地走着，被一群同学簇拥在最中间。他们边说边笑，走个路也不老实，你推我一下，我搡你一下，又叫又嚷，不知道说了什么，一群人笑得前仰后合。

　　校门口的灯光十分明亮，把他们的朝气蓬勃、飞扬明媚照得一清二楚。

其实，这并不特别，是校园里天天都有的画面。

可那是，他一直很努力地追逐，却一直没有办法得到的一切。

那些朝气蓬勃、飞扬明媚并不属于他，他第一次意识到，也许——琦琦和他并不是一家。

他已经等了琦琦半晚上，此时，却犹豫了。他不想把她从那一群朝气蓬勃的同学中拽出来，他的世界里没有那样天经地义的朝气和明媚。

琦琦神采飞扬、又说又笑，是那种可以大大方方任由老师家长同学看到的调皮捣蛋，没有一丝阴暗，更没有一丝苦涩。

琦琦身后，是学校的大门，灯光映照下庄严肃穆，就像是一个大卫士，凝聚了父母老师和整个社会的力量来守护琦琦他们的飞扬明媚。

他凝视着学校的大门，心头泛起浓浓的苦涩，这道门对别人来说，很容易走进，可对他来说，却艰难重重。

琦琦突然侧了一下头，视线扫过来，未等他回避，她的面孔蓦然一亮，惊喜地向马路对面飞冲过来。

那一瞬，他有难言的喜悦，心头的苦涩一扫而空，就好似穿过马路飞过来的，是一点希望。

他控制着自己的喜悦，生怕太明显，被老天看到了，又会收回。从小到大，他一直知道他是个不受老天眷顾的孩子。

琦琦问他："你在这里等了多久了？为什么不叫我？"

他笑着说："刚过来，正好看到你们出来。"

琦琦的同学跟了过来，一群人用异样的目光审视打量着他，好似一眼就可以看出他和他们不是同类。

"琦琦，快点，一起去吃麻辣烫了。"同学们叫着琦琦。

一边是他，一边是同学，琦琦站在他们中间犹豫着，不知道是该和同学一起，还是和他一起。

小波望着那群眼睛亮晶晶的少年，替琦琦做了决定，"琦琦，去和同学玩。"他微笑着转身离去。

昏黄的路灯下，小波独自一人，寂寂独行。

他知道琦琦正在和他反方向行走，但那端是明媚飞扬，是被所有人都祝福的欢乐。

这样很好！

身后突然响起了脚步声，他心跳了一下，未及回头，琦琦就跳到了他身边，勾住他的胳膊，笑靥如花。

那一刻，他心里有浓浓的感动，还有喜悦。

他问："你不去吃麻辣烫了吗？"

"我喜欢吃羊肉串。"琦琦毫不矜持地表明了他在她心中的重要性，立场坚定地告诉了他她的选择。

欣喜中，他并没有去深思琦琦的选择，或者，在那时，他还抱有幻想，以为自己仍能实现自己的梦想，他和琦琦仍然是一家。

但是，最后的幻想也碎裂了。

他必须承担起他该承担的责任，不能为了自己的梦想，把所有的责任推卸给他人，人不能只为自己而活，所以，他决定把自己的梦敲碎。

他很清楚，他会慢慢变得和身边的人一模一样，他会渐渐忘记自己曾有过什么样的梦，他不再有那一点点不同，可是，琦琦身上仍有。

无数个夜晚，他抽着烟，在缭绕的烟雾中，回忆着相识以来的点点滴滴。六年的时光，他几乎是看着她一点一点长大，他们之间有太多快乐的回忆，他也相信琦琦很快乐。可每一次，他总会想起那天晚上在学校门口看见的一幕，琦琦那时的神采飞扬、明媚快乐。

这么多年，他一直觉得是他在照顾陪伴这个小姑娘，如今却突然发现其实是小姑娘在照顾陪伴他。

李哥笑话他像个守财奴一样小心翼翼地守护着琦琦，不许任何人去沾染琦琦，他也一直以为自己像个大哥哥一样保护琦琦，现在才突然明白，他守护的不仅仅是琦琦，还是他自己，他内心深处藏得最深的一点光亮。

不管什么时候抬头，都能看到身边的她，那么不管低头时看到什么，都会坚信明天会更好。

他一直以为琦琦需要他的保护，其实只是他内心深处的那点光一直在挣扎，一个不小心随时就会熄灭，是那点光需要保护。

琦琦并不需要他的保护，当他不在时，琦琦很快就有了新的朋友，新的生活，过得很快乐。

这么多年，也许只是他心底的一点私心，拖着她在他们的世界里和他做一家人，有意无意地隔绝了她结交同学的机会。

如今，他还要继续拖着她和他做一家人吗？

他很清楚琦琦的性格，只要他在这里，琦琦永远不会背弃他，可他也很清楚她的聪慧，只要她的聪慧被她用到正途，她一定会成为一颗明珠。

琦琦还不知道自己究竟想要什么，即使她留在了他们的世界中，她也永不会明白她错过了什么，更不会去遗憾她所错过的。

可是，他知道！

他选择了和琦琦绝交！

他知道琦琦很难过，他比她更难过，因为他不仅仅背负自己的难过，还背负着她的难过。

他知道烈日暴晒下，琦琦整日整日地坐在河边抽烟，一抽就一包，可他更知道琦琦绝不会把颓废堕落来当作生活态度，别问他如何知道，他就是知道，就如同他知道自己永远不会对老天妥协，不管老天如何刁难他，他都一定会取胜。

琦琦走进了高中，并且收敛起了一切的叛逆肆意，开始做一个好学生。

那段时间，他特别累。

　　李哥之前心太急，过于求成，导致基础打得不稳，不出事时鲜花着锦、烈火烹油，看不出来有问题，一出事现金流就断了，一环套着一环，整体就像多米诺骨牌一般倒下来。别的生意都抵给了别人，最后只保住了K歌厅和舞厅。

　　可李哥为了帮乌贼和他，又把在水一方抵押给了高利贷，借出现金来打官司疏通关系，给被他打残的人赔钱，给监狱里的老大们送钱送礼，拜托他们照顾乌贼，不要欺辱乌贼。

　　K歌厅虽然正常营业，但是受到案件的影响，如今竞争又远比以前激烈，生意已经大不如前，每日的收入连支付高利贷的利息都不够。而更可怕的是不要说敌人，就是所有的"好朋友"都在袖手旁观、伺机而动，似乎只等他们一个转身，就会咬住他们的软肋，把他们四分五裂地瓜分了。

　　有时候，他会很害怕，怕他们熬不过去，李哥会被人追杀讨债；怕失去了照应，乌贼在监狱里即使身体上没有受伤，心理上也会落下毛病；怕他们都没有了明天。

　　但是，他不能让任何人知道他害怕，不然那些人会立即扑上来，也不能让李哥知道他害怕，李哥就是相信他所以还能笑着面对一切，可是，他自己知道他很害怕，每天晚上都睡不踏实，常常从噩梦里惊醒。

　　第二天早上，却要带着微笑，自信满满地面对所有人，用满不在乎的放纵掩饰着紧张恐惧。

　　有时候，实在撑不住时，他会去河边的绿化林，坐在小花坛深处，一边抽烟，一边休息。只有这个时候，他才会让挺了一天的腰松下来，让挂了一天的笑容消失。

　　十点多时，琦琦会提着书包，大踏着步子经过绿化林外的小路。她有时候在深思，有时候念念有词地背诵着英文，她正在为了明天而努力奋斗。

　　他看到她时，会暂时忘记那些恐惧和紧张，只享受那一瞬的宁静。

有一天晚上，他去绿化林边休息时，看到了张骏。

他并不知道发生了什么，只看到张骏暗中跟着琦琦，刚开始他以为琦琦得罪了张骏，连着几天，他都提前去绿化林等着琦琦，后来却发现不是，张骏是在护送琦琦回家。

他和张骏都很小心，可琦琦不知道怎么回事，竟然察觉出了异样，装模作样地很镇定地大叫："小波，你出来吧，我已经看到你了。"

他忍不住笑起来，笑过之后，却有些心酸。琦琦仍没有明白，她和他已经不是一家了，而且——永远都不会再是一家！

那一瞬，有三个人在难过。

琦琦满脸难掩的伤心，一边走路，一边还在不甘心地四处看，"小波，小波，你出来！"

终于，她放弃了，好似突然失去了所有的精神，垮着背，埋着头，慢慢地走着。

张骏藏在绿化林里，背靠着大树，双手插在裤兜中，仰头盯着树梢，一动不动。

直到琦琦已经消失在路口，张骏依旧维持着一模一样的姿势，连小波都能感受到他心里的落寞和难过，在诧异中，小波开始有点明白他的心思，这个男孩有一双慧眼，看出了琦琦的好。

小波凝视着张骏，有微微的羡慕。

在这个圈子里，堕落很容易，重生却很难，而这个男孩子多么幸运，可以有一次机会重新来过，现在他和琦琦走在一样的路上。

张骏低着头，慢慢地走出了树林。

小波却依旧坐着，点了一支烟，吐出一个烟圈，看烟雾袅袅散去，就如看着曾经的所有梦想慢慢逝去。

琦琦第一次期中考试的成绩出来时，李哥大吃一惊，说没想到琦琦这么厉害。

一中的年级二十多名，这是很多人渴望的好成绩，可小波知道，这仅仅是琦琦的起飞，她还在摸索方向。

他不再担心她，开始真正地融入了他的新身份、新生活。

不知不觉中，他去绿化林的次数渐渐少了。

不过，每当压力很大时，或者想起乌贼时，他就会又去那里，静静地坐在黑暗中，慢慢地抽一支烟。

琦琦有了新的朋友，是个看上去很阳光的男生。

她看上去也开始真正地融入了新的生活，连比带划地和男生讲着文艺会演的事情，一个又一个同学的名字从她嘴里蹦出，被她分配得妥妥当当。而她身旁的男生，看着她时，带着欣赏。

琦琦越来越像一个普通的好学生，用功学习，关心班集体，积极参与集体活动，和同学们友好相处，有一群好朋友，也许她还会暗恋某个男生，也许还会有几个男生暗恋她。

他很开心，非常开心。

看到她积极努力的样子，他突然觉得有些自惭，他也在努力，可是不积极。

生活已经没有办法选择，面对生活的态度却永远由自己选择，难道他连这点勇气都没有了吗？

他怔怔想了一会儿，将还未抽完的烟摁熄。

越是艰难，越是要爱惜自己，这是他教给琦琦的道理，可他自己竟然忘记了。

自从乌贼出事后，小波烟抽得很凶，酒喝得很凶，还时常半夜跑出去和人赌博飙车，李哥并不劝他，装作什么都不知道，那么多年的兄弟了，他了解小波不是那种放纵的人。

小波才19岁，和他同龄的人仍在父母庇护下享受着生活，他却要殚精竭虑、卑躬屈膝地讨生活，如果再没有点释放的渠道，他也许会被重重压力压垮。

可不知道从什么时候起，小波恢复了正常，不再酗酒，也不再出去飙车。

宋鹏挺纳闷地问："小波，你受什么刺激了？怎么突然烟酒都不沾了？难道交了个管家婆女朋友？"

小波笑嘻嘻地说："就是没有女朋友爱，才想对自己好一点。"

大家都哄堂大笑，没人把小波的话当真，李哥看着小波笑，这才是小波！一切都会好起来！

不知道小波怎么求动了宋杰，宋杰为他做了担保，小波东拼西凑地借到钱，开了一家旱冰场，别人都想不通精明的宋杰什么时候开始做无利的事情了。李哥倒不觉得意外，宋杰不是一般人，他很会看人，知道这个时候帮许小波一把，换来的是小波感激他一辈子，他投资的对象不是生意，而是许小波这个人。李哥自己是过来人，所以很理解宋杰的做法。

小波非常珍惜宋杰给他的这次机会，非常拼命，为了装修省钱，请的是农民工。中国的农民工是最淳朴的人，可也是最奸诈的人，他们朴素的辩证心理就是，你们城里人都很狡猾，在你给我的钱下面，我尽量少干活就是我赚了，不管你是破口大骂，还是客气有礼，他们都在貌似老实惠厚的鸢搭搭下坚持着他们的信仰。

小波在工地上看了几天，就明白了一切，把铺盖搬进了工地，和农民工住在一起，吃在一起，每天比他们早起，干活干到最晚，什么体力活都不含糊，背玻璃时，双手被划出血口，他一声不吭，隔天就又扛着铁锹挖排水沟，一个血泡又一个血泡。他除了吩咐任务，一句废话没有，只是埋着头干活，玩了命地干活，农民工兄弟们淳朴的那一面被激发，真正铆足了力气开始干活，反而倒过来劝小波休息休息。小波声音不高不低地说句什么，他们都立即执行。

旱冰场在天气热起来前就装修好了，一开张生意就好得不行，李哥知道他们终于熬过了最坏的日子，活下来了。这不仅仅是一家旱冰场的成功，从头到尾的一切，宋杰都冷眼看在眼里，他们在群狼环伺中，终于赢得了一个有眼界、有能力、有关系的伙伴。

小波把全部心思都放在了旱冰场，每天都守在旱冰场，想出了无数种法子吸引顾客，旱冰场的盈利节节攀升。

到了暑假，学生们都放假后，旱冰场的生意越发好起来，尤其晚上，有时候都需要限制售票。

琦琦送礼物来的那天，李哥恰好在旱冰场，歌厅那边打电话过来，说有人给小波哥留了一封信。

小波正在忙，李哥就吩咐："待会儿谁过来，把信顺便带过来就行了。"

后来他一忙，忘记了这事。

晚上的时候，两兄弟正一边在办公室吃盒饭，一边聊天，小波突然看到桌子上的信封，拿起来看着，"这什么？"

"哦，说有人给你的信。"

小波笑着说："怎么摸着圆鼓鼓、硬邦邦的，像个手雷？"说着，撕开了信封，抖了一抖，掉出一枚松果、一块石头。

李哥看得笑起来，"这什么啊？"

小波却不笑了，眼中若有所思，又抖了抖信封，掉出一张小纸条，李哥自然没什么隐私观念，凑过去看，上面没有称呼，也没有落款，就一句话。

"北京长城下的松果，青岛崂山上的石片。"

他越发奇怪，"这什么呀？"

小波拿起松果和石片看了一眼，放回了信封里，接着开始吃饭，好似全不在意，"琦琦送的礼物。"

"你怎么知道？"

"我听宋鹏说她被选拔去参加夏令营，会去北京和青岛。"

"那她送这个是想说什么？表示她去过长城和崂山了？"

小波不说话，埋着头吃饭，看不清楚他的表情，过了一会儿才淡淡地说："她应该自己也留了一个松果和石片，她觉得这样就好像我们分享了一切，就像以前大家在一起看录像听歌一样。"

李哥说不出话来，默默吃了会儿饭，忽然说："要不然你还是去考大学吧！"

小波抬头看着李哥，脸上没什么表情，很温和地对李哥说："去你妈的！"

李哥知道他真怒了，不再多说，笑着说："我说错话了，吃饭，吃饭！"

宋鹏比宋杰小十三岁，几乎算是两代人，和宋杰的性格也截然不同，完全看不出他们是兄弟。

宋鹏很蹿，他也很知道自己有蹿的资本，口头禅是"人不轻狂枉少年"，不过他在小波的温和宁静前却收敛了自己的骄横，和小波处得不错。

这几天宋鹏迷上了操控聚光灯，喜欢趴在窗户前，挑选目标，被照的人开心，宋鹏玩得更开心。

小波坐在沙发上边看报纸，边和宋鹏有一句没一句地聊着天。

宋鹏不知道看到了什么，大半晌都没有说话，专注地盯着下面，"小波，有望远镜吗？"

小波指了指抽屉。宋鹏拿起望远镜往下看，边看边嘿嘿地笑。

"在看什么？"

"同学，我发现某些人之间有奸情了。"

小波笑了笑，没在意，继续翻着报纸。

小波翻完了报纸，宋鹏仍拿着望远镜看得津津有味。小波站起来，一边舒展着腰，一边走到窗户边，随意地看向旱冰场地。

宋鹏嘿嘿诡笑了两声，放下望远镜，去摆弄聚光灯。

小波对着窗玻璃里的影子，做着打拳击的动作，活动着筋骨，忽地看到聚光灯下照着一个他熟悉的人——琦琦。

琦琦和一个男子在滑旱冰，突然被灯照到，惊得差点摔了一跤，幸亏男子动作快，把她扶住了。琦琦显然很不高兴，匆匆往一边躲，想躲开灯光，宋鹏却继续用灯去追她，满脸贼笑。

小波即使看不清楚，也能想象到琦琦眼中的不耐烦。他笑着对宋鹏说："别玩了，这个灯只照滑得比较好的人，坏了规矩，以后不好管理。"

宋鹏悻悻地说："放她一马！"把聚光灯移开，搜寻着新的目标。

小波拿起望远镜，看到琦琦滑到了角落里，靠着栏杆在休息，张骏怒气冲冲地滑到她面前，不知道说了什么，又怒气冲冲地转身就滑开了。

琦琦沉默地看着旱冰场，大概觉得周围没有人认识她，她的面具有些松懈，表情变得有一些哀伤。

小波不解，她不是刚去北京和青岛玩过吗？应该很快乐才对。

从望远镜前移开视线，看了一下旱冰场。

聚光灯正投在一对滑得很好的男女身上，将两人的身影勾勒得十分活泼动人，也是熟人——张骏和一个漂亮女孩玩着双人滑。

小波又拿起望远镜，看着琦琦，开始有点明白她的哀伤来自何处。

琦琦看了一会儿后，突然一个人冲进了旱冰场，近乎疯狂地滑着。

小波的望远镜追着她的身影，他能明白她这一瞬的感觉，想努力摆脱一切不愉快，想把一切都甩到身后，可是——他的心猛跳了一下，眼睁睁地看着琦琦向后摔去。

保护头！

琦琦却什么都没有做，就那么重重地摔在了水泥地板上。

因为望远镜，画面在他眼前清晰可见地闪过，他的感觉，就好像琦琦摔在了他面前，他竟然下意识地伸了伸手，想拽住她。

聚光灯下的张骏毫无所觉地和女伴快乐地滑翔着，随着音乐踏着舞步，丝毫不知道琦琦此时的伤心。

琦琦一个人躺在冰冷的水泥地板上，一动不能动，望远镜下，她脸上的痛苦异常清晰。

小波猛地拿开了望远镜。

宋鹏打着聚光灯追着张骏玩，察觉到小波的异样，侧头看了小波一眼，"怎么了？"

小波笑了笑，"没什么。"他又拿起望远镜。

有一对年轻的情侣，停在琦琦身边，把她扶起来，送到休息区。琦琦抱着头，缩着肩，坐在长凳子里，像一只受伤的小兽。好半晌后，她抬起头，视线追随着聚光灯的光束，神情哀伤而迷惘。

忽然间，她站了起来，向旱冰场外走去。

小波扔下望远镜，对宋鹏说："我出去买点东西。"刚走到门口，又反身回去，把聚光灯从张骏身上移开，在人群中搜来搜去，停在了一对年轻的情侣身上，对旁边放音乐的小弟说："让人给他们免费送一份最好的饮料和果盘过去。"

宋鹏莫名其妙地看着他，他笑了笑，走出了门。

小波远远地看着琦琦，看着她买了根雪糕，拿着雪糕，对着空气练习微笑，倔强地对自己说就是要笑，不许哭！

她慢慢地、努力地，竟然真让自己笑了出来，昂望边笑，边边哼着歌，看上去十分快乐。

他却很难受，如果可以，他多么希望能陪着她，让她能放声大哭一场，不用再那么强逼着自己坚强。

可是，他不能！

他只能看着她独自摔倒，独自爬起，独自把眼泪吞回去，独自用微笑面对这个世界。

成长本就伴随着痛楚，坚强本就是层层伤口结成的厚茧。

琦琦又蹦又跳地走着，好似一只快乐的小鸟。

不管遇见多少困难，她都一定可以勇敢坚强地打败它们。

他跟在她身后，凝视着她倔强的背影，有心酸、有欣慰、还有骄傲。

一辆自行车从他身边骑过，车上的人留意打量着琦琦，速度慢了下来，等经过琦琦身旁，车主人停了车，和琦琦打招呼，是刚成为省状元的陈劲。

陈劲推着自行车走到琦琦身边。

因为路上没有车辆，十分宁静，又恰好是顺风，两人的对话一字不落地传到了小波耳朵里。

琦琦说："早上我去看榜了，恭喜你。"

陈劲对自己的成绩并没有谈论的兴趣，反倒很关心琦琦的成绩，"我看到你上学期的成绩了，是不是很受打击？还在坚持吗？"

小波有点意外，原来这也是一个知道琦琦压根还没有真正起飞的人。

琦琦的声音有点沮丧，"在坚持，不过，很辛苦，有时候都不明白自己在坚持什么。"

"等你到了山顶时就会明白，如果中途放弃，那么你就永远都不会明白了。千万别放弃！有了第一次放弃，你的人生就会习惯于知难而退，可是如果你克服过去，你的人生则会习惯于迎风破浪地前进，看着只是一个简单的选择，其实影响非常大，是截然不同的人生。"

这番话，不知道琦琦听懂了多少，小波对这个天才倒有些肃然起敬，这并不是一个只会读书的书呆子，而是一个真正智慧的生活斗士。

陈劲和琦琦聊了一会儿后，骑车要离开，询问琦琦要不要送她回家。

小波希望琦琦能同意，可琦琦拒绝了。

"再见！"陈劲踩着自行车离去。

"祝你大学生活愉快！"琦琦对陈劲大叫。

陈劲笑着回头，"我在清华等你。"

小波不知道为什么，听到这句话，竟然脚步猛地停住，好一会儿后，才又继续走，可不知不觉中，身子越发缩入了黑暗。

黑暗的夜色中，唯一的光源就是一个又一个的路灯，沿着人行道，整齐排列着，指引着人们方向。

琦琦走在路灯下，只要她一直不停地走，一定会一路光明璀璨，到达幸福温暖的家。

而路灯之外的世界，是黑沉阴暗、模糊不清的，走起来深一脚、浅一脚，连走的人自己都不知道下一脚会踩到什么，前面又究竟通向何处。

小波就走在路灯之外的世界，他有勇气走出属于自己的路，也有信心一定会到达明亮的彼岸，但是他不希望琦琦进入这个世界，对琦琦而言，陈劲这样的人才是良师益友，那才是她的同行者。

一个明亮，一个黑暗。

他们终将越走越远。

这一夜，许小波第一次很清楚地意识到，琦琦很快就会去到一个他无法触及的距离。

高二的新学期开学后，琦琦放学时不再是一个人，有张骏送她回家。

许小波很长很长一段时间都没有去绿化林的花坛边静坐休息，也几乎再没有见过琦琦。

他听说琦琦谈了恋爱，又失恋了。

一个是曾经的流氓，一个是一中的年级第一，两人的恋爱也算轰轰烈烈、人尽皆知。

李哥很生气，生气于张骏竟然敢甩掉琦琦，气愤于琦琦的傻，又不是不知道张骏是什么人，竟然会和张骏谈恋爱。

小波倒不觉得是张骏负了琦琦，男人和女人不同，女人可以用仰视的目光爱一个男人，男人却很难仰视地爱一个女人，至少现在的张骏不行，张骏已经尽力，只是累了，所以他放手让琦琦去飞，也放自己一条生路。

琦琦肯定受伤了，但她肯定也让张骏受伤了，这只是一场没有输赢的成长。

他去绿化林的次数又多了起来，琦琦身边走着他曾经见过的阳光少年。

少年想着法子逗琦琦笑。

小波忍不住微笑，他相信琦琦会好起来，因为她身边有关心爱护她的朋友。

小波觉得一切都很安稳，安静地等着最后的高考。

高考结束后，他并没有去打听琦琦的成绩，他已经等了三年，并不焦急于这几天，他想等到放榜日，亲眼去看。

可是宋杰在帮弟弟宋鹏打听成绩时，也知道了罗琦琦的成绩，饭桌上顺口说了出来，"这次的市状元是个女生，好像叫罗什么……"

宋鹏不满地接口，"罗琦琦！"

李哥神色激动，盯着小波看，他却好像没听到，表情没有任何变化，只是拿起酒瓶给自己慢慢地斟了一满杯，一仰脖子一口干尽。

李哥眼中有愧疚有抱歉，小波笑着给他倒了杯酒，拍拍他的肩膀，好兄弟，就别说谁欠了谁！

李哥立即端起酒杯，一干而尽。好兄弟，一切尽在不言中！

宋杰笑起来，"你们两兄弟在打什么哑谜？"

高考放榜那日，李哥把手头的事情放下，中午来找小波，要陪他去看榜，他却忙东忙西，事情总是一件又一件，一直忙到了下午。

李哥问："现在总能走了吧？"

"先吃饭，饿死了！榜在那里贴着，又不会跑，什么时候不能看？"

李哥叹了口气，没有勉强他，"那就先吃饭吧！"

李哥也能理解小波的心思，亲眼看到琦琦的成绩其实就是最后的告别，从此之后，当年的那个小姑娘就彻底飞出了他们的世界，与他们再无关系。

去了一家四川餐馆，小波点了一份梅菜扣肉煲、一份荷叶粉蒸肉，都是费工夫的菜，上得很慢，一顿饭吃了两个小时。

两个人吃完饭，天色已经昏沉。

李哥开着车，直奔一中，还没到校门口，小波突然说："停车！"

李哥不知道怎么了，立即把车拐进林荫道，停在路边。

从车窗望出去，正好能透过树木的间隙看到一中的校门。

夕阳早已落山，只最后的一点余晖让天际半明半瞑，渲染出层层清冷的蓝，校门口的灯已经亮了，两个女孩并排站在校门口，仰头看着红榜，其中一个是琦琦。

她们一直站在榜前，不知道在干什么。

很久后，天色全黑时，两个人终于要离去了，沿着学校的围墙走过来，琦琦一直保持着微笑的表情，和身旁的女孩说着话，可走着走着，她突然开始掉眼泪，脸上的笑意仍在，眼泪却也汹涌不停。

旁边的女孩发现琦琦在哭，视线匆匆在琦琦脸上一扫而过，望向远处，装作一无所知。

琦琦边走边哭，从他们的车旁经过，黑暗中，丝毫没有留意到停在排柳树后的车子。

李哥推了一下小波，小波却没有动，只是低下了头，四处找烟。

李哥把一包烟扔给他。

小波吸完一支烟后，才推开门下车，快步走到校门前去看红榜。

罗琦琦

烫着金粉的大字，在红榜的最顶端，十分耀眼，十分神气。

李哥随手打开音响，开着车慢慢地遛了过去，等开到小波身后，他停住了车，摇下车窗，默默地吸着烟。

小波一动不动地站着，久久地凝视着红榜。

李哥只能看到他挺得笔直的背影，完全不知道他现在是什么表情，又到底在想些什么。

　　车厢里播放着低低的歌声，轻轻地荡漾在夏日的晚风中。

　　李哥本来没注意，可听着听着却听了进去，怔怔地发着呆，连烟都忘记了抽，任由它在指间慢慢地燃着。

　　　　是谁在敲打我窗

　　　　是谁在撩动琴弦

　　　　那一段被遗忘的时光

　　　　渐渐地回升出我心坎

　　　　是谁在敲打我窗

　　　　是谁在撩动琴弦

　　　　记忆中那欢乐的情景

　　　　慢慢地浮现在我的脑海

　　　　那缓缓飘落的小雨

　　　　不停地打在我窗

　　　　只有那沉默无语的我

　　　　不时地回想过去

　　　　是谁在敲打我窗

　　　　是谁在撩动琴弦

　　　　记忆中那欢乐的情景

　　　　慢慢地浮现在我的脑海

希望

　　许小波的朋友都很喜欢他，这人话不多，可言出必行，做事大方，对朋友也仗义。

　　他们这帮人都有点钱，但又不是那么有钱，就是说买辆二三十万的华晨宝马没问题，但买辆一百多万的宝马X5就有困难，不过也不是北京上海这种高消费城市，所以吃喝嫖赌的享受，他们一件不落。

　　许小波则和他们有点不同，不养女人，不赌博，不K粉，不收藏酒……也不能说他没有嗜好，他喜欢读书，据说家里有满满几柜子书，但这嗜好不花钱，而且这嗜好也够怪的，如今连大学教授都忙着赚钱，没时间看书了，他——个高中毕业证都没有的人竟然喜欢读书？

　　常常他们一堆人喝酒正喝到兴头上，周围的女人们才开始放得开，许小波就起身告辞。

　　起先大家都不了解，甚至有人挺看不惯他，可相处时间长了，慢慢了解了小波的为人，反而觉得他这样很不错，想把自己的什么表姐堂妹介绍给他，但小波总是微笑着拒绝。

　　大家就纳闷了，这个许小波想找个什么样的？

　　许小波也在问自己这个问题，他究竟想找个什么样的女子共度人生？

　　如果只是找一个贤惠的女人组织一个家庭并不难，就像李哥，可是他心里有更多期待。

　　在李哥的劝说下，他也相处过几个女孩，彼此都还算愉快，可他总觉得缺了点什么。

　　李哥问他："缺什么？"

小波又回答不上来。

李哥摇着头叹气，"你是不是不自觉地把她们和琦琦比较了？琦琦和你从小就认识，认识的时候性子都没定，一块儿长大时彼此影响，难免比别人多了默契了解，你要是想要那种感觉，那肯定是缺了。"

小波有点不高兴，对李哥也不掩饰，直接表现在了脸上，"胡说什么呢？别说琦琦早就离开了，就是在的时候，我也是一直把她当妹妹。"

李哥不说话。

琦琦认识小波的时候有没有十岁？那正是一个女孩性格渐渐成型的时间，琦琦又非常信服小波，心理上很依赖小波，琦琦的性格几乎是在小波的影响下一点点蜕变成长，成为了小波最希望她成为的样子。就连小波最后的绝交，也只是再次促成琦琦的蜕变成长，说夸张点，这个女孩简直是小波按照自己心中的期望亲手培养出来的。只是小波自己都没有意识到而已。

琦琦最后完全变成了小波最希望她成为的样子——自尊自爱，勤奋努力，聪慧自信，理智中不失真诚，坚强下带着温柔，而在这一切的美丽下面，琦琦还藏着倔强偏激，甚至自卑狠戾，那也是小波内心深藏的东西。

李哥站了起来，拍拍小波的肩膀，"你大嫂今天晚上带儿子回娘家了，我恢复单身，把乌贼叫上一起去打球。"

小波正要打电话，手机响了。

"我和大哥正念叨你，说是晚上一块打球，你要不要和妖娆姐请个假？"

"不用，她和我在一起，我们都在'在水一方'，你们赶紧过来，我有个好消息……不，有个大大的惊喜给你。"

小波笑起来，"什么样的惊喜？"

"你过来就知道了，快点！"

小波挂了电话，和李哥下楼去取车，路上又去拎了一箱啤酒。

走进"在水一方"时，店门已经关了，就妖娆和乌贼坐在里面聊天。

李哥把啤酒放下，笑着对妖娆说："你帮我们叫些烧烤，我们待会儿边打球边吃。"

妖娆答应了一声，却没动，笑嘻嘻地看着小波。

小波看乌贼，"你们这表情让我头皮发麻。"

乌贼问妖娆，"你说还是我说。"

"你说吧！"可乌贼刚要说话，妖娆又立即说："还是我来说吧！小波，你先坐下。"

小波故意装出一副小心翼翼的样子，坐到沙发边上，低眉顺眼地说："嫂子，你说吧！"

李哥看到这个样子，也生了兴趣，笑坐到旁边。

妖娆手里拿着张纸，一会叠上，一会打开，"今天店里来了一个老朋友，你们猜猜是谁？"

小波笑着开始猜，从张三，李四，猜到了王二麻子，妖娆一直笑着摇头。

李哥看到乌贼和妖娆的样子，猛地打了激灵，如果说是老朋友，既然乌贼、妖娆和小波都认识，那也应该是他的老朋友，可乌贼和妖娆并不关心他的反应，显然这个老朋友和小波关系更好，是小波关心的人，小波这人律己甚严，面和心冷，看着和所有人都是哥们儿，实际挑朋友挑得很厉害，能让他牵挂的人并不多。

李哥在桌子底下踢了乌贼一脚，用眼神问他，乌贼轻轻点了下头。

他们的动作很轻微，可小波向来心思细腻，这么一会儿工夫，李哥想到的，他也已经想到了。

他脸上还笑着，话却说不出来，名字就压在舌尖，却怎么也吐不出口。也许因为太过在乎，反倒开始不相信自己的判断，生怕错了。

一时间，屋子里陷入了沉默，没有一个人说话。

十多年前，当他们还是青葱少年时，李哥、乌贼、小波、妖娆、琦琦就好像是一个小家庭，一起玩，一起闹，一起闯祸，一起承担，互相照应，互相关心，可自从乌贼出事进监狱后，他们就再没有聚齐过，不是缺了这个，就是缺了那个，最困难的时候，只剩下了李哥和小波两个人。

后来，乌贼从监狱出来了，经过努力、克服重重困难把妖娆找了回来，他们又团聚了，虽然缺了一个琦琦，可是也没什么，日子毕竟是越过越好，大家都很少提起她，就如同他们很少去回忆过往的一切。

但是，这个夜晚，琦琦的名字就像是一个魔咒，把他们本以为已经遗忘的东西居然都唤醒了。

有欢笑，有肆意，也有这么多年的艰难和辛酸。

在琦琦的离去和回来间，十几年的光阴竟然只是一晃而过，可是，人生的跌倒爬起，失败成功，分别团聚，苦涩甜蜜，他们都已经一一经历过。

妖娆默默地把手里的纸条放在了小波面前，"这是琦琦给你的留言。"当她的手空了时，第一件事情就是去握乌贼的手，她刚碰到乌贼的手，就被乌贼紧紧地抓在了手心里。

岁月就如大河行船，有时候水缓浪平，可以轻松地手牵着手笑看两岸景致，嬉闹玩耍，有时候却风急浪大，必须奋力搏斗，一个不小心就会船翻人亡，危急时为了自保更为了不拖累别人，不得不放手。

一个巨浪之后，也许就此永远失散，当再一次风平浪静时，船儿依旧在前行，而我们也只能在船头哭泣过那些离散后，擦干眼泪，继续驾着风帆前进，迎接新的风景新的人，在新的风景中欢笑。

这世间没有几个人有勇气跳下激流回头去找那失散的人，谁知道那个人被冲向了哪里？谁又知道他有没有迎接新的风景新的人，在新的风景中欢笑？所以，只能把往事压入心底，继续前进，没有对错，这就是生活。

可是，如果能够不放手，如果能够永远手牵着手，那该多么幸福！

妖娆看着乌贼，眼中有隐隐的泪光，心里有永不会说出的话，"谢谢你，谢谢你不肯放手，没有你傻傻地不肯放手，就没有今天的牵手。"

小波拿着纸条，却半晌都没有打开看，只笑着问："她如今是什么样子？"

乌贼说："不知道，我们没见到，她把纸条留给店员，让妖娆转交给你。"

妖娆想了想说："我觉得我看到她了。"

小波微笑着没说话，视线不但没有看妖娆，反倒垂下，盯着手里折叠的纸条。

妖娆说："我当时正在和姐妹讲电话，怕店里的客人嫌我吵，就没有进店，站在外面说，无意中看到一个女子一直盯着我看，当时觉得她有点眼熟，可正忙着谈事情就没在意。"

乌贼说："你可真够笨的！被人盯着看都没反应！"

"哼！"妖娆撩了撩头发，笑了笑，很是风情万种，"我走在街上一直都会有人盯着看，难道我还一个个都好奇过去？"

李哥含蓄地笑着，乌贼却是放声大笑。

妖娆瞪了他们一眼，对小波说："我虽然没多留意，可还有个大概印象，看她的样子应该过得挺好，而且比以前漂亮了，不是那个土土的琦琦了，要不然我也不会认不出来，她不是约了明天见面吗？你就放心大胆地去吧！"

小波愣住，妖娆指指纸条。

小波终于打开了纸条。

美丽温馨的小书店，像一个少年时的梦。做梦的人在红尘颠簸中都已经忘记了自己想过什么，却没有料到，蓦然回首时，梦已经实现。

小波，明天我会在河边等你，不见不散。

琦琦

我说的是不见不散！

小波忽然间有些心跳加速，压根儿没有喝酒，却有了微醺的晕沉感。

李哥也不和小波讲什么君子风范，凑在小波身旁，津津有味地看完，笑嘻嘻地说："成啊，琦琦可是出息了！这话说的有魄力！小波同志，我们就把迎接琦琦回来的任务交给你了！"

妖娆兴奋地说："明天批准你们单独见面，后天就要大家一起，我们先去K歌，然后再去跳舞，检查一下这丫头有没有忘记我们当年教她的。"

乌贼说："还有打牌！我和李哥仍然一家，让你和琦琦一家，看看谁输谁赢。"

一桌的人都欢畅地笑了起来，也许他们没有什么大的成就，可能打败残酷的岁月，一直在一起，这就是生活最大的奇迹了！

小波却微笑着不说话，李哥给乌贼打了个眼色，两人站起来，去打台球，妖娆也跟了过来，一人拿着一罐啤酒，小声聊天。

乌贼瞄了瞄独自坐在灯下的小波，小声说："琦琦回来，我还以为小波会最激动高兴，可他好像也没多开心，反倒心事重重。"

妖娆瞪了他一眼，"不懂就别乱说！"

李哥边打球，边嘀咕，"小波文化人的老毛病又犯了，什么事都还没做，就开始在思考各种酸溜溜的后果，担心什么相见不如不见，回忆是美好的，现实是残酷的，照我说，人还是少读点书好，大思想家有几个幸福的？都是想得太多，做得太少！"

乌贼说："什么意思？不见？不见什么？他会不去见琦琦？哪里能这样？人家从美国回来一趟多不容易！"

妖娆想了会儿，倒明白了李哥的意思，瞅了眼乌贼，对李哥说："他们都是太聪明了，被聪明给闹的！做什么都要想前想后！要是我家乌贼这个莽货，管你三七二十一，先冲到你面前问清楚了，你不同意就把你砸晕了往家里扛。"

李哥笑起来，"是啊，所以说这小子傻人有傻福！"

乌贼摸着头，看看老婆，看看大哥，"我听着你们说的话好像不是什么好话，可好像又是在夸我！"

妖娆忍着笑说："就是在夸你呢！"

乌贼问："你们究竟什么意思？为什么小波不肯去见琦琦？"

妖娆说："如果小波和我们一样，他就会去见，如果他发现自己和我们不一样，那他要考虑的事情就多了，比如琦琦有没有结婚啊，有没有男朋友啊，他配不配啊，有没有可能啊，可能又有多大啊，会不会伤害到琦琦啊……"

乌贼听得发晕，"他不会去问吗？见了面一问不就知道了！自个儿有什么瞎琢磨的？"

妖娆无奈地看着李哥，一副"你看，果然被我说中"的样子，李哥笑着拽乌贼，"你赶紧打球吧，别再想了。"

小波笑着走过来，"你们说什么呢？"

李哥说："就说你呢！还不赶紧去拿杆子！"

小波去拿了杆子，一边观战，一边等着开下一局。

妖娆看看他们三个，笑着出门去帮他们买烧烤。

兄弟三人打了一晚上台球，喝完了一箱子啤酒，又干掉了三瓶白酒，李哥带着点故意，把小波灌醉了。

第二天小波清醒时，发现竟然已经是下午四点，他一额头的汗，匆匆忙忙去冲澡，边冲澡边骂自己。

洗完澡，看到李哥坐在客厅，展着懒腰对他说："一天没吃饭了，我们去吃晚饭。"

小波眼角扫了眼墙上的钟，没吭声。

李哥却完全没留意到他的表情，推着小波出门，一边还兴高采烈地打电话，叫乌贼和妖娆过来一起吃饭。

折腾了半天，四个人才在饭店聚齐，妖娆还把孩子也带来了。

小波因为性子好，向来有小孩缘，小家伙一见他，就往他身上爬，小波只能强打起精神，哄着小家伙玩。

一顿饭吃得扰扰攘攘，一会儿碟子打了，一会儿筷子掉了，一会儿孩子哭了，小波刚开始是耐着性子，眼角的视线一直扫腕上戴的表，后来，却开始有点心冷的认命，就像是激流中，一个人划着一艘小船想逆流而上，累得满头大汗，却发现手里的桨太细，根本不足以抵挡激流，慢慢地，他开始认命，就这样随着水流而去吧！

吃完饭，四个人走出饭店时，已经快八点。

天黑得晚，夕阳还未落山，天空是一种暖暖的蓝，一缕又一缕的流云，像是金鱼的鱼鳞一般飘在天上。

妖娆抱着孩子，抬头望着天空，孩子玩累了，趴在妈妈肩膀上睡着。

乌贼一边给孩子罩小外套，一边看着小波想说什么，李哥冲他挥了下手，吩咐说："乌贼，你带着妖娆和孩子回家，我送小波。"

李哥专心开着车，小波看着前方，视线却没有任何焦距。

两兄弟并排坐着，一句话不说。

小波发现时，李哥已经把车开到了河边，他把车停在堤岸旁，小波不解地看着他，"不是说回家吗？"

李哥拉开车门，"下来！"神情非常严肃，露出了当年做大哥时的威严。

小波默默下了车，李哥带着他沿着堤岸，慢慢走着。

走到一处开阔的地方，李哥给了小波一支烟，两人趴在栏杆上，看着河水，抽着烟。

"小波，昨天晚上我是故意把你灌醉了，你这人什么都好，就是心思太细，我不想你去反复琢磨这件事情。"

"我知道。"小波的表情很平静。

"你现在给我说句实话，你究竟怎么想？"

"我不知道，我没仔细想过。"

"那就现在想，从头开始想。"

小波默默吸着烟，过了好半晌才说："当年我真把她当妹妹，或者当成了另一个自己。"

"那现在呢？"

"这些年我并不是经常想起她，可每次最开心最不开心的时候，都会想起我们在一起的日子。两个人在一个屋子里看书，一句话都不说，可一抬头就能看见对方，很安心。还有踩着自行车，一起去巷子里找小吃，两个人都抠门，买个花生糖都是一颗颗数着买，可我们都特高兴。她喜欢听旧上海的老歌，老是拉着我和她一块儿听，搞得我后来也开始慢慢喜欢听这些歌。"

记忆的阀门打开，所有的往事扑面而来，"有一次我正在家里帮我妈翻手套，她来找我，家里又闷又热，可她一直帮着我翻手套，我们出来后，我说请她吃冰棍，让她随便选，别客气，她装模作样挑了半天，最后选了最便宜的，还说她就是爱吃这个。我还记得高中部每次考试都会把成绩贴出来，她每次都会去看，有一次榜单不知道被谁撕掉了一块，看不到我的名次，她就垫着脚尖，用两个指头一个个往上数，推断我的名次，我正好碰到，从后面拍了她脑袋一下，问她干什么呢，她转过头不说话，光冲着我傻笑。可你说她笨吧，那时候我总想着将来要去上大学，要和你们分道扬镳，不想欠你太多人情，她却特意提醒我不要这样做，会伤到你的心……"

小波说到后来，慢慢地没了声音，只是望着波光粼粼的河水发呆。

李哥也不去理他，由着他自己慢慢琢磨。

很久后，小波轻声说："我想你说的对，这些年我一直无意识地把所有女人都在和她做对比，我总是想再找到那种一句话不说却很心安的感觉，即使身无分文依旧能开怀大笑的积极，在喧闹人群中相视一眼就能明白对方的默契，不管发生什么都知道对方不会抛弃自己的不离不弃。"小波抬着头，凝视着树梢顶端的一抹红色浮云，"如果从来不曾有过，我也许早就结婚了，可是因为曾经有过，知道这个世上那种感觉真正存在，所以就不肯妥协。"

当年的小波面临的生活压力太大，前途一片黑暗，能挣扎着生存下去就已经很好，他压根没有心思去想什么爱情，可当他开始思考这件事情时，才发现在他生命中最美好的爱情早已经来过，只是，在他意识到的同时发现已经失去了。

李哥狠狠吸了口烟，说："琦琦是很好，可你和她早已是两个世界的人，人家是清华的高材生，喝过洋墨水，你是什么？你连个高中毕业证都没有！这不仅仅是学历，还代表着一个人的阅历、眼界、社会地位、人际关系网。"

小波低下了头，看着自己的手不吭声。

李哥说："她和你以前有默契，那是因为她和你生活在一个世界中，如今你拿什么去和她默契？她听英文歌的时候，你能陪着她听？她带着你去见同学时，该怎么介绍？哦，连高中都没读完的男人？她同学会怎么看她？我们不是孩子了，都知道人其实就是活在别人的眼光中。"

李哥拍拍小波的肩膀，"这是一个现实的世界，你又一向理智，应该明白你们之间不可能！"李哥捏着烟蒂，吸了最后一口，把烟蒂扔到地上，"你问一百个人，一百个人都会告诉你想都不要想。"

小波抬起了头，微笑着说："我知道，我没有想过，大哥，送我回家吧！"

李哥用力踩到烟蒂上，把烟狠狠碾灭，突然连砸了小波两拳，小波被打得踉踉跄跄后退了几大步。

李哥指着他骂："你知道个屁！你知道有多少人告诉老子，说你小子太精明，让我提防着你？可我不信那个邪，我就信你！乌贼刚从监狱出来时，连我们都劝他别再惦记妖娆了，人家现在过得很好，可乌贼不管，非要去找妖娆，结果怎么样？你也看到了！我们这蹲过大牢的傻兄弟就是娶了个又能干又聪明的大美女回来！多少人吃惊得合不拢下巴？这些年，多少人在你面前劝你离开我，自立门户，可你怎么没做？这么明摆着的好事，你他娘的怎么没做？"

小波不吭声。

李哥大声吼着："许小波，你是不是安逸日子过得太久了，忘记了我们的出身？我们是出来混的人！是什么都敢做的流氓！你他妈的不是那些做事前瞻后顾的良民！你难道忘记了你凭什么能活下来，还活得比别人好？你一无所有，有的就是胆识和敢拼，那些社会制定的理智和规矩不是为我们这种人设置的，若按照那些聪明人的规矩，我们这群人早他妈的散了！谁他妈规定了高中生就不能娶博士？谁他妈规定了小城市的男人就配不上大都市的姑娘？谁他妈规定了我们就比那些精英差？谁他妈的规定了谁就比谁更尊贵？我们也是一步一个脚印奋斗出来的，流的汗吃的苦比他们只多不少！老子很为自己自豪！你他娘的也应该为自己骄傲！她罗琦琦别说不是公主，就算真是一个公主，你也配得上！"

小波愣愣地看着李哥，表情复杂。

李哥说："你赶紧给我滚去见她！不管她有没有结婚，有没有男朋友，都去把该说的话说了，该做的事情做了，不管结果是什么，至少拼过了，没了遗憾，男子汉大丈夫拿得起放得下，前面的路还长，好日子多的是，好女人也不少！"

李哥双手捋了把头发，大喘了几口气，怒气终于平息。

小波下意识地看向天空，太阳已经下山，只有漫天红霞辉映出最后的绚烂。

已经整整一天，琦琦还会在等吗？

李哥也望向天空，温和地说："我是故意拖到现在，如果多年的情分还不能换来一天的等待，那么也就没有见面的必要了。如果她还是我们记忆里的琦琦，她一定还在等你，一定会不见不散！不管你心里想什么，将来又会如何，难道她一天的等待还不能换你见她一面？"

"大哥……"小波想说什么，声音却断在了喉咙里。

李哥瞪住他，抬腿要踢，"还不去？难道真要我压着你去？"

小波闪身避开，冲李哥点了点头，沿着河堤快步向前走去。

李哥目送着小波的背影消失在夜色里。

他又点了一支烟，趴在栏杆上，迎着晚风，一边吸着烟，一边微笑。

漫天红霞正在一点点褪去绚烂的华衣，归于昏暗，明天又是新的一天。

没有人真正知道明天是什么样子，究竟是阴霾密布还是阳光灿烂？但那并不重要，重要的是明天之后还有明天，只要生命没有结束，永远有下一个明天，永远可以希望着下一刻就是我们想要的幸福。

真正点亮生命的不是明天的景色，而是美好的希望。

我们怀着美好的希望，勇敢地走着，跌倒了再爬起，失败了就再努力，永远相信明天会更好，永远相信不管自己再平凡，都会拥有属于自己的幸福，这才是平凡人生中最灿烂的风景。

图书在版编目（CIP）数据

那些回不去的年少时光：新版 / 桐华著. —长沙：
湖南文艺出版社，2013.2

ISBN 978-7-5404-5896-6

Ⅰ. ①那… Ⅱ. ①桐… Ⅲ. ①长篇小说 – 中国 – 当代
Ⅳ. ①I247.5

中国版本图书馆CIP数据核字（2012）第298664号

上架建议：**长篇小说·青春言情**

那些回不去的年少时光：新版

作　　者：桐　华
出 版 人：刘清华
责任编辑：薛　健　刘诗哲
监　　制：一　草
选题策划：博集天卷+优阅图书
策划编辑：钟慧峥
营销编辑：杨鑫垚
整体装帧：熊　琼
出版发行：湖南文艺出版社
　　　　　（长沙市雨花区东二环一段508号　邮编：410014）
网　　址：www.hnwy.net
印　　刷：北京鹏润伟业印刷有限公司
经　　销：新华书店
开　　本：787mm×1092mm　1/16
字　　数：450千字
印　　张：37.5
版　　次：2013年2月第1版
印　　次：2015年10月第5次印刷
书　　号：ISBN 978-7-5404-5896-6
定　　价：54.00元

质量监督电话：010-59096394
团购电话：010-59320018